Joseph Parry

Bachgen Bach o Ferthyr

Joseph Parry

Bachgen Bach o Ferthyr

DULAIS RHYS

GWASG PRIFYSGOL CYMRU
CAERDYDD
1998

ISBN 0–7083–1249–7

Mae cofnod catalogio'r gyfrol hon ar gael gan y Llyfrgell Brydeinig

Dyluniwyd y clawr gan Chris Neale
Cysodwyd yng Ngwasg Prifysgol Cymru, Caerdydd
Argraffwyd yn Lloegr gan Bookcraft, Midsomer Norton

I
Leigh, Gwion, Iestyn ac Osian
ac i'm Rhieni

Rhagair

Cefais fy magu yng Nghaerfyrddin yn yr 1950au – adeg ffurfio côr meibion y dref. Ymunodd fy nhad â'r côr ac, fel plentyn, cefais brofiadau cerddorol amrywiol wrth glywed y côr yn ymarfer. Arhosai nifer o'r darnau yn fy nghof cerddorol – ni wyddwn beth oedd eu teitlau ar y pryd – ac aeth ugain mlynedd heibio cyn imi sylweddoli mai'r gerddoriaeth a oedd wedi aros fwyaf yn fy meddwl oedd 'Iesu o Nazareth', 'Cytgan y Morwyr' a 'Cytgan y Pererinion', ac mai Joseph Parry oedd cyfansoddwr y tri darn. Tua chanol yr 1970au, deuthum o hyd i gopïau o *Blodwen* ac *Emmanuel* yn stôl y piano, ac yn raddol deuthum i wybod eu cynnwys cerddorol a darganfod eu bod yn weithiau diddorol iawn – methais â deall paham y'u hanwybyddwyd gymaint gan y byd cerddorol cyfoes.

Cyd-ddigwyddiad oedd cael fy ngwahodd yn 1977 i baratoi sgôr cerddorfa ar gyfer perfformiad cyngerdd o *Blodwen* yng Ngŵyl Gerdd Menai – o dan ei chyfarwyddwr John Hywel – yn 1978, union ganrif ar ôl perfformiad cyntaf yr opera. Gan ddefnyddio sgôr wreiddiol Parry yn sail, penderfynais fynd ati i baratoi sgôr newydd a fyddai'n anelu at wella'r trefniant cerddorfaol gwreiddiol gan gadw mor agos ag a oedd yn ymarferol bosibl at fwriad gwreiddiol y cyfansoddwr.

Yn Awst 1977, enillais ysgoloriaeth i dreulio blwyddyn yn astudio cyfansoddi yn y Peabody Conservatory of Music yn Baltimore, yr Unol Daleithiau, ac felly yno y paratowyd sgôr cerddorfa newydd *Blodwen.* Bu'r perfformiad ar 29 Ebrill 1978 yn llwyddiant. Gwerthwyd pob tocyn, darlledwyd y gwaith yn fyw gan Radio Cymru, a chyhoeddwyd record o'r achlysur gan gwmni Sain. Teimlais falchder, gwefr ac anrhydedd oherwydd imi gyfrannu at atgyfodi *Blodwen,* ac o hynny ymlaen cynyddodd fy niddordeb yn Joseph Parry, y dyn a'r cerddor.

Cam naturiol ymlaen wedyn oedd gwneud ymchwil i fywyd a cherddoriaeth Joseph Parry, ac ym Medi 1986 cyflwynais draethawd Ph.D. ar y testun i Brifysgol Cymru. Y traethawd hwnnw a sbardunodd y llyfr hwn. Wrth ddechrau casglu gwybodaeth, buan y sylweddolais fod yna broblem sylfaenol: 'ffeithiau' anghywir a chamargraffiadau, rhai ohonynt yn dyddio yn ôl i gyfnod y cerddor ei hun!

Yn 1951, cyhoeddodd Jack Jones *Off to Philadelphia in the Morning*, llyfr a boblogeiddiodd hanes Joseph Parry – gwnaeth BBC Cymru gyfres ddrama ohono – ond sy'n cynnwys nifer o 'ffeithiau' anghywir. Er enghraifft, yn ôl y llyfr hwnnw cyfansoddodd Parry *Blodwen* ar gyfer ei radd Mus.Doc. Rhaid cofio mai ffuglen yw'r nofel, yn *seiliedig* ar ffeithiau – cywir ac anghywir – bywyd Joseph Parry. Yn sicr poblogeiddiwyd 'myth' y cerddor drwy gyfrwng y llyfr a'r gyfres deledu.

Nid yw'r wybodaeth am Joseph Parry yn gywir bob tro ychwaith yn sylwadau prin ffynonellau cerddorol rhyngwladol safonol fel *Grove's Dictionary of Music and Musicians*, llyfrau hanesyddol fel *The Romantic Age*, neu gylchgronau cerddorol fel y *Musical Times*. Yn sgil hynny, roedd rhaid imi ddibynnu'n helaeth ar ffynonellau Cymreig, a Chymraeg yn arbennig – hyd yn oed yn Llundain ac America – ar gyfer dod o hyd i wybodaeth ddefnyddiol a ffeithiol gywir.

Eto, oherwydd natur gohebiaeth y dydd – yn enwedig o safbwynt cerddoriaeth – cefais fod ambell adroddiad yn creu mwy byth o ansicrwydd. Yn y cyfnod hwnnw anaml y ceid rhaglenni cyngherddau argraffedig, a dibynnai'r gohebydd ar ei gof ynghyd â mympwy yr artist i nodi teitl ambell ddarn. Canlyniad hyn yw ansicrwydd weithiau ynghylch rhywbeth mor sylfaenol ag union deitl y darn a berfformiwyd. Hefyd, nid oedd yn arfer enwi'r cyfansoddwr – eithriad yw 'Come Fairies Tribute (Joseph Parry)' (*Baner ac Amserau Cymru*, 24 Mawrth 1869). Roedd o leiaf bedwar 'Parry' wrthi'n cyfansoddi yn y bedwaredd ganrif ar bymtheg – Joseph, Haydn ei fab, John a Charles Hubert Hastings – ac felly bu'n rhaid chwarae ditectif wrth ddod ar draws cyfeiriadau amwys fel 'Flow Gentle Deva (Parry)' mewn adroddiad yn y wasg: *John* Parry yw cyfansoddwr y darn hwnnw.

Er mwyn ceisio dileu ansicrwydd fel hyn, bu raid imi droi at sylwebaeth Joseph Parry ei hun. Lluniodd ei hunangofiant yn 1902 – blwyddyn cyn ei farwolaeth – a naturiol fyddai disgwyl i'r gwaith fod yn sylfaen ddibynadwy i hanes ei fywyd a'i gerddoriaeth. Ond yn anffodus, gwaith anwastad ydyw, yn fanwl mewn un man ac yn crynhoi cyfnodau cyfan i ychydig frawddegau mewn man arall. Nid yw'r wybodaeth bob tro yn gywir ychwaith. Yr hunangofiant a ddefnyddiwyd gan E. Keri Evans yn sylfaen i *Cofiant Joseph Parry* yn 1921. Dyma'r unig gyfrol swmpus ar y cerddor, ond mae dibyniaeth Evans ar yr hunangofiant yn peri bod cynnwys y llyfr yn anwastad ei gywirdeb a'i ddefnydd hanesyddol. Llyfr llai yw *Joseph Parry* Owain T. Edwards, a gyhoeddwyd yn 1970. Mae hwn yn ei dro yn dibynnu'n helaeth ar y *Cofiant*, ac felly'n cynnwys yr un camgymeriadau. Nid yw'r naill lyfr na'r llall yn trafod *cerddoriaeth* Parry yn fanwl.

Yn y llyfr hwn, diweddarwyd orgraff y Gymraeg mewn dyfyniadau ac felly newidiwyd, er enghraifft, 'yn Nghymru' i 'yng Nghymru'. Defnyddir 'Nodiant Erwydd' yn lle 'Hen Nodiant', a Llyfrgell Genedlaethol Cymru yw lleoliad pob cyfeirnod llawysgrif Joseph Parry, er enghraifft yr hunangofiant (9661D).

Yn olaf, dymunaf ddiolch yn ddiffuant i ddwsinau o bobl ar ddwy ochr yr Iwerydd am gydweithrediad hael, amyneddgar ac amrywiol, ac ymbiliaf faddeuant am enwi tri, sef Mrs Yvonne Francis, Pennaeth y Gymraeg yn Ysgol Bro Myrddin, Caerfyrddin, am gywiro iaith y testun, Mr Philip Morris o Ben-y-bont ar Ogwr am baratoi rhai o'r dyfyniadau cerddorol a Susan Jenkins, Gwasg Prifysgol Cymru, am ei gwaith ar y llyfr.

Yn fwyaf arbennig, bu'r holl waith yma yn amhosibl heb gydweithrediad, awgrymiadau, beirniadaethau a gwthio cyson Mr John Hywel, gynt o Adran Gerdd, Coleg Prifysgol Gogledd Cymru, a fu'n arolygu fy ngwaith ymchwil gwreiddiol.

Un arall ag amynedd di-ben-draw yw Leigh fy ngwraig – dioddefodd Joseph yn rhy hir fel aelod ychwanegol o'n teulu!

Dulais Rhys — *Caerfyrddin*
1998

Cynnwys

Diniweitied ei natur – a mebyn
Mab diflin ei lafur;
Miwsig heb drai na mesur
Lanwai byth ei galon bur.

(Dewi Môn, 1903)

1
Merthyr Tudful

Ganwyd Joseph Parry ar 21 Mai 1841 mewn tŷ yn Chapel Row yn ardal Georgetown, Merthyr Tudful yn yr hen Sir Forgannwg. Yn ddiweddarach y mabwysiadwyd yr enw Cymraeg 'Tai'r Hen Gapel' ar y stryd. Tref fechan mewn ardal wledig a dyfodd yn dref ddiwydiannol enfawr oedd Merthyr, a thu allan i'r ardal y gorweddai gwreiddiau'r teulu Parry.

Symudodd y tad, Daniel Parry, i Ferthyr yn 1823. Fe'i ganwyd yn 1800, yn fab i John Parry, ffermwr o ardal pentref Trewyddel tua phum milltir i'r de o dref Aberteifi. Yn 1816 y symudodd y fam, Elizabeth Richards, i Ferthyr. Fe'i ganwyd yn 1805, a'i bedyddio ar 28 Mawrth 1805 yng Nghapel Sul (Annibynwyr) Cydweli, yn Sir Gaerfyrddin. Fe'i magwyd ar fferm 'Y Graig' ger Mynyddygarreg, ac roedd yn perthyn o bell i'r Aelod Seneddol Henry Richard.

Priododd Daniel ac Elizabeth, a alwyd ar lafar yn 'Bet' neu 'Beti', tua'r flwyddyn 1825 ac, yn ôl sawl ffynhonnell, ganwyd iddynt wyth o blant, er mai enwau pump ohonynt yn unig a gofrestrwyd adeg Cyfrifiad 1851: Ann (1834), Henry (1838), Joseph (1841), Elizabeth (1844), a Jane (1847). Awgryma'r dyddiadau hyn i'r tri phlentyn 'arall' farw yn eu babandod. Dywed sawl ffynhonnell mai Joseph oedd yr ieuengaf ond un, neu hyd yn oed yr ieuengaf oll, ond yn ôl Cyfrifiad 1851 nid yw hyn yn gywir. Mae'r Cyfrifiad hwnnw hefyd yn disgrifio Ann fel gwneuthurwraig dillad i ferched, ac yn labelu Henry, Joseph, Elizabeth (a alwyd ar lafar yn 'Betsy') a Jane fel 'scholars'. Dywed William Edmunds yn ei lyfr *Hanes Plwyf Merthyr* fod yn y dref ddeuddeg ysgol ar hugain yn 1845, gyda rhwng 6,000 a 7,000 o blant yn derbyn addysg ffurfiol, gan ddilyn patrwm arloesol y Fonesig Charlotte Guest yn Nowlais. Ond i ysgol a berthynai i waith Cyfarthfa yr anfonwyd Joseph Parry am dymor byr.

Ganwyd Joseph am hanner awr wedi naw ar nos Wener, 21 Mai 1841, yn Chapel Row. Roedd o leiaf bum tŷ yn y rhes, a dywed sawl ffynhonnell mai yn rhif pedwar y'i ganwyd ef. Yn rhif pedwar y saif Amgueddfa Joseph Parry heddiw, ond nid oes prawf pendant mai dyma oedd union fan geni'r bachgen. Yn wir, mae tystiolaeth i'r perwyl mai rhif dau oedd gwir gartref y teulu. Dywed Cyfrifiad 1841 'the second house', dywed hunangofiant Parry 'the second house', ac yn llyfr Roy Thorne, *Penarth – A History*, dangosir llun o 2 Chapel Row fel man geni Joseph Parry. Er nad yw'r Cyfrifiad yn nodi'r *union* rif, mae iddo system drefnus, ac o weithio o'r chwith i'r dde, rhif dau yw 'the second house', nid rhif pedwar – nid oedd rheswm dros gyfrif o'r dde i'r chwith.

Adeiladwyd Chapel Row ym mlynyddoedd cynnar y bedwaredd ganrif ar bymtheg, a'i henwi ar ôl capel wyth-ochr a safai drws nesaf i dŷ cyntaf y rhes. Adeiladwyd y capel gan Richard Crawshay, meistr gwaith haearn Cyfarthfa, tua diwedd y ddeunawfed ganrif fel 'chapel-of-ease' ar gyfer ei weithwyr, ond erbyn canol y bedwaredd ganrif ar bymtheg câi'r capel ei ddefnyddio fel storws, gweithdy saer ac fel man cyfarfod ac ymarfer Seindorf Bres Cyfarthfa.

Roedd yn arfer gan feistri'r gweithfeydd yng Nghymru ac yn Lloegr ddarparu'n ddiwylliannol ar gyfer eu gweithwyr, ac yn 1844 sefydlodd Robert Crawshay, mab Richard, seindorf ymhlith gweithwyr y melinau. Seindorf Cyfarthfa oedd un o uchafbwyntiau cerddorol ardal Merthyr, a gorymdeithiai'n falch mewn lifrai llachar drwy strydoedd y dref. Dyma un o atgofion cerddorol cynharaf Joseph Parry yn ôl ei hunangofiant (t.2): 'I am following you as you play marching the streets of Merthyr, your music seems to satisfy my soul, more than food the body.' Cynhwysai *repertoire* seindorf Cyfarthfa symffonïau Beethoven a chystadleuai'n eang. Er enghraifft, ym mis Chwefror 1860, enillodd y wobr gyntaf o £30 ynghyd â chwpan aur mewn cystadleuaeth yn y Crystal Palace yn Llundain, a chyfeiliai yn y 'Merthyr Tydvil Ball' – dawns fawreddog i gyfoethogion y fro a gynhelid ar ddiwrnod olaf pob blwyddyn yn y Bush Inn ym Merthyr.

Poblogaeth y dref yn 1841, blwyddyn geni Joseph Parry, oedd 34,977. Roedd pedwar capel ar bymtheg yno bryd hynny a bu'r rhain yn ganolfannau pwysig i'r Cymry brodorol. Annibynwyr pybyr oedd Daniel a Bet Parry, a mynychai'r teulu gapel Bethesda ar allt Bethesda Street tua hanner milltir o'r cartref. Codwyd y capel tua throad y ddeunawfed ganrif, a'i 'ailadeiladu', sef ei ehangu, yn 1829. Roedd Bet Parry wedi symud i Ferthyr er mwyn gweini yng nghartref gweinidog capel Bethesda, y Parchedig Methusalah Jones a fu farw yn 1839. Ei olynydd oedd y Parchedig Daniel Jones, ac ef oedd bugail Bethesda yn ystod plentyndod Joseph Parry.

Yn ogystal â bod yn gapelwyr selog, roedd aelodau'r teulu yn gerddorion brwd. Meddai Bet ar lais alto da, a gelwid arni o dro i dro i arwain y gân. Cantorion oedd ei dau blentyn hynaf – Ann a Henry – ac roedd y ddwy ferch ieuengaf – Jane a Betsy – i ddatblygu lleisiau soprano ac alto campus. Mae hyd yn oed sôn i'r teulu cyfan gyd-ganu ym Methesda. Roedd gan y capel gôr llewyrchus, gyda Joseph Parry yn ymuno yn wyth oed fel alto a feddai, yn ôl pob sôn, ar lais deniadol a'r gallu i gynnal ei ran yn dda. Nid oedd eto'n gallu darllen cerddoriaeth, ac nid oedd yn cyfansoddi, felly nid 'prodigy' o blentyn oedd Joseph Parry – nid Mozart mohono o ran gallu cerddorol cynnar.

Arweinydd côr Bethesda er 1845 oedd Robert James a adnabuwyd wrth y ffugenw 'Jeduthyn'. Fe'i ganwyd yn Aberdâr, a phan oedd yn ddwy oed, symudodd ei rieni i Ferthyr, gyda'i dad yn ymuno â dosbarthiadau canu Rosser Beynon – cerddor sy'n dod i'r amlwg yn ddiweddarach yn natblygiad cerddorol Joseph Parry. Yn ôl rhai ffynonellau (David Morgans, *Music and Musicians of Merthyr and District*, t. 73, er enghraifft), Robert James oedd athro cerdd cyntaf Joseph Parry. Nid oes tystiolaeth bendant o blaid hyn, ond yn sicr ef oedd un o'r dylanwadau cynnar ar Joseph y plentyn o safbwynt cerddoriaeth a chredoau moesol – dylanwad a gryfhawyd drwy uniad teuluol ym mhriodas Robert ac Ann Parry yn ystod haf 1852. Ganwyd plentyn, Lizzie Parry James, yn 1854, ond ym mis Ionawr 1855 bu farw Ann yn un ar hugain oed. Ymfudodd Robert James i Awstralia yn 1857, ac aros yno am bum mlynedd – roedd i ddychwelyd i fywyd Joseph Parry yn ddiweddarach.

Un arall o gerddorion gweithgar Merthyr oedd Rosser Beynon. Fel Robert James, fe'i ganwyd y tu allan i'r ardal – yng Nghwm Nedd – a symud yn ifanc gyda'i deulu i Ferthyr. Erbyn yr 1830au, roedd Rosser Beynon wedi sefydlu dosbarthiadau cerddoriaeth ym Merthyr a Chaerdydd, gyda Robert James yn un o'i ddisgyblion cynharaf. Ond ar y Sul, tra âi Robert James i gapel Bethesda, un o ffyddloniaid capel Soar yn y dref oedd Rosser Beynon, lle y daeth maes o law yn arweinydd y gân. Sefydlodd y cerddor amryddawn hwn gôr cymysg ym Merthyr, un o rai cyntaf yr ardal, tuag 1837, ac ymunodd Joseph Parry yn ogystal â mynychu dosbarthiadau canu'r cerddor.

Erbyn 1851 ac ar ôl degawd o ehangu diwydiannol roedd poblogaeth Merthyr wedi cyrraedd 45,855, cynnydd o dros 10,000 a'r rhan fwyaf ohonynt yn fewnfudwyr o Loegr, yr Alban ac Iwerddon. Roedd bywyd a gwaith yn anodd a chaled, felly roedd gweithgareddau hamdden ac ysbrydol – yn enwedig y corau, yr eisteddfod a'r capel – yn hollbwysig. Ym mis Ebrill 1852 – o bosibl yn ymateb i'r cynnydd mewn gweithgareddau diwylliannol o bob math ym Merthyr – adeiladwyd Neuadd Ddirwestol fawr yn y Market Square yn y dref. Cynhwysai neuaddau ac ystafelloedd ar gyfer cyngherddau, eisteddfodau, ymarferion, cyfarfodydd, llysoedd ac ati, ac yno y dechreuodd Rosser Beynon ymarfer ei gôr bob prynhawn Sul, gyda Joseph Parry bellach yn un o'r cantorion ifancaf, ffyddlonaf a mwyaf brwdfrydig. Enillodd y côr y wobr gyntaf o dair gini am ganu'r cytganau 'Worthy is the Lamb' a'r 'Amen' allan o *Messiah* yn Eisteddfod Cymmrodorion Dirwestol Merthyr, a gynhaliwyd yn y Neuadd Ddirwestol ar 1 Mehefin 1852. Ar 4

Awst, cynhaliodd y côr gyngerdd yng nghapel newydd y Bedyddwyr yn Aberdâr, a dengys rhaglen yr achlysur amrywiaeth cerddorol ei *repertoire* – darnau y byddai'r Joseph Parry ifanc wedi elwa'n gerddorol o'u canu. Perfformiwyd detholiad o *St Paul* Mendelssohn, *Te Deum, Israel in Egypt* a *Messiah* Handel, *Requiem* Mozart, *The Creation* Haydn, ynghyd â darnau gan Cherubini, Byrd ac amryw o gyfansoddwyr Cymru, er enghraifft anthem fuddugol Robert James yn Eisteddfod Merthyr 1852 'Clywch! Tebygaf Clywaf Lais'.

Ers pan oedd yn naw oed, bu Joseph Parry yn gweithio fel glöwr bach ym Mhwll Roblins, gan ennill hanner coron am weithio wythnos o leiafswm o 56 awr. Erbyn 1852, roedd yn ddeuddeg oed, wedi gadael Pwll Roblins ac yn gweithio yng ngwaith haearn Cyfarthfa, lle a ddisgrifiwyd gan George Borrow yn 1854 fel 'dreadful, frightening and stunning', a lle y gweithiai Daniel Parry fel 'refiner'.

Roedd bywyd ei fab ifanc yn llawn, yn enwedig ar ddydd Sul: i'r Ysgol Sul ym Methesda am naw o'r gloch y bore, i'r Neuadd Ddirwestol i ymarfer gyda chôr Rosser Beynon yn y prynhawn, gwasanaeth ym Methesda, ysgol gân, swper gartref, newid dillad ac ymlaen i Gyfarthfa i ddechrau sifft hanner nos. O'r holl weithgareddau amrywiol hyn, y rhai cerddorol sy'n cael fwyaf o sylw yn hunangofiant diweddarach Joseph Parry, gyda dau ddigwyddiad yn arbennig yn aros yn ei gof.

Y cyntaf oedd Eisteddfod Cymmrodorion Merthyr yn y Neuadd Ddirwestol ar Ddydd Nadolig 1853. Evan Davies, Abertawe, oedd y beirniad cerdd, cymeriad a welwn yn ddiweddarach yn hanes y Joseph Parry ifanc. Darn prawf y côr oedd 'Teyrnasoedd y Ddaear', anthem J. Ambrose Lloyd, a gyfansoddwyd flwyddyn ynghynt ac a ledodd fel tân trwy'r Gymru gerddorol. Cystadleuodd naw côr, gyda Joseph Parry yn canu alto yng nghôr capel Bethesda. Methodd y beirniad â phenderfynu rhwng saith o'r corau, ac fe rannodd y wobr o saith gini yn gyfartal rhyngddynt.

Yr ail oedd pan ganodd Joseph Parry alto mewn perfformiad o *12fed Offeren* Mozart eto yn y Neuadd Ddirwestol ar 5 Mehefin 1854, dan arweiniad Rosser Beynon mwy na thebyg. Roedd yn achlysur poblogaidd a llwyddiannus am sawl rheswm: corau unedig o Ferthyr, y Bontnewydd ac Abertawe, a chyfeiliwyd i'r perfformiad gan gerddorfa – eithriad prin oedd cyfeiliant offerynnol bryd hynny.

Dyma'r flwyddyn a welodd newid mawr yn nheulu'r cerddor ifanc. Penderfynodd Daniel Parry ymfudo.

Er gwaethaf bendithion gwaith y chwyldro diwydiannol, gweithiai'r dyn cyffredin oriau hir am ond ychydig gyflog. Ym Merthyr, roedd Cyfarthfa yn gorfod cystadlu â thri gwaith haearn arall, ac er bod teulu'r Crawshay yn hael ei gymwynasau cymdeithasol megis sefydlu Seindorf Cyfarthfa, bu'n llawdrwm ei reolaeth ar y gweithwyr. Roedd papurau'r dydd yn llawn gwybodaeth a hysbysebion deniadol ynghylch ymfudo, gyda gwybodaeth am longau a phrisiau teithio i'r Byd Newydd. Pris croesi'r Iwerydd mewn llong ager o Lerpwl i Efrog Newydd neu Philadelphia oedd wyth gini, gyda llong hwylio – a oedd yn arafach – yn costio rhwng pedair a phum punt. Roedd adroddiadau papur newydd megis y rhain yn nodweddiadol:

> and this year, there are reasons for believing the number of emigrants will be fully as great, if not greater than usual. Activated by the various inducements of fanaticism, and of the noble desire of bettering their social conditions, one or more ship loads have left already. (*Cardiff & Merthyr Guardian*, 12 Ebrill 1851)

> the tide of emigration which has been flowing for some time, still continues; and scarcely a week passes without witnessing the departure of parties of working men for . . . the less glutted labour markets of the United States. (Ibid., 24 Ebrill 1852)

Rhwng 1815 ac 1859, ymfudodd 4,917,598 o bobl o wledydd Prydain, gyda'r nifer uchaf – 306,500 – yn ymadael yn 1854. Yn y degawd 1851–1860, gadawodd 6,319 o Gymry am America, gyda'r mwyafrif helaeth ohonynt yn ymfudo am resymau diwydiannol, ond ffactor arall a gyfrannodd at y dyhead i godi gwreiddiau oedd pla'r colera, a ymledodd drwy Ferthyr a'r cyffiniau yn ystod haf 1849 gan ladd miloedd o drigolion.

Tua chanol Ionawr 1853, hwyliodd Daniel Parry o Gaerdydd i Philadelphia, mwy na thebyg. Aeth yn ei flaen i Danville, tref fechan ar lan Afon Susquehanna yng nghanol bryniau eang talaith Pennsylvania. Cafodd waith nid annhebyg i'r swydd a adawodd ym Merthyr, sef 'roller' yn y Rough and Ready Rolling Mills yn Danville. Ar ôl blwyddyn o ymsefydlu a chynilo, galwodd ar weddill ei deulu i ymuno ag ef. Ym mis Gorffennaf 1854, gadawodd Bet Parry a'r plant Henry, Joseph, Betsy a Jane ar fwrdd y *Jane Anderson* ar eu taith o Gaerdydd i Philadelphia. Arhosodd Ann, a oedd bellach yn briod â Robert James, ym Merthyr. Cafwyd mordaith ddychrynllyd, gyda chwe wythnos a deuddydd o stormydd a thywydd garw. Golchwyd un morwr oddi ar fwrdd y llong, a bu farw pedwar teithiwr. Cyrhaeddwyd Philadelphia tua chanol mis Medi – rai wythnosau'n hwyr – ond gyda theulu Bet Parry yn ddiogel ar gyfer dechrau bywyd newydd yn America.

2

Danville

Poblogaeth Danville yn 1854 – y flwyddyn y cyrhaeddodd Bet Parry a'r plant – oedd 5,000, nifer dipyn yn is na'r nifer oedd yn byw ym Merthyr ar y pryd. Mae'n debyg mai tŷ o friciau coch ar ochr orllewinol South West Upper Mulberry Street ar ochr ogleddol Danville oedd cartref y teulu rhwng 1854 ac 1860. Yna symudodd y teulu tua hanner milltir i ymgartrefu yn 421 Railroad Street yn y dref. Ni chymerodd yn hir i'r teulu ymsefydlu yn ei gynefin newydd – roedd yno eisoes ddigon o Gymry ac roedd y gymdeithas honno'n llewyrchus. Yn union fel yn yr 'Hen Wlad' y capel oedd calon y gymdeithas, a'r Capel Cynulleidfaol ar Chamber Street yng ngogledd y dref, a godwyd yn 1852, fyddai cartref ysbrydol newydd y teulu. Canai Joseph yn y côr, mynychai'n rheolaidd y tri gwasanaeth ar y Sul, cyfarfodydd y 'Debating Society' bob nos Sadwrn, cyfarfodydd y 'Young Men' yn ogystal â'r Ysgol Sul.

Arfer Cymry Danville felly – fel ym mhob cymuned Gymreig yn America bryd hynny – oedd byw bywyd tebyg i'r un a arddelwyd ganddynt yn ôl yng Nghymru. Nid Joseph Parry oedd y cerddor Cymreig cyntaf na'r olaf i fwrw gwreiddiau yn yr Unol Daleithiau – yn cadw cwmni iddo'n ddiweddarach fyddai Daniel Protheroe (Hyde Park, Pennsylvania) a Gwilym Gwent (Plymouth, Pennsylvania) ynghyd â llu o gerddorion, beirdd a llenorion eraill a fyddai'n parhau i greu yn y dull Cymreig ond yn y Byd Newydd.

Roedd Daniel Parry yn cael blas arbennig ar ei fywyd newydd yn America, ond ni allai Bet anghofio'i gwreiddiau mor rhwydd â'i gŵr, ac ofnai i'w phlant golli'u Cymreictod a'u cysylltiad â Chymru. Joseph a arhosodd y mwyaf 'Cymreig' o'r plant – yn wir, yn ôl rhai ffynonellau, nid oedd yn awyddus i adael Merthyr hyd yn oed. O safbwynt gwaith, ymunodd Joseph a'i frawd Henry â'u tad yn The Rough and Ready Rolling Mills yn fuan ar ôl cyrraedd yn 1854. Nid oedd y gwaith haearn mor fawr â Chyfarthfa, ond y melinau hyn oedd un o brif gyflogwyr Danville. Fe'u sefydlwyd yn 1847 ar safle hen weithfeydd haearn y 'Glendower' – sy'n awgrymu cysylltiad Cymreig – ar gornel Railroad ac

East Market Street yn Danville. Oherwydd diddordeb cynyddol Joseph mewn cerddoriaeth, tueddai i dreulio'i amser rhydd ar wahân i'w gyd-weithwyr, gan ennill iddo'i hun y llysenw 'Lone Wolf'. Treuliodd y blynyddoedd rhwng 1854 ac 1865 yn y Rough and Ready, ac yn ôl ei hunangofiant, cafodd ddwy ddihangfa wyrthiol. Y gyntaf oedd pan ffrwydrodd berwedydd ar ei bwys gan ladd ei gyd-weithiwr, a'r ail oedd pan dorrodd olwyn oddi ar ei hechel a chreu difrod wrth ei ymyl.

Swydd Joseph Parry oedd 'roller'; 'refiner' oedd ei dad erbyn hyn, a 'heater' yno oedd gŵr o'r enw John Abel Jones – a ymfudodd o Ferthyr i Danville tuag 1830. Cerddor amatur brwdfrydig ydoedd, a chymerodd y Joseph Parry ifanc o dan ei adain a'i gael yn ddisgybl brwd. Dyma athro cyntaf Parry yn ôl ei hunangofiant. Bob dydd Sadwrn âi Joseph Parry i dŷ John Abel Jones – mae'n debyg bod cartrefi'r athro a'r disgybl gyferbyn â'i gilydd – am awr o wers rhwng tri a phedwar y prynhawn am dâl o 25 *cent*. Byddai rhai o gyd-weithwyr Joseph yno hefyd gan yr agorai John Abel Jones ei ddrws i unrhyw un o weithwyr y Rough and Ready Rolling Mills a ddymunai addysg gerddorol. Roedd gan yr athro gôr hefyd, ac yn fuan roedd Joseph yn aelod ffyddlon. Yn ei hunangofiant (t. 5) mae'n nodi mai yno y dysgodd sut i ddarllen nodiant, ac fe ddywed, 'I am thus seventeen years of age before I can understand a single note of music (though I had sung in several oratorio and Mass performances at Merthyr).' Hefyd, datblygodd y ddawn i ganu ar y pryd, sef perfformio darn nas gwelwyd o'r blaen. Yn wir, cymaint oedd ei frwdfrydedd cerddorol fel y cofia Joseph ei athro'n cwyno, 'The little devil is at me all the time.' Ymateb y disgybl yn ôl ei hunangofiant oedd, 'Now from this date onwards, I am music's willing servant.'

Gwerslyfr Joseph Parry gyda John Abel Jones oedd *A Catechism of the Rudiments of Harmony and Thorough Bass* gan James Alexander Hamilton. Mae'n debyg i Joseph Parry weithio'i ffordd yn ddiwyd drwy'r llyfr oherwydd erbyn 1860 fe'i trosglwyddwyd i John M. Price – cerddor arall o Gymro a ymfudodd (o Rymni'r hen Sir Fynwy) i Danville, ac a weithiai yn y Rough and Ready Rolling Mills. Joseph Parry a 'ddaliai' y dur i Price, a phan nad oeddynt wrth eu gwaith, arferai Parry, Jones a Price gyfarfod wrth gwpwrdd y 'rollers' i drafod cerddoriaeth.

Ar argymhelliad John Abel Jones y derbyniwyd Joseph Parry gan John Price ar gyfer gwersi yn ei gartref bob prynhawn Sadwrn ac, yn ddiweddarach, am naw ar fore Sul hefyd. Cryfder ei athro newydd oedd harmoni, a synnai at honiad ei ddisgybl iddo allu clywed yn ei feddwl effeithiau cordiau ysgrifenedig. Tua degawd yn ddiweddarach, mewn llythyr dyddiedig 10 Mawrth 1869 at Mynorydd (William Davies), y cerddor a'r cerflunydd o Gymro a arweiniai'r Welsh Choral Society yn Llundain, canmolai Joseph Parry ei hyfforddiant cerddorol cynnar yn Danville:

> os wyf fi wedi llwyddo i wneud rhywbeth mewn cerddoriaeth, y mae i'w briodoli i'r gwŷr hyn, fy niwydrwydd innau a'm Creawdwr . . . Y mae eu henwau wedi eu hargraffu yn ddwfn ar fy nghof . . . yr wyf yn dymuno ar iddynt hwy gael yr holl glod . . . gan ystyried eu bod yn ddynion yn meddu ar alluoedd anghyffredin, rhai hefyd a wnaethant lawer dros Gerddoriaeth, er eu bod yn *amateurs*.

'Amateurs' oeddynt efallai o ran eu haddysg gerddorol elfennol, ond o safbwynt eu gallu i annog, meithrin a chefnogi cerddor ifanc brwdfrydig fel Joseph Parry, roedd John Abel Jones a John Price yn werth eu halen am eu diwydrwydd a'u gweledigaeth.

Yn lleisiol, erbyn hyn roedd Joseph Parry yn denor ac yn aelod o'r Pennsylvania Male Glee Party, a ganai'r 'best English glees' chwedl ei hunangofiant, ond yn fwy arwyddocaol o safbwynt ei ddatblygiad fel cyfansoddwr, dywed i'r canigau Seisnig hyn ddylanwadu arno. Yn offerynnol, darganfu Joseph Parry ei offeryn cyntaf oddeutu 1860. Rhyw fath o organ bib a oedd yn ddigon ysgafn i'w chario oedd y melodion, gyda phedwar wythfed o nodau. Cofia'r cerddor berfformio'i gerddoriaeth gyntaf ar ei offeryn newydd – tri chord agoriadol 'Queen of the Valley Thou Art Beautiful' sef canig pum llais John Wall Callcott. Nid offeryn cyffredin oedd yr organ seml hon i Joseph Parry, ond yn ôl ei hunangofiant (t. 7): 'which is to my soul as a *great pipe organ*, or a *full orchestra*!'. Dechreuodd gario'r melodion ar ei ysgwydd i gyfarfodydd y capel er mwyn cyfeilio i unrhyw ganu a ddigwyddai godi.

Aeth brwdfrydedd Joseph Parry ynglŷn â cherddoriaeth o nerth i nerth, yn enwedig o safbwynt cyfansoddi. Erbyn 1860, ac yntau'n bedair ar bymtheg oed, teimlai'n ddigon hyderus i fentro'i ddawn mewn cystadleuaeth gyfansoddi mewn eisteddfod, gan i Gymry America barhau â thraddodiadau'r Hen Wlad yn y Byd Newydd. Ar anogaeth John Price, anfonodd Joseph Parry gyfansoddiadau i ddwy eisteddfod Nadolig 1860.

Yn Danville oedd y gyntaf, a Parry enillodd y brif wobr gyda'i gytgan 'A Temperance Vocal March' – sy'n adlewyrchu'r ysbryd gwrth-ddiod a fodolai ar y pryd ymysg Cymry America. Llwyrymwrthodwyr yn y traddodiad Anghydffurfiol Cymreig oedd teulu Joseph Parry, ac arhosodd yntau'n deyrngar i'r achos drwy gydol ei fywyd. Cyfansoddodd sawl darn ar y testun, a mynychodd gyfarfodydd ac eisteddfodau dirwest. Nid oes copi o 'A Temperance Vocal March' wedi goroesi, ond gwyddys nad oedd y beirniad yn rhy hoff o arddull y darn – sy'n awgrymu bod rhyw newydd-deb yng ngherddoriaeth y Joseph Parry ifanc.

Yr ail eisteddfod lwyddiannus y Nadolig hwnnw oedd yn Fairhaven, Vermont. Enillodd hanner y wobr am gyfansoddi emyn-dôn, gan rannu gyda Mr Pritchard – 'hen law' ym maes cyfansoddi yn ôl Parry – ac o

Joseph Parry (*Trwy ganiatâd Llyfrgell Genedlaethol Cymru*)

hynny ymlaen, nid oedd troi yn ôl i fod iddo fel cyfansoddwr. O 1861 hyd 1866, eisteddfodau'r Unol Daleithiau fyddai llwyfan ei brentisiaeth gerddorol o safbwynt datblygiad arddull a lledaenu enw Joseph Parry ymysg Cymry America yn ogystal ag yn ôl yng Nghymru.

O ganlyniad i'w lwyddiant yn Eisteddfod Danville, ac ar anogaeth ei athrawon, codwyd arian a alluogodd Joseph Parry i fynychu cwrs haf un tymor yn nhref Geneseo yng ngogledd talaith New York, rai cannoedd o filltiroedd o Danville. Nid cam bach oedd i'r Cymro ugain oed adael ei aelwyd i fod ymysg dieithriaid am wyth wythnos. Y cwrs hwn oedd canlyniad llwyddiant cyrsiau'r flwyddyn flaenorol, a chyhoeddwyd y byddai trydydd tymor y Normal Academy of Music yn dechrau ar 3 Gorffennaf 1861, gan gynnig yn ôl yr hysbysebion: 'a Thorough Musical Education'. Astudiodd Joseph Parry ganu gyda llywydd yr Athrofa, C. Bassini, a derbyn gwersi organ, harmoni a chyfansoddi gyda'r prifathro, T. J. Cook. Roedd yr olaf yn gerddor amryddawn – cyfansoddodd nifer o ddarnau ar raddfa fach, darnau piano, emyn-donau ac ati – ynghyd â golygu nifer o lyfrau canu ar gyfer ysgolion, a bod yn olygydd *The New York Musical Pioneer and Chorister's Budget*, cylchgrawn a argraffwyd yn y ddinas honno yn yr 1850au a'r 1860au. Yn 1862, cyhoeddwyd yng nghyfrol VII anthem Joseph Parry 'O, Give Thanks unto the Lord', efallai oherwydd i gerddoriaeth Parry wneud argraff ar T. J. Cook – cyhoeddwyd y darn o fewn blwyddyn i'r cwrs yn Geneseo, a'r anthem yw un o gyfansoddiadau cyntaf Parry i'w hargraffu. Ar ddiwedd y cwrs, dychwelodd Joseph Parry i Danville, ac i'w waith yn y melinau rholio, fel un oedd â mwy o dân cerddorol yn ei enaid nag erioed. 'Composition has a firmer hold upon me', meddai yn ei hunangofiant (t. 9), a daeth ei lwyddiant cerddorol nesaf yn Eisteddfod Utica adeg Nadolig 1861.

O ddechrau'r bedwaredd ganrif ar bymtheg, y Cymry oedd yr ail genedl fwyaf o ymfudwyr i Utica yn nhalaith New York, ac roedd eisteddfod y dref yn ŵyl fawreddog bwysig. Cynhaliwyd yr eisteddod yn y Mechanics Hall ar 31 Rhagfyr 1861 a 1 Ionawr 1862. Anfonodd Joseph Parry anthem a chanig i'r gystadleuaeth gyfansoddi. Enillodd, gan guro'r gŵr a fu'n *beirniadu* ei gyfansoddiadau yn Eisteddfod Danville flwyddyn ynghynt! Yn anffodus, nid yw Joseph Parry yn enwi'r gweithiau a fu'n fuddugol yn Utica, ond yn ôl ei hunangofiant, cyfansoddodd dri darn ar hugain y flwyddyn honno.

Trydydd digwyddiad pwysig 1861 oedd i Joseph Parry syrthio mewn cariad â Jane Thomas, merch leol o Danville, a anwyd ar 27 Medi 1843. Gomer Thomas oedd ei thad, perchennog siop gerdd yn Mill Street yn Danville. Roedd ganddo ddau fab, David a Gomer, a daeth y Gomer ifanc – a oedd eisoes yn organydd – yn ddiweddarach yn un o brif gyhoeddwyr cerddoriaeth Parry yn yr Unol Daleithiau. Priodwyd Joseph a Jane ar ddiwrnod ei ben-blwydd yn un ar hugain oed, sef 21

Mai 1862. Mae'n debyg nad oedd Bet Parry yn gwbl hapus ynglŷn â'r briodas ar sail diffyg Cymreictod Jane. Er hynny, Cymraeg oedd iaith y gwasanaeth priodas yng nghapel y Parry-aid yn Chamber Street ac, yn y wledd, canodd Joseph a'i gyfeillion ganig a gyfansoddwyd ganddo yn arbennig ar gyfer yr achlysur: 'Cupid's Darts'. Mae'r darn yn enghraifft gynnar o Joseph Parry yn cyfansoddi ar gyfer achlysur arbennig – rhywbeth a oedd i ddigwydd droeon yn ystod ei yrfa gerddorol. Fel y dywed A. T. Foulke yn ei lyfr *My Danville*: 'Every birth, marriage or death was, for [Joseph Parry], a musical occasion, and he would seize every such opportunity to compose and sing' (t. 98).

Yn ddiweddarach yn 1862 bu digwyddiad teuluol pwysig arall pan gyrhaeddodd Robert James Danville. Bu brawd-yng-nghyfraith Joseph Parry yn widman ers colli Ann yn 1855, a threuliodd y pum mlynedd o 1857 i 1862 yn Awstralia. Yna dychwelodd i Gymru am chwe mis o gynnal cyngherddau cyn codi'i wreiddiau unwaith eto ac ymfudo i Danville.

Penderfynodd John Abel Jones, John Price, Joseph Parry a Robert James ffurfio pedwarawd lleisiol, a bu tipyn o fynd ar y pedwarawd meibion hwn yn Danville a'r cyffiniau. Roedd canu 'Barber-shop' mewn bri yn America'r bedwaredd ganrif ar bymtheg – tra aeth yn llai poblogaidd yn Lloegr – gyda harmoneiddio alawon cyfarwydd yn ddifyrrwch poblogaidd. Nid yw *repertoire* y pedwarawd Cymreig wedi goroesi, ond mae'n bosibl iddo gynnwys rhai o gyfansoddiadau'r cantorion eu hunain – yn sicr, roedd Joseph Parry yn cyfansoddi ar gyfer lleisiau meibion bryd hynny.

Yn 1862, bu'n beirniadu mewn eisteddfod am y tro cyntaf – yn Hyde Park, Pennsylvania. Yn ôl ei hunangofiant, methodd â chysgu'r noson cynt oherwydd iddo bryderu am gyfrifoldeb y gwaith drannoeth. Roedd wedi esgyn o fod yn gystadleuydd i fod yn feirniad eisteddfodol ymhen dwy flynedd.

Cyfnod hapus oedd hwn i'r cerddor ifanc, er bod ei wlad fabwysiedig yng nghanol trybini Rhyfel Cartref 1861–5. Arferai minteiau o ddynion grwydro'r taleithiau yn gorfodi'u cyd-ddynion i ymuno â byddin yr Yankees. Ymunodd Henry Parry – brawd Joseph – ym Minersville, Schuylkill County, Pennsylvania ar 8 Awst 1862, a cheisiwyd drafftio Joseph i'r fyddin ddwywaith rhwng 1863 ac 1864. Llwyddodd i osgoi ymuno bob tro, gan dalu eraill i fynd yn ei le.

Roedd 1863 hefyd yn flwyddyn o gyffro o safbwynt Joseph Parry y cyfansoddwr – fe'i hanogwyd gan John Abel Jones a John Price i gystadlu yn Eisteddfod Genedlaethol *Cymru*, a gynhaliwyd yn Abertawe. Ymddangosodd testunau cerddoriaeth Prifwyl 1863 ym mhapurau Cymru ac America ym mis Chwefror y flwyddyn honno. Roedd saith cystadleuaeth cyfansoddi, gwobrau hael, anrhydedd eisteddfodol – a beirniaid o fri: Brinley Richards, John Thomas (Pencerdd

Gwalia), Owain Alaw, J. Ambrose Lloyd a Ieuan Gwyllt. Hefyd roedd cystadleuaeth yn yr Adran Lenyddiaeth am lunio llawlyfr i ddarllen cerddoriaeth mewn nodiant erwydd, gyda Ieuan Gwyllt yn beirniadu, a gwobr o £5.

Erbyn Awst 1863, roedd rhestri ffugenwau'r cyfansoddwyr wedi ymddangos yn y wasg, gyda dewis Joseph Parry o ffugenw yn ddiddorol:

1. *Motét* – 'Bachgen bach o Ferthyr erioed, erioed'
2. *Dwy salm-dôn* – 'J. P. Bach' (Gwelir 'J. S. Bach' a hyd yn oed 'J. C. Bach' mewn gwahanol adroddiadau. 'J. P. Bach' sydd fwyaf cywir – dyna oedd llythrennau ei enw iawn wedi'r cyfan, ac mae elfen o hwyl ym mhob ffugenw arall a ddefnyddiodd.)
3. *Tair canig* – 'Hoffwr Amrywiaeth' (Gwelir, yn anghywir, 'Rassini' hefyd fel ei ffugenw yma, ond gweler *Deuawd*.)
4. *Deuawd* – 'Bassini' (sef enw ei athro canu ar y cwrs cerddorol yn Geneseo, 1861).

Daeth Joseph Parry yn fuddugol ar y motét mewn pum llais, ar eiriau Salm 86 'Gostwng, O Arglwydd Dy Glust', gan ennill gwobr o £8 a bathodyn (sef medal) gwerth £2. Disgrifiwyd y darn gan ddau o'r beirniaid – J. Ambrose Lloyd ac Owain Alaw – fel un 'tra rhagorol' ac un oedd ymhell ar y blaen i'r gweddill. 'Gostwng, O Arglwydd Dy Glust' yw'r motét cyntaf o'i fath yn Gymraeg, ac unig ymgais y cyfansoddwr yn y ffurf. Gosodwyd Salm 86 ar gyfer côr pum-llais a chyfeiliant – tipyn o gam ymlaen oddi wrth driawd a chytgan 'O Give Thanks unto the Lord' y flwyddyn flaenorol. Un o ofynion cystadleuaeth yr Eisteddfod oedd y dylai'r motét ddilyn cynllun 'Splendente Te Deus' Mozart, felly mae 'Gostwng, O Arglwydd Dy Glust' yn hir a chymhleth. Nid yw'r arddull yn wreiddiol, fel y gellir ei ddisgwyl mor gynnar yng ngyrfa'r cyfansoddwr.

Bu peth dryswch ynghylch cystadleuaeth y ddwy salm-dôn. Yn ôl ei hunangofiant a sawl llyfr arall, *ennill* y wobr o bum gini wnaeth Joseph Parry, ond dywed ambell adroddiad arall iddo ddod yn ail. Ond ymddengys mai *rhannu*'r wobr gyntaf a ddigwyddodd, gyda Brinley Richards yn mynegi yn ei feirniadaeth o'r 137 o donau a ddaeth i law, fod 'dwy ohonynt yn rhagori ar y lleill . . . un o'r ddau oedd Mr David Lewis, Llanrhystud, ond nid atebodd y llall. Ei ffugenw oedd "J. P. Bach".' Heb wybod pwy oedd 'J. P. Bach', nid oedd Brinley Richards yn fodlon rhoi'r wobr i gyfansoddwr anhysbys, ac mewn llythyr at Joseph Parry, dyddiedig 13 Gorffennaf 1871, cofia'r beirniad i un dôn fod 'mor bell uwchlaw'r cyffredin o weithiau o'r fath, fel yr amheuais ei wreiddioldeb – tybiwn mai lladrad ydoedd!' Amheuodd ei gyfaill, y cerddor William Sterndale Bennett, wreiddioldeb y gwaith hefyd, ac awgrymodd y dylai

Brinley Richards archwilio cyfrol o goralau gan Bach er mwyn ceisio profi'r 'benthyciad'. Gohiriwyd gwobrwyo Joseph Parry nes y derbyniwyd prawf o wreiddioldeb ei waith, ac anfonodd at Brinley Richards dair emyn-dôn gyntaf casgliad o ddeuddeg a gyfansoddodd yn ystod y flwyddyn gynt, 1862.

Nid oedd anhawster gyda chystadleuaeth y tair canig ar eiriau Cymraeg. Joseph Parry enillodd y wobr o bum gini, gan guro cyfansoddwyr profiadol fel Gwilym Gwent a John Thomas (Blaenannerch). Profodd 'Man as a Flower', 'Rhowch i mi fy Nghleddyf', a 'Ffarwel i ti, Gymru Fad' – yn ôl beirniadaeth Ieuan Gwyllt – fod yma gyfansoddwr 'o allu, chwaeth, a medr, ac nad ydym bob dydd yn debyg o gyfarfod â'i fath'. Curodd canigau Parry ganigau Gwilym Gwent 'Y Clychau' ac 'Yr Haf' a 'Nant y Mynydd' John Thomas, er y bu'r ddwy ganig olaf lawn mor boblogaidd fel darnau prawf yn eisteddfodau ail hanner y ganrif â chanig fuddugol Parry 'Ffarwel i ti, Gymru Fad'. Yng nghystadleuaeth y ddeuawd, roedd Joseph Parry yn gyd-fuddugol â Gwilym Gwent – ffugenw 'Müller' – ond nid yw'n hysbys beth oedd teitl deuawd fuddugol Parry, ac nid oes deuawd ganddo o'r cyfnod hwn wedi goroesi.

Mewn erthygl ddienw o dan y pennawd 'Y Buddugwr Anhysbys yn Eisteddfod Abertawe' yn *Y Cerddor Cymreig* (1 Ionawr 1864), disgrifir Joseph Parry fel un oedd 'wedi ennill y radd uchaf fel cerddor ymysg ei gydwladwyr yn America', a bod y beirniaid yn credu i'w gyfansoddiadau – o dan eu ffugenwau – fod, 'oll yn eiddo un awdur [sef cyfansoddwr]; a lled-dybiai rhai ohonynt ymhellach nad oeddynt yn eiddo i neb ag sydd yn arfer cystadlu yn bresennol yng Nghymru'.

Yn ôl yn Danville erbyn hyn, roedd Joseph Parry bellach yn organydd a chôr-feistr Mahoning Presbyterian Church, 218 Ferry Street yn y dref. Parhaodd yn y swydd am ddeuddeng mlynedd o leiaf, mwy na thebyg nes y gorfu iddo roi'r gorau iddi ar gychwyn taith o gyngherddau yn 1866. Dywed ambell ffynhonnell i Joseph Parry fod yn organydd y Welsh Congregational Church, yna'r English Congregational Church yn ninas Efrog Newydd, ond nid oes tystiolaeth i gadarnhau hyn, ac mae'n anodd deall sut oedd hynny'n ymarferol bosibl yn wyneb prysurdeb Sul y cerddor yn Danville.

O safbwynt teuluol, bendithiwyd priodas Joseph a Jane â phlentyn. Ganwyd eu mab, Joseph Haydn Parry, ar 27 Mai 1864. Ym mis Awst yr un flwyddyn, bu tad y bachgen hwn yn llwyddiannus yn Eisteddfod Genedlaethol Cymru yn Llandudno. Yn dilyn ei lwyddiant yn Eisteddfod Abertawe flwyddyn ynghynt, roedd y cerddor wedi cael blas ar ennill ar raddfa genedlaethol. Serch hynny, parhaodd i gystadlu mewn eisteddfodau llai yn yr Unol Daleithiau, a hynny gyda llwyddiant, er enghraifft enillodd ei ganig 'Heddwch' yn Eisteddfod Pittsburgh, Pennsylvania. Yn ôl ei hunangofiant, enillodd Joseph Parry gyfanswm o

£24 a medal yn Llandudno, sef gwobrau'r pedwar dosbarth yr enillodd Parry ynddynt – y ganig, canon, anthem a rhan-gân.

Derbyniwyd pedair canig ar bymtheg ar gyfer lleisiau cymysg, gyda Brinley Richards yn eu beirniadu. Joseph Parry a gipiodd y wobr gyntaf o £3 am ei ganig 'Y Chwaon Iach', ond bu peth dryswch ynglŷn â'i union ffugenw. Mewn un adroddiad ymddengys fel 'Ap Elwna' tra gwelir 'Ap Ellunad' ac 'Ap el Wuad' mewn eraill. Nid yw'r un o'r rhain yn gwneud synnwyr, ac nid ydynt yn debyg i'w ffugenwau eraill. Gellir tybied yn weddol gywir mai camgymeriadau ydynt am 'Ap ei Wlad', sy'n adlewyrchiad agosach o'i feddwl ar y pryd. Dwy bunt a gafodd 'Sir George Smart', sef David Lewis, Llanrhystud, am ddod yn ail, a phunt a gafodd 'Mynyddwr' sef Gwilym Gwent. Dywed rhai adroddiadau mai Joseph Parry a enillodd y drydedd wobr hon, ond nid yw hynny'n gywir.

Yr ail ddosbarth oedd cyfansoddi canon i dri llais 'yn gyffelyb o ran hyd a nodwedd i "Non Nobis Domine" William Byrd'. Aeth y wobr gyntaf o £3 i Joseph Parry o dan y ffugenw 'Llanc' am ei ganon mewn tri llais 'Nid i Ni', gyda 'Fresco Baldi', sef Richard Mills, Llanidloes, yn cipio'r ail wobr o £1.10*s*.

Y trydydd dosbarth oedd cyfansoddi anthem – 'verse' a chytgan ar eiriau o ddewis y cyfansoddwr. Dyma oedd canlyniad gorau Joseph Parry gan iddo gipio'r wobr gyntaf a'r ail, a hynny mewn cystadleuaeth a ddenodd ddeunaw o ymgeiswyr. Pencerdd Gwalia (John Thomas) a Thanymarian (Edward Stephen) oedd y beirniaid, ac enillodd Joseph Parry y wobr gyntaf o £10 a medal o dan y ffugenw 'Sebastian' am 'Clyw, O Dduw Fy Llefain', ynghyd â'r ail wobr o £5 o dan y ffugenw 'Alltud o wlad y gân' am 'Achub Fi, O Dduw!'

Yn olaf, Parry (o dan y ffugenw gogleisiol 'Brinley') a gipiodd y wobr gyntaf yng nghystadleuaeth y rhan-gân, ond nid yw teitl y darn buddugol wedi goroesi. Chwech a ymgeisiodd, gyda 'Bardd Alaw', sef John Thomas, Blaenannerch, yn dod yn ail. Cafodd yntau, ynghyd â David Lewis, lwyddiant yng nghystadlaethau'r dôn gynulleidfaol hefyd. Nid oes sôn am enw Joseph Parry ymysg buddugwyr y dosbarth hwn, felly naill ai ni chystadleuodd neu nid enillodd ei donau. Beth bynnag yw'r gwir, mae canlyniadau Parry yn taflu peth amheuaeth ar yr honiad a welir mewn cynifer o lyfrau ac erthyglau iddo 'ysgubo'r holl wobrau o'i flaen'.

Flwyddyn ynghynt, ni wyddai'r Eisteddfod Genedlaethol pwy oedd y cyfansoddwr dieithr a gipiodd wobrau Abertawe, ond roedd y sefyllfa'n wahanol yn Llandudno 1864, gyda 'Mr Joseph Parry, America, gynt o Ferthyr Tudful' yn cael ei gyhoeddi o'r llwyfan fel y cerddor buddugol. Nid oedd yn bresennol, a chynrychiolwyd ef gan Mr J. W. Jones, perchennog a golygydd *Y Drych*, papur Cymry America.

Yn atodiad i lwyddiant cerddorol Joseph Parry yn Eisteddfod Genedlaethol Llandudno, darn prawf cystadleuaeth y côr cymysg (rhwng ugain a deugain aelod) oedd ei fotét pum-llais 'Gostwng, O Arglwydd Dy Glust' a ddaeth yn fuddugol yn Eisteddfod Abertawe 1863. Ac yn Eisteddfod Cymmrodorion y Rhyl ar ddydd Llun y Nadolig 1863, wele gytgan olaf y motét yn ddarn prawf corawl yno hefyd. Felly, o fewn ychydig amser, cododd statws cerddorol Joseph Parry o fod yn ymgeisydd eisteddfodol i fod yn gyfansoddwr darnau prawf.

Tra oedd hyn oll yn digwydd yng Nghymru, yn Danville roedd Joseph Parry o hyd. Cyfansoddai – fel erioed – yn ei amser hamdden, ac yntau erbyn hyn yn 'chief roller' yn y melinau, a gweithio oriau o chwech o'r gloch y nos tan un o'r gloch y bore bob dydd.

Ganwyd ail blentyn i Joseph a Jane ym mis Gorffennaf 1865. Galwyd y mab yn 'Mendy' am mai Mendelssohn oedd ei enw canol, ond erys dryswch ynghylch enw cyntaf y bachgen. 'D. Mendelssohn Parry' a welir fynychaf. Yn ôl ambell ffynhonnell, fel *Off to Philadelphia in the Morning*, saif y 'D' am *David*, gyda'r mab yn cael ei enwi ar ôl un o frodyr Jane. Ond yn ôl Eleanor Deutsch, arbenigydd ar gysylltiad Joseph Parry â Danville, saif y 'D' am *Daniel* ar ôl y tad-cu – tad Joseph Parry. Ni chofrestrwyd geni plant yn Danville yn ystod y cyfnod hwn ac felly mae'n anodd profi'r naill neu'r llall, ond o ystyried ffordd Joseph Parry o feddwl, Daniel yn fwy na thebyg yw'r enw cyntaf cywir.

Ddeufis ar ôl geni'r mab, cynhaliwyd Eisteddfod Genedlaethol Cymru yn Aberystwyth ar 12–15 Medi. Roedd testunau'r adran gyfansoddi wedi bod yn hysbys yng Nghymru ers o leiaf Tachwedd 1864, ac yn wahanol i Eisteddfodau 1863 ac 1864, penderfynodd Joseph Parry fynd i Aberystwyth i dderbyn y gwobrau – adlewyrchiad o hyder y cyfansoddwr pedair ar hugain oed yn ei allu cerddorol. Pump o Gymry America aeth i Gymru: y pedwarawd lleisiol o Danville – Joseph Parry, John Abel Jones, John M. Price a Robert James – a'r canwr, yr athro a'r cyfansoddwr J. R. Thomas a anwyd yng Nghasnewydd ac a oedd yn enw cyfarwydd ymysg cylchoedd cerddorol ar ddwy ochr yr Iwerydd. Ond cyn i'r cerddorion hyn adael America, daeth gŵr o'r enw John Griffith i gysylltiad â hwy yn ninas Efrog Newydd. Newyddiadurwr ydoedd a adwaenid wrth y llysenw 'Gohebydd', ac a dreuliai ran fwyaf ei fywyd ym myd y papurau, gan anfon erthyglau o safon at *Baner Cymru* Thomas Gee yn Ninbych o sawl gwlad dramor.

Anfonwyd y Gohebydd i America am y flwyddyn 1865–6, gan gyrraedd yn ystod Mehefin 1865. Ar ddechrau Awst, darllenodd yn y *New York Times* fod Mr J. R. Thomas 'the well-known composer and baritone' ar fin gadael am Ewrop. Holodd y Gohebydd swyddfa *Y Drych* yn Utica a chlywed bod J. R. Thomas yn un o griw bach o Gymry cerddorol oedd ar fin gadael am yr Hen Wlad. Roeddynt yn aros yn y Cambrian Hotel, 92 Chatham Street ym Manhattan, ac aeth y Gohebydd yno gyda Eleazar Jones o Utica i'w cyfarfod. Ymateb cyntaf y Gohebydd i Joseph Parry oedd iddo'i chael hi'n anodd credu mai'r gŵr ifanc hwn oedd wedi ennill cymaint o wobrau yn Eisteddfodau Cenedlaethol Cymru. Ac wrth i'r Gohebydd holi'r parti, ar Joseph Parry yr hoeliodd ei sylw, a phan glywodd hyd a lled hanes ei fywyd a'i ddyheadau cerddorol, sylweddolodd fod yma sylfaen stori dda a fyddai'n sicr o ennill sylw darllenwyr *Y Faner* yn ôl yng Nghymru.

Roedd cyfeillgarwch syth rhwng Joseph Parry a John Griffith, perthynas a oedd i flodeuo a chryfhau gyda threigl amser – yn wir, y Gohebydd maes o law fyddai'n gyfrifol am roi sawl hwb i yrfa'r cerddor. Yn ei hunangofiant, disgrifiodd Joseph Parry y Gohebydd fel 'the King of all my innumerable, invaluable, and *never* to be *forgotten friends* in New York City' (t. 14). Yn rhifyn 6 Medi 1865 o *Baner Cymru* yr ymddangosodd erthygl 'Gohebydd Llundain yn America' ar Joseph Parry. Ar ôl sôn am lwyddiannau'r cerddor yn Eisteddfodau Cenedlaethol Abertawe 1863 a Llandudno 1864, holodd:

> A oes dim modd rhoi rhyw gychwyniad i'r dyn ieuanc hwn, Joseph Parry, fel ag i'w osod mewn sefyllfa ag a fydd fwy cydnaws â'r elfen gerddorol sydd wedi ei phlannu yn ei enaid, lle y gall fod o well gwasanaeth i'w genedl, i'w oes, ac i'r byd na bod yn treulio ei nerth a'i ddyddiadau o flaen ffwrneisiau Danville, yn toddi haearn? . . . Dyma lwmp o 'genius'! does dim un os am hynny.

Awgrymwyd y dylid anfon Joseph Parry o'r Eisteddfod Genedlaethol yn Aberystwyth am dymor o addysg gyffredinol sylfaenol gyda Dr Evan Davies, Abertawe – neu rywun tebyg a allai gynnig hyfforddiant cyffelyb – yna i'r Royal Academy of Music yn Llundain i orffen ei addysg gerddorol. Ac ychwanegodd y Gohebydd y byddai'n cyflwyno achos y cerddor yn uniongyrchol i ofal y Parchedig John Griffiths, rheithor Castell Nedd, a chadeirydd Cyngor yr Eisteddfod Genedlaethol. Roedd amseru erthygl y Gohebydd yn allweddol, oherwydd y câi'r Eisteddfod Genedlaethol ei chynnal yn Aberystwyth ymhen ychydig wythnosau, ac roedd Joseph Parry eisoes ar ei ffordd yno.

Gadawodd ef a'i barti borthladd Efrog Newydd tua 18 Awst ar fwrdd y llong ager *City of Washington*, gan gyrraedd Lerpwl ddiwedd y mis. Erbyn 12 Medi roedd wedi cyrraedd Aberystwyth, ond er mawr siom iddo darganfu nad oedd ei gyfansoddiadau wedi cyrraedd llaw y beirniad. Teithiodd John Abel Jones yn unswydd i Efrog Newydd i'w postio, ac roedd Joseph Parry ei hun o'r farn eu bod wedi'u dwyn, gan ofyn yn ei hunangofiant (t. 14): 'Where are they? Who has them? And what the motives? These questions will never be answered.' Efallai bod cyfiawnhad i'w deimlad o baranoia: dyma gyfansoddwr ifanc, galluog ond *alltud*, yn ennill gwobrau yn Eisteddfod Genedlaethol *Cymru*. A oedd hynny'n ddigon i gythruddo rhai cerddorion gor-gystadleuol diegwyddor?

Mewn llythyr at David Lewis, gofynna John Thomas, Blaenannerch:

> Beth wnawn ni i'r creadur yna sydd yn dyfod drosodd o'r America i ysgubo ein gwobrau cerddorol, Dafydd? Yn sicr y mae'n rhaid i ni ymosod arni o ddifrif, a dangos iddo mai y ffordd orau fyddai iddo fod gartref yn lle dyfod drosodd yma i hel gwobrau.

Yn sicr, roedd yna elfen naturiol o genfigen at lwyddiant y Joseph Parry alltud, ond erys dirgelwch y cyfansoddiadau coll.

Er y siomiant mawr hwn, bu Eisteddfod Genedlaethol Aberystwyth 1865 yn llwyddiant i Joseph Parry mewn sawl ffordd arall: cafodd gyfle i gyfarfod â cherddorion enwog Cymru'r dydd, clywodd ei gyfansoddiad fel darn prawf, cafodd ei dderbyn i'r Orsedd, ac fe gafodd y cyfle i gyhoeddi'i gerddoriaeth. Ymwelai enwogion y celfyddydau â'r Eisteddfod Genedlaethol yn flynyddol fel beirniaid, perfformwyr, arweinwyr ac eisteddfodwyr cyffredin. Ymysg y cerddorion enwog oedd yn Aberystwyth yr oedd J. Ambrose Lloyd, Brinley Richards, Ieuan Gwyllt, Tanymarian, John Thomas (Pencerdd Gwalia), Alaw Ddu, Gwilym Gwent, John Thomas (Blaenannerch) a D. Emlyn Evans. Pedair ar hugain oed oedd Joseph Parry, ac yn alltud, ond fe'i derbyniwyd yn wresog i'r cylch arbennig hwn o gerddorion. Hefyd, cafodd y cerddor ifanc yr anrhydedd o eistedd wrth fwrdd y beirniad yn yr eisteddfod ei hun, a chlywodd ei gyfansoddiad 'Gostwng, O Arglwydd Dy Glust' yn ddarn prawf cystadleuaeth y côr cymysg. Ac, yn glo i'r cyfan ymddangosodd ar lwyfan Eisteddfod Genedlaethol Aberystwyth. Cyflwynwyd ef ynghyd â J. R. Thomas – un o'i gyd-deithwyr o America – i'r gynulleidfa gan John Griffiths, rheithor Castell Nedd a chadeirydd Cyngor yr Eisteddfod, a rhoddodd y dorf groeso cynnes iddynt.

Yr oedd anrhydedd pellach i ddod. Cyfarfu Gorsedd y Beirdd yng Nghastell Aberystwyth ar fore Gwener yr Eisteddfod. John Thomas (Pencerdd Gwalia), oedd yng ngofal y seremoni, a derbyniwyd Joseph Parry a J. R. Thomas ill dau i Urdd Cerddor – y cyfansoddwr fel 'Pencerdd America' a'r canwr fel 'Alawn Gwent'.

Yr olaf o lwyddiannau Pencerdd America – a'r un mwyaf annisgwyl – oedd i un o'i 'gyfansoddiadau coll' gael ei dderbyn gan gwmni Hughes a'i Fab, Wrecsam, ar gyfer ei gyhoeddi. Dyma arwydd hael o ewyllys da a ffydd ar ran y cwmni, oherwydd yn gyntaf roedd yn barod i fentro'n fasnachol gyda cherddoriaeth cerddor ifanc – o dramor – ac yn ail, roedd y cwmni'n fodlon ystyried cyhoeddi'r gerddoriaeth er i'r llawysgrif fod ar goll. Copïodd Joseph Parry ei ganig bedwar-llais, 'Ar Don o Flaen Gwyntoedd,' o'i gof – roedd ganddo gof cerddorol aruthrol – a'i werthu yn y fan a'r lle i Hughes am '500 copies' chwedl ei hunangofiant, a bargen yn ôl y cyfansoddwr. Dyma oedd darn cyntaf Joseph Parry i'w *gyhoeddi* yn yr ystyr mai cwmni cyhoeddi cerddoriaeth fu'n gyfrifol am y cysodi, argraffu, hysbysebu a gwerthu cyffredinol. Cafodd sawl darn ei *argraffu* er tuag 1862, ond mewn cylchgronau y digwyddodd hynny, er enghraifft 'Gostwng, O Arglwydd Dy Glust' yn un o rifynnau *Y Gyfres Gerddorol Gymreig*. Pluen newydd yng nghap Parry oedd cyhoeddi 'Ar Don o Flaen Gwyntoedd', ac erbyn 1868, roedd yn ddarn prawf yn Eisteddfod Genedlaethol Rhuthun.

Felly cymysgwch o lwyddiant a methiant oedd Eisteddfod Genedlaethol Aberystwyth 1865 i Joseph Parry ac, ar ddiwedd yr wythnos, dyma gychwyn gyda'i barti am dde-ddwyrain Cymru ar gyfer tri chyngerdd yn ardal Merthyr. Ymwelodd Joseph Parry â hen gartref y teulu yn y dref, ac wrth wneud hynny dywed yn ei hunangofiant i'w gân 'Breuddwydion Ieuenctid', a gyfansoddwyd yn gynharach y flwyddyn honno, ddod â hiraeth mawr i'w galon. Ymwelodd hefyd â chymanfa ddirwestol Gwent a Morgannwg ar 18 Medi yn y 'Neuadd Gerddorol' yng Nghaerdydd. Anerchodd Pencerdd America y gynulleidfa, a pherfformiwyd ei drefniant – 'cynghaneddiad' oedd disgrifiad y rhaglen – o'r alaw werin 'Gwŷr Harlech'.

Ar 23 Medi, cynhaliodd Joseph Parry, John Abel Jones, John Price a Robert James gyngerdd llwyddiannus yn y Neuadd Ddirwestol ym Merthyr, a'r neuadd dan ei sang i glywed caneuon, rhan-ganau a chanigau Joseph Parry gyda Seindorf Cyfarthfa yn ychwanegu eitemau cerddorol eraill. Y noson ganlynol, cynhaliwyd cyngerdd tebyg yn yr Ysgoldy Brytanaidd yn Hirwaun, a Joseph Parry yn cyfeilio wrth yr harmoniwm yn ogystal â chanu gyda'r pedwarawd.

Gadawodd y pedwar am America ar ddiwedd mis Medi, gan hwylio ar y *City of New York* o Lerpwl i Efrog Newydd – trydedd daith Parry ar draws yr Iwerydd. Cafwyd siwrnai arw – 56 awr o dywydd stormus – a bu'n rhaid i'r llong gael ei hatgyweirio ar ôl cyrraedd y porthladd. Yn ystod y croesi, roedd ganddo ddigon i gnoi cil yn ei gylch. Yn dilyn erthyglau'r Gohebydd yn *Y Faner*, ac yn dilyn cyflwyno achos y cerddor gan reithor Castell Nedd, daeth Cyngor yr Eisteddfod i benderfyniad: cynigiwyd talu am ddwy flynedd o hyfforddiant i Joseph Parry – blwyddyn o addysg gyffredinol yng ngholeg Dr Evan Davies yn Abertawe, yna blwyddyn o addysg gerddorol yn y Royal Academy of Music yn Llundain.

Roedd dewis yr Athrofa Frenhinol yn ddigon naturiol, oherwydd Llundain oedd un o brif ganolfannau cerddorol y byd, ond roedd anfon Parry at Dr Evan Davies yn gyntaf yn fwy annisgwyl. Cerddor brwd oedd Evan Davies, yn ganwr, yn feirniad eisteddfodol, yn arweinydd Cymdeithas Gorawl Abertawe, ac yn brifathro'r coleg 'Normal' lleol ar gyfer hyfforddi athrawon. Teimlai Cyngor yr Eisteddfod mai elfennol fu addysg gyffredinol Parry, ac y byddai blwyddyn gydag Evan Davies yn Abertawe yn llenwi bylchau. O safbwynt addysg Joseph Parry yn Llundain, cyflwynodd John Thomas (Pencerdd Gwalia), achos y cerddor ifanc gerbron awdurdodau'r Athrofa, ac ysgrifennodd Brinley Richards at y Prifathro William Sterndale Bennett i sôn am ddawn gerddorol Parry a chefnogi'r cais i'w anfon i astudio yn y sefydliad. Felly roedd drysau newydd yn agor o flaen Pencerdd America, ond cyn dod i benderfyniad, rhaid oedd trafod y sefyllfa â Jane ei wraig. Dyn teulu ydoedd, ac yr oedd un ystyriaeth arall – arian. Sut oedd talu am symud ei deulu i ochr arall yr Iwerydd? Rhaid oedd pwyso a mesur yr opsiynau yn ôl yn Danville.

Yno, dychwelodd i'w swydd fel 'head roller' yn y gwaith haearn, swydd yr oedd i aros ynddi tan ddiwedd 1865 wrth iddo ystyried ei ddyfodol. Roedd wrth ei waith yn feunyddiol, ond pethau tra gwahanol oedd ar ei feddwl, fel y dengys yn ei hunangofiant:

> How *musical* are some noises of this mill to me, the humming of your huge fans, the rhythm of your engines and machines, the very *flashes* of your rolls are picturesque to my eyes . . . all [my compositions] have their origin in your companionship. (tt. 16–17)

Roedd yn waith corfforol caled, a dim ond yn ei amser hamdden prin y câi gyfle i ganolbwyntio ar ei addysg gerddorol: ymarferion gwrthbwynt (sef gweu alawon) gan Cherubini ac Albrechtsberger, sef y math o waith cartref y bu'n ei wneud er 1862. Daliai i gyfansoddi'n ddi-dor, ac er gwaethaf 'colli' gyda'i gyfansoddiadau yn Eisteddfod Genedlaethol Aberystwyth, roedd yn dal i ennill gwobrau yn eisteddfodau America, er enghraifft 'Yr Eneth Ddall', unawd fuddugol Eisteddfod Pottsville, Pennsylvania, 4 Gorffennaf 1865. Gweithredai fel beirniad o hyd, ac ar Ddydd Nadolig y flwyddyn honno bu'n beirniadu yn Eisteddfod Undebol Youngstown Ohio yn yr Arms and Murray Hall – achlysur fu'n drobwynt arall yn ei hanes cerddorol.

Cynhaliwyd y cyfarfod cyntaf o ddau am ddeg y bore, ac ar ôl araith gan y cadeirydd, Mr D. J. Nicholas (Ivor Ebwy), canodd Joseph Parry 'tôn Eisteddfod' – chwedl *Y Drych* 25 Ionawr 1866 – gan gyfeilio'i hun wrth yr harmoniwm. Cân Parry 'Breuddwydion Ieuenctid' oedd yr unawd prawf. Roedd John Griffith y Gohebydd yn Eisteddfod Youngstown, ac o ganlyniad i'w awgrymiadau, galwyd cyfarfod arbennig ar Ddydd San Steffan – drannoeth yr eisteddfod – i drafod sefyllfa Joseph Parry. Cynhaliwyd y cyfarfod am ddeg y bore yn y Welsh Congregational Church ar Elm Street, Youngstown, ac yno y cyflwynodd y Gohebydd yr un neges ag a gyflwynodd i Gyngor yr Eisteddfod Genedlaethol yn Aberystwyth dri mis ynghynt, ac a ymddangosai yn ei erthyglau yn *Y Faner* yng Nghymru. Cadeirydd Eisteddfod Youngstown – D. J. Nicholas – oedd yn y gadair, a phasiwyd y dylid sefydlu 'Parry Fund Committee', gyda David John yn drysorydd a Joseph Aubrey yn ysgrifennydd. Byddai'r Gohebydd a John Jehu yn llythyru Cymry

America, a phenderfynodd y Pwyllgor, yng ngeiriau *Y Drych* (25 Ionawr 1866), 'dechrau gweithio tra y mae eraill yn siarad', gan gyfeirio o bosibl at arafwch Cyngor yr Eisteddfod Genedlaethol yng Nghymru. Bu'n dri mis ers i Joseph Parry gael yr addewid o gymorth y Cyngor, ond roedd y cerddor yn dal wrth ei waith yn Danville.

Sefydlwyd Pwyllgor Cyffredinol i hyrwyddo Cronfa Parry, ac er mwyn rhoi esiampl i weddill Cymry America cyfrannodd Pwyllgor Eisteddfod Youngstown $50 at y Gronfa. Ymhen tipyn roedd wyth o Gymry blaenllaw America wedi rhoi'r un swm. Cyfraniad Joseph Parry fyddai cynnal cyfres o gyngherddau ar gyfer cymunedau Cymreig America, yn enwedig o'r dwyrain at y 'mid-west'. Cychwynnodd Parry ar ei waith bron yn syth wedi Eisteddfod Youngstown. Ffurfiodd gôr o ryw ugain o gantorion lleol – gan gynnwys Joseph Aubrey, ysgrifennydd Cronfa Parry – a gyrru o gwmpas y wlad gyfagos ar sled er mwyn cynnal cyngherddau i godi arian tuag at ei achos. Y profiad hwn o bosibl a'i hysbrydolodd rai blynyddoedd yn ddiweddarach i gyfansoddi darnau disgrifiadol ysgafn fel y 'Sleighing Glee', canig a gyfansoddwyd yn Danville yn 1873. Dyma un o'i ddarnau ysgafnaf, ac yn ôl un beirniad anhysbys:

> Nesaf at y syndod fod cerddor o safle Mr Parry wedi cyfansoddi'r fath ffwlbri, yw y teimlad o ofid bod bardd [sef Cynonfardd] yn y byd a allai ysgrifennu ['Jing jingle jing, now let us sing, peth jolly yw sleigh ride y gaeaf']. (*Y Gerddorfa*, 1 Mawrth 1873)

Mae'n amlwg na sylweddolodd bwrpas y 'Sleighing Glee', sef darn i'w ganu'n ysgafn a hwyliog – fel y dengys cymysgu'r Gymraeg a'r Saesneg – a dengys y ganig fedr amryddawn Parry fel cyfansoddwr. Gwelir ei osodiad o'r geiriau ar dudalennau 21 a 22.

Yn ei hunangofiant, diolcha'r cerddor i Bwyllgor Eisteddfod Youngstown ac i'r 'CumbroAmericans [sic]' am eu cefnogaeth a'u ffydd. Rhoddodd y gorau i'w waith yn y melinau yn Danville, ac erbyn diwedd 1865 roedd wedi mentro i fyd 'proffesiynol cerddoriaeth', er ei fod, yn ôl ei hunangofiant, 'much afraid of my non-success' (t. 20).

Ar Nos Galan 1866 roedd Joseph Parry yn nhref Newburgh, Ohio, tua chwe milltir o Cleveland. Cynhaliwyd cyngerdd llwyddiannus er budd Cronfa Parry o dan ei arweiniad. Yno, yn ôl ei hunangofiant, y gorffennodd gyfansoddi'i gantawd 'Y Mab Afradlon'. Bu'r gwaith ar droed ers amser, gyda'r cerddor yn gweithio arno mewn trenau, llongau a chartrefi amrywiol. Eos Bradwen oedd awdur y geiriau, a wobrwywyd yn Eisteddfod Genedlaethol Aberystwyth 1865 yn y gystadleuaeth llunio geiriau cantawd ar y testun o'r Beibl. Gosod y geiriau hynny ar gân oedd un o gystadlaethau cyfansoddi Eisteddfod Genedlaethol Caer 1866, i'w chynnal ar 4–7 Medi. Y beirniaid oedd Brinley Richards, John Thomas

Jingle, jingle, jing, jing, jing, jing, jing, jingle, jingle, jing, jing,
Jing, jing, jing, jing,
Jing, jing, jing, jing, jing, jing, jing, jing, jing, jing, jing, jing, jing, jing, jing, jing. jing, jing, jing, jing,
Jing, jing, jing, jing,
Jing, jing, jing, jing, jing, jing, jing, jing, jing, jing, jing, jing, jing, jing. jing, jing, jing, jing, jing, jing.
Jing, jing, jing, jing,
Jing, jing, jing, jing, jing, jing, jing, jing, jing, jing, jing, jing, jing, jing, jing, jing, jing, jing, jing, jiag.
p
8va

jing, jing, jing, Peth jol - ly yw sleigh ride y gau - a', jing, jing,
jing, jing, jing, How jol - ly it is to be sleigh - ing, jing, jing,
jing, jing, jing, Peth jol - ly yw sleigh ride y gau - a'. jing, jing,
jing, jing, jing, How jol - ly it is to be sleigh - ing, jing, jing,
loco.
ff

jingle, jingle, jing, jing, jing, jing, jing, jingle, jingle, jing, jing, jing, jing, jing, Peth
jing, jing, jing, jing, jing, jing, jing, jing, jing, jing, jing, jing, jing, jing, jing, How
jing, jing, jing, jing jing, jing, jing, jing, jing, jing, jing, jing, jing, jing, jing, Peth
jing, jing, jing, jing, jing, jing, jing, jing, jing, jing, jing, jing, jing, jing, jing, Chief
8va
loco.

jol - ly yw sleigh ride, jing, jingle, jingle, jing, jing, jing, jing.
jol - ly is sleigh - ing, jing, jingle, jingle, jing, jing, jing, jing.
jol - ly yw sleigh ride. jing, jingle, jingle, jing. jing, jing, jing.
joy of the sea - son, is jingle, jingle, jing, jing, jing, jing.
jol - ly yw sleigh ride, jing, jingle, jingle, jing, jing, jing, jing.
jol - ly is sleigh - ing, jing, jingle, jingle, jing, jing, jing, jing.
jol - ly yw sleigh ride, jing, jingle, jingle, jing. jing, jing, jing.
joy of the sea - son, is jingle, jingle, jing, jing. jing, jing.

(Pencerdd Gwalia) ac Edward Stephen (Tanymarian), ac ar ddydd Iau y Brifwyl darllenwyd eu beirniadaeth oddi ar lwyfan yr eisteddfod gan faer y dref. Joseph Parry, o dan y ffugenw addas 'Crwydryn', a enillodd y wobr o £20 a medal arian, gyda'r beirniaid yn disgrifio'r gantawd fel 'by far the very best composition which has been sent in for competition to any Eisteddfod in our recollections'. Er yn ddarn cynnar yng ngyrfa'r cyfansoddwr, ceir yn 'Y Mab Afradlon' nifer o nodweddion a oedd i aros yn rhan o arddull ddiweddarach Parry, er enghraifft y rhythm ♪♩♪. Mae'r darn hefyd yn gwneud defnydd effeithiol o'r emyn-dôn 'Talybont'.

'Y Mab Afradlon' oedd ymgais olaf Pencerdd America – hyd y gwyddys – mewn cystadleuaeth cyfansoddi yn Eisteddfod Genedlaethol Cymru. Daliai i gystadlu'n achlysurol yn America, ond nid enillodd ragor o arian yng Nghymru. Cyfnod cymharol fyr o gystadlu fu hyn – o 1863 hyd 1866 – ac nid yw'r cyfansoddwr yn cynnig rheswm pam iddo 'ymddeol' o'r maes cystadleuol. Neu, fe gystadleuodd ar ôl 1866 ond heb lwyddiant ac nid oedd am i eraill wybod hynny. Roedd yr enillion ariannol o fudd yn sicr, ond yn fwy na thebyg y gwir amdani oedd i Joseph Parry ystyried ei statws fel cyfansoddwr 'uwchlaw' cystadlu o'r fath. Roedd wedi dechrau dod yn enw cyfarwydd yng Nghymru ac America, ac roedd hynny'n ddigon o reswm iddo roi'r gorau i orfod profi ei ddawn fel cyfansoddwr. Ond er i 'Y Mab Afradlon' lwyddo yn Eisteddfod Caer, ni bu galw mawr am y gantawd o safbwynt perfformio – darnau ar raddfa lai fel y gân, yr anthem a'r ganig oedd llwyddiannau cerddorol Parry yn llygaid y cyhoedd.

Yn ôl yn yr Unol Daleithiau, roedd taith gyngherddau Joseph Parry yn mynd yn ei blaen. Bu'n ymweld â chymunedau o Gymry mewn trefi megis Utica a phentrefi Oneida County yn nhalaith New York. Yn Ohio, ymwelodd â Gomer, Youngstown a Newburgh; Chicago, Racine a Milwaukee yn nhalaith Wisconsin; ac yn nhalaith Gymreig Pennsylvania, Pittsburgh, Johnstown, Scranton, Hyde Park, Danville a chymunedau siroedd Schuylkill a Lackawanna. Roedd 1867 hefyd yn flwyddyn gerddorol brysur a'r flwyddyn y bu farw Daniel Parry, tad Joseph, yn 67 oed, a'i gladdu mewn mynwent i'r gogledd o Danville. Ond yn rhyfedd, nid oes gair am hyn yn hunangofiant y mab.

Danville oedd lleoliad dau gyngerdd y Pencerdd ym mis Mehefin 1867; yn Eglwys Mahoning ar y pedwerydd, ac yn Thomson's Hall ar y chweched. Trefnwyd yr achlysuron gan Gymdeithas Gorawl Danville, gydag elw'r ddau gyngerdd yn mynd at Gronfa Parry. Perfformiwyd amrywiaeth o unawdau, deuawdau, triawdau a phedwarawdau, a chanodd Joseph Parry y caneuon canlynol o'i waith ei hun, gan gyfeilio'i hun wrth yr organ (neu'r harmoniwm yn fwy na thebyg): 'Friend of my Youth' (cyfansoddwyd tua 1866); 'Y Trên' (1866); 'Y Gwallgofddyn'

(1865); 'Y Plentyn yn Marw' (1861)'; canwyd ei unawd 'Gwraig y Meddwyn' gan Mrs Jane Evans, chwaer y cyfansoddwr.

Ym mis Awst 1867, roedd Parry yn Hyde Park, Pennsylvania, lle'r oedd y Parchedig Thomas Levi ar ymweliad. Gweinidog gyda'r Methodistiaid Calfinaidd yn Nhreforys oedd Levi ar y pryd, ac roedd ar ei ffordd yn ôl i Gymru. Cynhaliwyd cyfarfod ymadawol iddo yng nghapel yr enwad yn Hyde Park ar 9 Awst. Joseph Parry oedd arweinydd, organydd ac unawdydd y noson, a chanodd gyda'r fath arddeliad fel y bu raid iddo ganu dwy gân fel *encore*.

Bum mis yn ddiweddarach, roedd Parry yn dal wrthi gyda'i ymrwymiadau cerddorol ar gyfer y gronfa. Roedd galwadau mawr arno o hyd, gyda rhai cyngherddau yn agos at ei gilydd o ran dyddiad ond yn bell o ran teithio, er enghraifft 14 Rhagfyr – Fairhaven, New York, 16 Rhagfyr – Middle Granville, New York, 17 Rhagfyr – Jamesville, New York. Ar Ddydd Nadolig 1867, dychwelodd Joseph Parry i Eisteddfod Youngstown, ddwy flynedd yn union ers yr eisteddfod dyngedfennol a'i hanfonodd ar ei daith gyngherddau. Dau o'i gyfansoddiadau oedd darnau prawf yr eisteddfod, sef symudiad cyntaf y motét 'Gostwng, O Arglwydd Dy Glust', a'r ganig 'Ar Don o Flaen Gwyntoedd'. Y cyfansoddwr hefyd oedd prif artist cyngerdd a gynhaliwyd gyda'r hwyr yn yr Excelsior Hall.

Erbyn gwanwyn 1868, roedd Cronfa Parry wedi cyrraedd $3,500, ac erbyn yr haf roedd wedi dyblu i $7,000 – digon i alluogi'r Pencerdd i astudio yn yr Athrofa yn Llundain am dair blynedd. Yn ystod ei daith gerddorol, bu'n holi barn y bobl pa addysg fyddai orau iddo ar ochr arall yr Iwerydd, ac erbyn dechrau 1868, roedd Pwyllgor Cronfa Parry wedi penderfynu na fyddai rhaid i Joseph Parry fynd at Dr Evan Davies yn Abertawe am flwyddyn wedi'r cyfan, gan iddo dderbyn 'addysg ragbaratoal yn Danville' (*Y Drych*, 13 Chwefror 1868). Ond, nid oedd digon yn y Gronfa i alluogi'r cerddor a'i deulu ifanc i adael Danville gyda'i gilydd ac felly, ar 19 Awst 1868, Joseph Parry yn unig adawodd borthladd Efrog Newydd ar fwrdd y llong hwylio *City of Brussels* ar ei bedwaredd fordaith ar draws yr Iwerydd. Gorfu iddo adael Jane ei wraig a'r ddau fab bach Haydn a Mendelssohn, a theimladau cymysg mae'n sicr oedd yn enaid Joseph Parry yn ystod y fordaith – tristwch am iddo ganu'n iach i'w deulu, ond cyffro am fod pennod newydd yn hanes ei ddatblygiad fel cerddor yn ymagor wrth iddo gyrraedd Llundain.

3

Llundain

Pan gyrhaeddodd Joseph Parry ben ei daith oddeutu 10 Medi 1868, nid aeth yn syth i Lundain. Yn hytrach ymwelodd â hen gartref y teulu ym Merthyr Tudful ac, yn ôl ei hunangofiant, dyma'r geiriau a ddaeth i'w gof yno:

> O! give me back my childhood dreams,
> O give them back to me;
> When all things wore the hue of love,
> The heart from grief was free.

Dyma eiriau agoriadol ei gân 'Breuddwydion Ieuenctid', a gyfansoddwyd yn Danville tua'r flwyddyn 1865, ac fe ymddengys mai Parry ei hun a'u hysgrifennodd. Mae'n debyg mai'n ddiweddarach y lluniodd Mynyddog fersiwn Cymraeg yr unawd.

Aeth y cerddor yn ei flaen i Fynyddygarreg i ymweld â hen gartref ei fam cyn teithio i Dreforys a threulio rhai dyddiau yng nghartref y Parchedig Thomas Levi. Roeddynt wedi cwrdd yn yr Unol Daleithiau blwyddyn ynghynt, ac roedd cyfeillgarwch arbennig i ddatblygu rhyngddynt. Y gweinidog a drefnodd y cyngerdd a gynhaliwyd yn Abertawe ar 17 Medi – a hynny ar dipyn o frys. Roedd y Music Hall dan ei sang a Parry yn brif artist – yn unawdydd a chyfeilydd. Cafwyd eitemau hefyd gan seindorf bres leol, unawdwyr – yn cynnwys Silas Evans, un o gerddorion amlycaf Abertawe – ynghyd â chôr Glantawe o dan arweiniad John Watkins, Treforys.

Canodd Joseph Parry ganeuon o'i waith ei hunan, gan gyfeilio i'w hunan wrth yr harmoniwm.Ymysg yr unawdau a ganodd roedd 'The Home of My Childhood', a gyfansoddwyd ar eiriau'r cyfansoddwr ei hun ar fwrdd y llong draw o America, 'Yr Eneth Ddall', 'Y Trên', 'Dangos dy fod yn Gymro', 'Gwraig y Meddwyn', 'Y Tŷ ar Dân', a 'Jefferson Davis', sef cân ddoniol am arlywydd y Taleithiau Cydffederal yn Rhyfel Cartref America. Canodd y côr ei drefniant o 'Gwŷr Harlech', a'r ganig

'Ar Don o Flaen Gwyntoedd' gyda'r cyfansoddwr yn cyfeilio'r ddau ddarn. Wrth adolygu'r achlysur, disgrifiai *Baner ac Amserau Cymru* y Pencerdd fel:

> Cymro ieuanc, dieithr, athrylithgar . . . ni chafodd yr un Cymro dderbyniad mwy croesawgar a chalonnog ar ei ymddangosiad cyntaf yng ngwlad ei enedigaeth erioed. Y mae yn amlwg i'r llygad pylaf fod Mr Parry yn dalp o athrylith cerddorol. (23 Medi 1868, t. 10)

Drannoeth, gadawodd Parry Abertawe am Lundain, gan gofrestru yn y Royal Academy of Music ar 19 Medi 1868, a lletya yn 27 Thavies Inn, Llundain (EC4 heddiw), a oedd yn agos at safle'r Athrofa bryd hynny sef 4–5 Tenterden Street, ger Hanover Square. Yno cafodd y cerddor yr anrhydedd o astudio cyfansoddi gyda'r prifathro, William Sterndale Bennett (1816–75). Roedd hwn yn gyfaill personol Brinley Richards, a fu'n rhannol gyfrifol am argymell Joseph Parry i awdurdodau'r Athrofa.

Pan benodwyd Sterndale Bennett yn brifathro'r Athrofa ym Mawrth 1867, etifeddodd y problemau ariannol dybryd a achoswyd gan farwolaeth prif noddwr y sefydliad, Iarll Westmoreland, yn 1859. Aildrefnwyd gweinyddiad y coleg ac yn raddol, gyda Sterndale Bennett wrth y llyw gwellodd y sefyllfa ariannol. Sicrhawyd cymhorthdal o £500 gan Mr Gladstone y prif weinidog, cynyddodd nifer y myfyrwyr o 66 pan gyrhaeddodd Joseph Parry yn 1868 i dros 200 ar ei ymadawiad yn 1871, a datblygwyd côr a cherddorfa lewyrchus. Fe gofiwn i Sterndale Bennett ddod i gysylltiad anuniongyrchol â Joseph Parry dros ddegawd ynghynt pan drafododd Brinley Richards gynnyrch y Pencerdd ag ef – roedd y Cymro yn amau gwreiddioldeb gwaith Parry am ei fod o safon cymaint uwch na chystadleuwyr eisteddfodol arferol.

Roedd gan Joseph Parry dalentau cerddorol eraill i'w meithrin hefyd – wedi'r cwbl, roedd yn gyfarwydd i'w gynulleidfa fel canwr yn ogystal â chyfansoddwr. Cafodd wersi canu gan Signor Manuel Garcia, un a ddysgodd yn yr Athrofa am hanner can mlynedd a hyfforddi enwogion fel Jenny Lind. Un arall a dreuliodd gyfnod maith yn yr Athrofa oedd Dr Charles Steggall, a fu'n hyfforddi Parry wrth yr organ. Yn ôl pob sôn roedd yn ddisgybl eiddgar, ac wedi penderfynu manteisio'n llawn ar y cyfle o dderbyn addysg gerddorol gan y tri athro profiadol hwn.

Yn saith ar hugain oed, roedd Pencerdd America dipyn yn hŷn na'i gyd-fyfyrwyr, ond roedd ei aeddfedrwydd personol a cherddorol o fantais iddo. Roedd Parry'n eiddgar am addysg gerddorol ehangach nag a dderbyniodd hyd yma, ac roedd i weithio'n gyson a thrylwyr drwy gydol y tair blynedd yn Llundain. Gellid dweud ei fod 'ar brawf' ar sawl ystyr, ond yn fwyaf arbennig, roedd llygaid y Cymry arno, ac roedd eu harwr yn ymwybodol o'r ymdrech fawr a wnaethpwyd ar ddwy ochr yr

Iwerydd i godi arian at ei achos. Â'i yrfa yn Athrofa Llundain yn destun newyddion yn y wasg yng Nghymru ac America, astudiai o dan amodau gwahanol i weddill y myfyrwyr. Roedd yn berson sensitif a chydwybodol, ac nid oedd am siomi ei noddwyr a'i gefnogwyr.

Lle newydd a dieithr oedd Llundain i'r Cymro o America, a pharhaodd â'i arfer Anghydffurfiol drwy fynychu capel Cymraeg yr Annibynwyr yn Fetter Lane yn nwyrain y ddinas. Bu'n aelod ffyddlon yno am dair blynedd a, maes o law, daeth yn arweinydd y gân ac organydd y capel; yn ôl y sôn, Fetter Lane oedd capel y canu gorau yn Llundain.

Cadwodd Parry gysylltiad agos â Chymru hefyd, gan achub y cyfle bob gwyliau i ddychwelyd i'r wlad i gynnal cyngerdd, arwain cymanfa ganu neu feirniadu mewn eisteddfod. Cynhaliai gyngherddau ledled Cymru, gyda chynnwys cerddorol pob achlysur yn dilyn fwy neu lai batrwm y rhaglen a gafwyd yn Abertawe. Roedd pob cyngerdd yn 'hysbyseb' personol i Joseph Parry, ac yn llwyfan i'w gyfansoddiadau. Caneuon cyfnod Danville – o tuag 1861–8 – oedd prif gynnwys cyngerdd Abertawe, ond o hyn ymlaen, roedd cyngherddau Parry yng Nghymru yn gyfle perffaith iddo berfformio'i gerddoriaeth newydd, unawdau gan mwyaf, a gyfansoddwyd yn Llundain. Mae 'Hoff Wlad fy Ngenedigaeth' yn enghraifft gynnar o'r cydweithrediad a fyddai rhwng y cerddor a'r bardd 'Hwfa Môn', sef y Parchedig Rowland Williams, gweinidog capel Fetter Lane rhwng 1867 ac 1881.

Ar ddiwedd tymor y Nadolig 1868, roedd gan Joseph Parry fis o wyliau, a dyma gychwyn ar daith o gyngherddau.

Dydd Nadolig 1868: Merthyr Tudful. Eisteddfod y Cymmrodorion gyda'r Pencerdd yn feirniad cerddorol ac yn unawdydd cyngerdd. 'Rhosyn yr Haf', canig fuddugol Eisteddfod Utica 1867, oedd y darn prawf corawl. Yr un ganig oedd darn prawf eisteddfod arall a gynhaliwyd ar yr un dydd nid nepell o ŵyl y Cymmrodorion ym Merthyr, sef Eisteddfod y Tabernacl yn y Drill Hall.

7 Ionawr 1869: Aberdâr. Cyngerdd ar y cyd â Megan Watts, cantores ifanc addawol a oedd yn prysur ennill ei phlwyf fel unawdydd.

15 Ionawr: Porthmadog, capel y Tabernacl. Thomas Levi drefnodd y cyngerdd ac ef oedd cadeirydd y noson. Pwrpas yr achlysur oedd codi arian tuag at brynu harmoniwm newydd at wasanaeth côr y capel. Canodd Joseph Parry ei *repertoire* 'arferol' ynghyd â chyfeilio i gôr y Garth a'r Tabernacl.

16 Ionawr: Waunfawr ger Caernarfon, capel y Methodistiaid Calfinaidd. Canwyd pob cân ddwywaith, a disgrifiwyd Pencerdd America gan *Yr Herald Cymraeg* (23 Ionawr 1869, t. 8) fel un oedd 'â mawredd yn ei ddull syml a dirodres' ynghyd â'r gallu 'i daflu i'w ganu y "peth hwnnw" sydd yn cyffwrdd â chalon dyn'.

18 Ionawr: Caernarfon, yn yr Ysgol Frytanaidd. Aeth drwy ei raglen arferol i dderbyniad gwresog a brwdfrydig, ac ymddangosodd y sylw

rhagfynegol hwn yn *Yr Herald Cymraeg:* 'Y mae yn amlwg fod arhosiad ac astudiaeth y Pencerdd yn y Royal Academy, Llundain, yn dwyn argraff ddaionus; ac oddi wrth yr hyn a allwn farnu, y mae gyrfa ddisglair yn debyg o ymagor o flaen ein cydwladwr talentog.' (ibid., t. 5)

Cynhaliodd Joseph Parry gyngherddau tebyg i'r rhain ym Mryn Menai, Abertawe, Dowlais, a Llanelli ac yn ogystal ag arddangos Parry fel beirniad, unawdydd a chyfansoddwr, bu'r daith yn llwyddiant ariannol hefyd.

Ffenomenon gerddorol y bedwaredd ganrif ar bymtheg oedd y 'budd-gyngerdd', ac yn aml âi'r elw at sicrhau addysg unigolyn arbennig. Sicrhau lles personol ac addysgol Joseph Parry oedd bwriad y rhan fwyaf o gyngherddau a gynhaliwyd yn ystod ei wyliau cyntaf o'r Athrofa, ac roedd sawl taith arall i ddilyn. Roedd ôl llaw Thomas Levi yn amlwg ar y trefniadau, ac ar ddechrau 1869, dychwelodd gŵr arall i gefnogi achos Parry, sef John Griffith y Gohebydd. Yn ystod ail hanner mis Ionawr, bu ar daith drwy Gymru yn darlithio ar y testun 'Hyn a'r Llall yn America', gan gyfeirio at Joseph Parry a'r berthynas arbennig fu rhyngddynt yno. Dyma fath arall o gyhoeddusrwydd, a ddilynid fynychaf gan wahoddiad i'r cerddor berfformio yn ardal y ddarlith yn y dyfodol.

Yn ôl yn Llundain, parhaodd Joseph Parry â'i yrfa academaidd: gweithiai'n ddiwyd, heb fentro fawr ymhellach na'r Athrofa, y capel a'r llety. Yn achlysurol, câi gyfle i gymdeithasu, er enghraifft ar 24 Chwefror 1869 mynychodd wledd fawreddog a gynhaliwyd gan y Cymry yn Llundain yn y Freemasons's Hall yn Holborn (cafodd ei dderbyn i seiri rhyddion y ddinas yn ystod y cyfnod hwn), ac roedd ymysg nifer o gerddorion eraill o Gymru megis Brinley Richards, Megan Watts ac Edith Wynne. Ond eithriad oedd achlysur felly ac er bod Llundain yn un o ddinasoedd mwyaf cerddorol Ewrop, ymddengys i Parry fod yn amharod i fanteisio ar hynny. Nid yw'n sôn am fynychu ond ychydig iawn o ddigwyddiadau cerddorol, a phrin oedd ei gysylltiad â gweithgareddau nad oeddynt yn Gymreig. Yn sylfaenol, ei waith academaidd, cyngherddau yng Nghymru a'r capel oedd byd Joseph Parry yn Llundain. Myfyriwr diwyd ydoedd yn ystod y tymor, a pherfformiwr amryddawn yn ystod y gwyliau.

Y tu allan i'r maes cerddorol, digwyddiad pwysicaf 1869 oedd i weddill ei deulu gyrraedd tua chanol mis Mehefin. Joseph ei hunan a dalodd am fordaith Jane a'r meibion Haydn a Mendelssohn ar draws yr Iwerydd, a bu'n cynilo enillion ei gyngherddau ar gyfer hynny. Bellach roedd y teulu cyfan ynghyd yn Llundain.

Erbyn hyn, roedd y penteulu'n dod at ddiwedd ei flwyddyn gyntaf yn yr Athrofa. Dathlwyd cau'r flwyddyn academaidd ar 23 Gorffennaf gyda chyngerdd a chyfarfod gwobrwyo yn y Queen's Concert Room yn Hanover Square. O'r pymtheg a thrigain o fyfyrwyr, deuddeg a dderbyniodd wobr arbennig, ac roedd Joseph Parry yn un ohonynt –

tipyn o gamp o ystyried bod yr unarddeg arall yno ers tair neu bedair blynedd. Cyflwynwyd y gwobrau gan Mrs Gladstone, gwraig y prif weinidog ac un o noddwyr yr Athrofa, a chydymfalchïodd y ddau yn eu Cymreictod. Byddai'r Athrofa ar gau yn awr hyd ddechrau Medi ond roedd y cerddor eisoes wedi bod yng Nghymru yn cynnal cyngherddau *cyn* diwedd y tymor. Bu ym Mhedwaredd Gylchwyl Gerddorol Undeb Dirwestwyr Eryri yng nghastell Caernarfon ar 14 Gorffennaf. Roedd yr Undeb Cerddorol yn cynnwys tri ar ddeg o gorau lleol, ac yn ystod sesiwn y prynhawn, canwyd canig Parry 'Ar Don o Flaen Gwyntoedd' gyda chryn angerdd.

Y noson ganlynol roedd Joseph Parry ym Mlaenau Ffestiniog mewn cyngerdd er budd Ysgol Frytanaidd Tanygrisiau – achlysur a esgorodd ar y ganmoliaeth: 'Bachgen iawn yw y Pencerdd, y mae yn anrhydedd i'w wlad, a swyn yn ei enw i bob Cymro a all deimlo cerddoriaeth bur.' (*Baner ac Amserau Cymru,* 21 Gorffennaf 1869, t. 4) Roedd yn Nhanygrisiau ei hun y noson ganlynol yn mynd drwy ei raglen arferol, ond roedd yn achlysur pwysig oherwydd perfformiwyd am y tro cyntaf yng Nghymru ei ganig newydd, 'Gweddi Gwraig y Meddwyn', ar eiriau Thomas Levi, gŵr a oedd yn cysylltu ei hun fwyfwy ag enw ac ymddangosiadau'r Pencerdd; er enghraifft, tua dechrau Awst, gwnaethpwyd apêl drwy'r wasg ar i bawb oedd am i Joseph Parry ymddangos yn eu hardal gadarnhau hynny cyn gynted â phosibl, gyda phob gohebiaeth ar ôl 9 Awst i'w gyfeirio drwy Thomas Levi yn Nhreforys.

Cyngerdd cyntaf gwyliau haf Joseph Parry oedd ymweliad arall â Llanelli ar 6 Awst, a dilynwyd hyn gan gyngherddau yn y Treuddyn ger Yr Wyddgrug (19 Awst), Waunfawr (21 Awst) – lle y gwnaethpwyd elw o £18 – Caernarfon (23 Awst), Pen-y-groes (26 Awst), Amlwch (27 Awst), Llanberis (30 Awst) a Llanwrtyd (2 Medi). Ar 4 Medi roedd Joseph Parry yng Nghwmaman, a barn gohebydd anhysbys *Baner ac Amserau Cymru* oedd mai un o'r pethau cerddorol a wnâi'r Pencerdd 'yn fyd-boblog' oedd: 'Tonau newyddion o'i waith ef ei hun, ac nid marchogaeth yr un hen rai "byth ac yn dragywydd" e.e. yr "A.B.C. duett" (gan John Parry).' (15 Medi 1869, t. 4) Yn sicr, rhan o apêl Joseph Parry oedd ei fod yn gerddor ifanc gwahanol nad oedd yn ofni cyflwyno caneuon newydd o'i waith ei hun ac a berfformiai ei gerddoriaeth â brwdfrydedd atyniadol – diolch i'w hyfforddiant lleisiol yn yr Athrofa ynghyd â natur allblyg ei bersonoliaeth. Daeth gweddill mis Medi – a'i wyliau haf – i ben gyda chyngherddau yn Rhosymedre, Rhymni, Glynebwy, Dolgellau, Rhiwabon a Dowlais, ac ar ddiwedd ei daith, sylw *Y Cerddor Cymreig* oedd iddo lwyddo 'ymhob cyfarfod i beri nid yn unig i gerddorion, ond i bawb yn gyffredinol, feddwl yn uwch amdano nag o'r blaen. Yr oedd ei gyfansoddiadau mor newydd' (1 Hydref 1869, t. 77).

Dychwelodd Joseph Parry i Lundain i ddechrau'i ail flwyddyn yn yr Athrofa, ac adeg y Nadolig 1869, roedd ar daith unwaith eto, gan ddechrau yn Nowlais ar 23 Rhagfyr, yna ymlaen i Ferthyr Tudful lle, am yr ail flwyddyn yn olynol, gweithredodd fel beirniad ac unawdydd Eisteddfod y Cymmrodorion Dirwestol yn y Neuadd Ddirwestol ar ddydd Nadolig. Dau gyngerdd arall yn y de – Beaufort (27 Rhagfyr) a Chydweli (29 Rhagfyr) – cyn troi am y gogledd adeg y Calan ar gyfer ymrwymiadau ym Machynlleth (5 Ionawr 1870), Caergybi (19 Ionawr) a Chendl (27 Ionawr).

Tua'r adeg hon – Ionawr 1870 – derbyniodd Sterndale Bennett lythyr oddi wrth Bwyllgor Cronfa Parry yn America yn holi am gynnydd Joseph Parry. Atebodd y Prifathro i'r Pencerdd ddysgu a meistroli mewn deunaw mis yr hyn a ddysgai mwyafrif y myfyrwyr eraill mewn tair blynedd. Derbyniwyd ymateb Sterndale Bennett gyda gorfoledd a balchder, felly roedd llawn gyfiawnhad dros barhau i anfon arian y Gronfa yn chwarterol at Parry yn Llundain.

Yn Eisteddfod Pontypridd ar 2 Mai, cafodd y Pencerdd brofiad eisteddfodol gwahanol, sef beirniadu cystadleuaeth gyfansoddi. Fel beirniad cystadlaethau *llwyfan* yng Nghymru, Lloegr ac America y bu wrthi'n bennaf hyd yn hyn, ond bellach roedd y rhod wedi troi, a Parry y *cyfansoddwr* yn awr yn beirniadu cerddoriaeth eraill. Fis yn ddiweddarach, roedd yn gwisgo'i het berfformio unwaith eto, y tro hwn yng nghylchwyl Undeb Cerddorol Dirwestol Eryri, a gynhaliwyd yng nghastell Harlech ar 2 Mehefin. Bu Joseph Parry yng nghylchwyl y flwyddyn gynt yng nghastell Caernarfon, a gwnaeth y fath argraff fel y penderfynodd Pwyllgor yr Undeb ei wahodd yn ôl fel unawdydd. Fel y gwyddom, roedd Parry yn ddirwestwr pur, ac mae'n sicr y rhoddai ei bresenoldeb ar lwyfannau'r achos hwb i'r mudiad. Llwyddiant y Pwyllgor oedd sicrhau gwasanaeth rheolaidd y fath seren yn eu cyfarfodydd, yn enwedig wrth iddo berfformio darnau oedd yn cynnwys neges ddirwest, er enghraifft yr unawd 'Gwraig y Meddwyn' neu'r ganig 'Gweddi Gwraig y Meddwyn'.

Cyfansoddwyd 'Gwraig y Meddwyn' tuag 1867, ac mae ar raddfa ehangach na chaneuon blaenorol Parry; mae'n mentro i gyweiriau pell, er enghraifft G♭, ac mae'r cyfeiliant yn bwysicach. Ceir mwy o annibyniaeth hefyd rhwng y piano a'r llais, ond dim ond yn achlysurol y ceir unrhyw fath o ddeialog gerddorol rhwng y llais a'r piano fel y gwelir yn yr enghraifft gerddorol ar dudalen 31.

Ar ôl beirniadu yn eisteddfod y Music Hall yn Abertawe adeg y Llungwyn, dychwelodd Parry i Lundain er mwyn gorffen ei ail flwyddyn yn yr Athrofa, a chynhaliwyd y cyfarfod gwobrwyo blynyddol ar 23 Gorffennaf yn y Queen's Concert Room yn Hanover Square. Bu'n sefyll arholiad diwedd tymor yn gynharach yn y mis, ac enillodd fedal efydd anrhydeddus am gyrhaeddiad cerddorol. Cyflwynwyd y wobr iddo am yr ail flwyddyn yn olynol gan Mrs Gladstone. Ar ôl y seremoni, roedd yr Athrofa ar gau rhwng 25 Gorffennaf a 20 Medi, ond unwaith eto

ni fyddai ganddo wyliau fel y cyfryw gan fod yr wythnosau nesaf yn llawn ymrwymiadau cerddorol.

Drannoeth gorffen yn Llundain, roedd Joseph Parry yn Llandeilo ar gyfer eisteddfod a chyngerdd. Ddeuddydd yn ddiweddarach, arweiniai gymanfa ganu yn Aberystwyth, cyn teithio ymhellach i'r gogledd ar gyfer cylchwyl gyntaf Undeb Cerddorol Dirwestwyr Ceredigion, sef cymanfa a chyngerdd a gynhaliwyd ar 27 Gorffennaf. Dengys y rhaglen i'r Pencerdd ddod â chyd-unawdydd ar y daith hon, sef Megan Watts. Perfformiwyd ym Machynlleth (29 Gorffennaf), Llanberis (30 Gorffennaf), Bethesda (1 Awst), Blaenau Ffestiniog (3 Awst), Rhostryfan (6 Awst), Llanwrtyd (22 Awst), Caernarfon (27 Awst) a Dinbych (2 Medi). Yna, ar ddiwedd Medi, dychwelodd Parry i'r Athrofa i ddechrau ei flwyddyn olaf fel myfyriwr. O fewn y mis, byddai rhaid dechrau paratoi ar gyfer pinacl ei yrfa academaidd hyd yma: gradd Mus. Bac. Prifysgol Caer-grawnt.

Yn 1870, roedd trefn ennill gradd prifysgol mewn cerddoriaeth yn wahanol iawn i'r hyn ydyw heddiw, ac roedd yn fanteisiol i Parry ymgeisio am radd Caer-grawnt oherwydd Athro Cerdd yr Adran er 1856 oedd William Sterndale Bennett – cerddor a raddiodd yng ngholeg Sant Ioan Caer-grawnt, prifathro'r Athrofa yn Llundain, ac athro cyfansoddi Joseph Parry. Sterndale Bennett a sefydlodd radd Mus. Bac. Prifysgol Caer-grawnt yn 1857, gydag arholiadau mewn meysydd cerddorol a gyfatebai i gyrsiau'r Athrofa: harmoni, gwrthbwynt, cerddorfaeth a hanes cerddoriaeth. Disgwylid hefyd i ymgeiswyr gradd fod yn gyfarwydd ag athroniaethau cerddorol y Groegwr Boethius (tua 470–525) – agwedd ar gerddoriaeth a berthynai i'r gorffennol. Nid oedd rhaid i ddarpar-raddedigion breswylio yng Nghaer-grawnt. I ennill gradd Mus. Bac., rhaid oedd cofrestru â'r Brifysgol a chyflwyno cyfansoddiad gradd ar destun crefyddol i leisiau a cherddorfa.

Ar 15 Tachwedd 1870, anfonodd Parry lythyr at y Parchedig Ddoctor Stephen Parkinson, Caer-grawnt, yn sôn am ei fwriad i gyrraedd y ddinas ar 19 Tachwedd er mwyn cyflwyno'r tâl cofrestru o £15 a sefyll yr arholiad drannoeth. Gyda'i lythyr, amgaeodd Parry dystysgrif oddi wrth Hugh Reginald Haweis MA, periglor St James, Westmoreland Street, Marylebone yn Llundain. Er mwyn i Parry gael ei dderbyn fel 'pensioner', sef myfyriwr yn talu'i ffordd ei hun, roedd yn rhaid iddo, yn ôl y rheolau, gyflwyno tystlythyr gan berson a chanddo MA o Gaergrawnt neu Rydychen a dyma ran o'r llythyr hwnnw: 'I hereby certify that I have examined Joseph Parry and I consider him qualified, both in manners and learning, to be admitted a member of the University of Cambridge.' Hefyd, roedd rhaid i Joseph Parry gyflwyno tystlythyr o'i eiddo'i hun yn profi pwy ydoedd.

Roedd gwyliau Nadolig yr Athrofa rhwng 23 Rhagfyr a 28 Ionawr a gadawodd Joseph Parry Lundain ar unwaith, yn ôl ei arfer. Ond cyn croesi Clawdd Offa, arhosodd yn Lerpwl am ychydig ar gyfer perfformio rhai unawdau yn Eisteddfod Gordofigion Lerpwl a Phenbedw a gynhaliwyd yn y St George's Hall ar 26 Rhagfyr. Yn un o'i feirniadaethau, canmolodd y Pencerdd bwyllgor yr eisteddfod am gynnwys unawd piano fel cystadleuaeth, gan fynegi ei bod yn drueni ganddo 'fod ei gydwladwyr wedi bod mor ddifraw ac esgeulus cyhyd ar y mater hwn'. Diffygion offerynnol y Cymry fyddai un o'r meysydd y byddai Joseph Parry yn ei bwysleisio fwyfwy yn ystod ei yrfa, ac yn ystod ei dair blynedd yn Llundain, cyfansoddai nifer o ddarnau ar gyfer y piano neu'r gerddorfa, o bosibl o ganlyniad i anogaeth Sterndale Bennett arno i fentro i faes heblaw'r un lleisiol.

Gyda'r Calan 1871, dychwelodd y cerddor i Gymru ar gyfer dechrau taith gyngherddau a'i cymerodd i Adwy'r Clawdd ger Wrecsam (2 Ionawr), Caio ger Llandeilo (16 Ionawr), Caernarfon (23 Ionawr) a Garndolbenmaen (28 Ionawr), gan ganu fwy neu lai yr un rhaglen â theithiau diweddar, hynny yw 'Hoff Wlad fy Ngenedigaeth', 'Mae'r Tywysog yn Dyfod', 'Y Milwr' (canwyd yng nghyngherddau cylch Caernarfon ers dwy flynedd), 'Y Plentyn yn Marw' (cân a gyfansoddwyd ddegawd ynghynt yn Danville), 'Y Trên', gyda chôr lleol yn ychwanegu 'Gweddi Gwraig y Meddwyn' a/neu 'Ar Don o Flaen Gwyntoedd' a/neu 'Rhosyn yr Haf'. Ymddengys na fu anfodlonrwydd cynulleidfaol ynghylch yr 'ailadrodd' yma, sy'n awgrymu bod *rhywbeth* yng nghyflwyniad Parry a oedd yn taro deuddeg gyda'r werin bob tro.

Pan ddychwelodd i Lundain tua diwedd Ionawr 1871, darganfu fod Cymry'r ddinas wrthi'n trefnu gweithgareddau cerddorol ar y cyd â Chymry Lerpwl, a hynny fel teyrnged i'r cerddor. Trefnwyd dau fuddgyngerdd, y naill yn Llundain a'r llall yn Lerpwl, ac yn fwy na hynny, byddai pob eitem gerddorol yn y ddwy raglen gan Joseph Parry. Dyma fyddai uchafbwynt yr holl berfformiadau o'i gerddoriaeth yn ystod ei dair blynedd yn y brifddinas. Roedd St George's Hall, Langham Place, Llundain dan ei sang ar gyfer y cyngerdd cyntaf ar 6 Chwefror 1871, ac ymysg yr artistiaid roedd Brinley Richards, John Thomas (Pencerdd

Gwalia), Ellis Roberts (Eos Meirion), Edith Wynne a Megan Watts – y cyfan yn rhoi eu gwasanaeth yn ddi-dâl – a pherfformiwyd y darnau corawl gan gôr unedig o gapeli Cymraeg Llundain, y canigau 'Ar Don o Flaen Gwyntoedd' a 'Gweddi Gwraig y Meddwyn', yr anthemau 'Yr Arglwydd yw fy Mugail', 'Duw Bydd Drugarog' a 'Hosanna i Fab Dafydd', ynghyd â threfniant Joseph Parry o 'Gwŷr Harlech' i gôr cymysg. Yn offerynnol, perfformiwyd sonata i'r piano mewn 'dwy ran' (*Y Cerddor Cymreig*, 1 Mawrth 1871, t. 21) – detholiad yn fwy na thebyg o'r olaf o'r tair sonata a gyfansoddodd Parry yn yr Athrofa. Mae lleiafswm cerddoriaeth offerynnol y rhaglen yn adlewyrchu nid yn unig ei ogwydd personol tuag at gerddoriaeth leisiol, ond hefyd y prinder difrifol oedd ym maes cerddoriaeth offerynnol Cymru ar y pryd – diffyg y cyfeiriodd y cerddor ato yn Eisteddfod Lerpwl drannoeth y Nadolig 1869. Cyflwynwyd elw'r cyngerdd – £50 – iddo, swm anrhydeddus sy'n adlewyrchiad o'r parch a'r edmygedd a fodolai tuag ato.

Tua chanol mis Mawrth 1871, clywodd Parry iddo ennill gradd Mus. Bac. o goleg Sant Ioan, Caer-grawnt – roedd pedwar o'r saith ymgeisydd gwreiddiol wedi methu – felly dyma uchafbwynt gyrfa academaidd Joseph Parry hyd yma, ac ymfalchïai'n fawr yn ei lwyddiant newydd. Yn sgil hynny, tynnodd nyth cacwn am ei ben drwy ddatgan mai ef oedd y Cymro cyntaf i ennill y radd. Dyna ddweud mawr, a wnaethpwyd ar fympwy mwy na thebyg. Eto, wrth annerch myfyrwyr mor ddiweddar ag 1897, ac yna yn ei hunangofiant yn 1902, honnai o hyd mai ef oedd y Mus. Bac. Cymreig cyntaf. Nid gwir mo hynny oherwydd meddai'r Cymry canlynol ar Mus. Bac. hefyd: John Floyd (16eg ganrif), Hugh Davies (17eg ganrif), Joseph Harris (18ed ganrif), J. J. Jones (19eg ganrif) – gradd o Rydychen oedd gan yr olaf.

Ond *mae'n* bosibl mai Joseph Parry oedd y Cymro cyntaf i ennill Mus. Bac. o Brifysgol Caer-grawnt – yn dibynnu ar ba mor bell yn ôl y chwilir am dystiolaeth. Nid yw ystyr ei honiad yn eglur, ac er nad yw'n bwysig o safbwynt gyrfa'r cerddor, bu cryn ddadlau yn ei gylch. Mae'n bosibl mai Arthur Toye Foulke, arbenigwr ar hanes Danville, a ddaeth agosaf at y gwirionedd drwy ddweud mewn erthygl: 'Parry became the first Welshman, and in all probability the first Welsh-American, to secure the Bachelor of Music degree at Cambridge University' (*Organ Week*, 2 Ebrill 1968, t. 2).

Beth bynnag am y dehongliad, mae'r ffaith i Joseph Parry ymffrostio cymaint yn y radd yn adlewyrchu un gwendid yn ei gymeriad, sef hunanfalchder. Daw elfen o'r hunanbwysigrwydd hwn i'r wyneb o dro i dro, ond ni ddylid beio'r cerddor yn ormodol am hynny. Trigai Parry yn llygaid y cyhoedd; ef oedd eilun y werin – gwerin ddiaddysg a oedd wedi eilunaddoli'r radd brifysgol ers canrifoedd. Dyma'n awr un ohonynt yn ennill gradd prifysgol a hyd yn oed yn dod yn Athro Prifysgol maes o law. Pa syndod felly iddo ymateb yn y fath fodd?

Ar 11 Ebrill 1871, roedd Joseph Parry yn Lerpwl ar gyfer ymgais Cymry'r ddinas i ddilyn camre budd-gyngerdd llwyddiannus Cymry Llundain. Noddwyd y cyngerdd gan Henry Richard AS Merthyr, William Sterndale Bennett, John Roberts a Dr William Rees (Gwilym Hiraethog). Joseph Parry a Megan Watts oedd y prif unawdwyr, gyda chôr 'Cambrian' Penbedw (arweinydd W. Parry) a'r Undeb Corawl Cymreig (arweinydd D. Davies). Prif bwrpas y ddau chwaer-gyngerdd oedd codi arian er lles Joseph Parry a'i deulu, ond cymysg oedd yr ymateb. Efallai i'r ffaith i'r achlysuron gael eu cynnal yn *Lloegr* fod yn ffactor bwysig, ac yng nghyd-destun hynny, anfonodd Thomas Levi lythyr i'r wasg yn manylu ar yrfa'r cerddor dros y tair blynedd olaf yn yr Athrofa, anawsterau ariannol y teulu, llwyddiannau academaidd Parry, a'i gymeriad clodwiw a dirwestol. Gofynnodd: 'Ai teilwng ohonom fel cenedl fyddai gadael ein cydwladwr talentog ac ymroddgar i fynd ymaith ar ei gythlwng (newyn)?' (*Baner ac Amserau Cymru*, 14 Mehefin 1871, t. 13). Awgrymodd y dylid cysylltu â Joseph Parry yn 193 Euston Road, Llundain a'i wahodd i gynnal cyfres olaf o gyngherddau cyn iddo adael am America ac, yn fwy na hynny, y dylid rhoi elw pob cyngerdd iddo, hynny yw cynnal budd-gyngherddau ar batrwm y ddau yn Llundain a Lerpwl – ond yng *Nghymru* y tro hwn. Cafwyd ymateb rhagorol, gydag oddeutu ugain ymrwymiad cerddorol yn ystod y pum wythnos rhwng diwedd tymor yr Athrofa a gadael am America ar 30 Awst. Ond cyn gadael Llundain, rhaid oedd mynychu dau gyfarfod pwysig: cyngerdd diwedd tymor yr Athrofa, a chyflwyno tysteb Cymry Llundain.

Cynhaliwyd cyfarfod gwobrwyo'r Athrofa, y trydydd a'r olaf i Bencerdd America, ar 22 Gorffennaf 1871, ac yn ôl yr arfer perfformiodd y myfyrwyr rai o'u cyfansoddiadau, yn cynnwys cytgan Joseph Parry i gôr a cherddorfa 'Fe Gyfyd Goleuni' – ei gyfansoddiad gradd ar gyfer y Mus. Bac. – mewn perfformiad ysgubol, gyda hyd yn oed papurau Llundain fel *The Times, Daily Telegraph* a'r *London Standard* yn canmol cerddoriaeth y Cymro. Dyma'n wir oedd diweddglo campus a theilwng i dair blynedd Parry fel myfyriwr yn yr Athrofa. Yn y seremoni wobrwyo, derbyniodd Parry wobr uchaf y coleg: medal arian, wedi'i chyflwyno unwaith eto gan Mrs Gladstone, a gofiai gyflwyno medal efydd i'r cerddor flwyddyn ynghynt.

Ond yn wahanol i'r blynyddoedd blaenorol, yn lle gadael am Gymru drannoeth wedi'r cyfarfod gwobrwyo, arhosodd Parry yn Llundain am ychydig ddyddiau gan fod Cymry'r ddinas wedi trefnu cyfarfod arbennig i'w anrhydeddu. John Griffith y Gohebydd, hen gefnogwr achos y cerddor, fu'n bennaf cyfrifol am drefnu'r achlysur drwy lythyru Cymry Llundain, Aelodau Seneddol o Gymru, athrawon yr Athrofa, a swyddogion eraill y ddinas, gan ofyn iddynt gyfrannu'n ariannol at dysteb i'r cerddor.

Cynhaliwyd y cyfarfod anrhegu yn yr YMCA yn Aldersgate Street, Llundain, ar 24 Gorffennaf 1871. Yn y gadair roedd Robert Jones, y Cymro a oedd yn sirydd y ddinas ar y pryd. Ymysg y boneddigion eraill roedd Henry Richard AS, G. Osborne Morgan AS, Hugh Owen (yr addysgwr), Hwfa Môn, Penry Williams (yr arlunydd), Joseph Edwards (y cerflunydd), ynghyd â'r cerddorion Brinley Richards, Edith Wynne, Megan Watts ac eraill. Methodd William Sterndale Bennett â bod yn bresennol oherwydd ymrwymiad gartref, ond mynegodd mewn llythyr: 'Mr Parry deserves most thoroughly all the friendship and support he obtains. He will go back to America an accomplished musician and enthusiastic artist.'

Canwyd unawd Parry 'Yr Ehedydd' gan Miss Evans, a'r unawd 'Yr Hen Ywen Werdd' gan Miss Lloyd. Mae'n debyg mai dwy o ddisgyblion personol Joseph Parry oedd y cantorion hyn, ac ymddengys felly iddo ddechrau dysgu'r grefft gerddorol i eraill tra oedd yn fyfyriwr yn yr Athrofa. Bu'r Gohebydd yn darllen y llythyron a gafodd fel ateb i'w wahoddiad i fynychu'r cyfarfod, a chynigiodd Henry Richard bleidlais o longyfarchiadau a dymuniadau da i Parry a'i deulu. Cyflwynodd gwraig Brinley Richards oriawr aur i Joseph Parry, a chyflwynwyd modrwy ddiemwnt i Jane Parry gan wraig Robert Jones. Yna cododd Brinley Richards ar ei draed a sôn am ei gysylltiad hir a llwyddiannus â Joseph Parry cyn i Hwfa Môn ddiolch i'r Pencerdd am ei wasanaeth ffyddlon fel arweinydd y gân ac organydd ei gapel ers tair blynedd, gan ddarllen cerdd a gyfansoddwyd ganddo i'w gyfaill:

Parry hynaws pur ei wenau – hwyliodd
Hyd niwliog flin lwybrau;
O ddyfnder cyfyngderau – trwy rinwedd,
I iawn fawredd deuodd yn forau. . .

Mae ei fawl, twym, a'i foliant – ei dalent
Handelaidd a'i urddiant;
A'i gerdd bêr, ar dyner dant,
I'w genedl yn ogoniant.

Fel awdur nefoledig – o urddas
Penceirddion dysgedig;
Coron ei ymdrechion drig – dan urddau
A mawl am oesau yn nhemlau miwsig . . .

Yr Arglwydd a'i cyfarwyddo – a'i law
I'w lys a'i tywyso;
Hyd fyth y Duwdod fo – yn ymwared
Yn dwr a nodded, yn dwrian iddo.

Wedi i Megan Watts ganu 'Gwraig y Morwr' a Brinley Richards yn cyfeilio, daeth y cyfarfod i ben gyda diolchiadau cyffredinol, a chyfeiriad arbennig at y cyfraniadau ariannol. Codwyd dros £20 mewn rhoddion, yn cynnwys haelioni boneddigion fel Henry Bruce AS ac Ysgrifennydd Cartref y Prif Weinidog, sawl Aelod Seneddol o Gymru, Cymry Llundain a Chymry blaenllaw Lloegr.

Llwyddiant mawr oedd cyflwyno'r dysteb, ac ar ôl y cyfarfod, gadawodd Joseph Parry am Gymru i ddechrau ar daith ddeufis o fudd-gyngherddau: Ceinewydd (27 Gorffennaf), Llanelli (28 Gorffennaf), Cydweli (29 Gorffennaf), Tre-lech (31 Gorffennaf), Trecastell (7 Awst), Llanymddyfri (8 Awst), Caerdydd (9 Awst), Brynmawr (12 Awst), Llanfyllin (16 Awst), Machynlleth (17 Awst), Bow Street (18 Awst), Porthmadog (19 Awst), Pwllheli (21 Awst). Dilynwyd y cyngherddau un-nos hyn gan dridiau yn Nhywyn 22–24 Awst, lle'r oedd Joseph Parry ac Edith Wynne yn feirniaid ac yn unawdwyr yn eisteddfod fawreddog y dref. Yna teithiodd Parry i'r de ar gyfer cyngerdd yn neuadd dref Abertawe ar 26 Awst, sef lleoliad ei gyngerdd cyntaf yng Nghymru ar ôl cyrraedd ym Medi 1868. Dilynwyd y noson yn Abertawe gan gyngerdd ffarwél iddo ym Merthyr Tudful ar 28 Awst. Ddeuddydd yn ddiweddarach, hwyliodd Joseph Parry a'i deulu am America o borthladd Lerpwl ar y llong ager *City of Berlin*.

Ac fel yr anfonodd Thomas Levi adroddiad at y wasg yng Nghymru ar lwyddiant diweddar Joseph Parry, anfonodd lythyr tebyg dyddiedig 6 Hydref 1871 at Gymry America, gan ddisgrifio'r Pencerdd fel 'dyn ieuanc, bywiog, gydag enaid llawn o dân, a mynwes serch agored'. Ychwanegodd Levi na chrwydrodd y cerddor oddi ar lwybrau cyfiawnder yn Llundain, ac iddo fod yn ffyddlon i'w eglwys. Bu llygaid y Cymry ar Joseph Parry am dair blynedd. Tro'r genedl yn America oedd hi bellach, ac roedd croeso cynnes yn disgwyl y cerddor yno.

4

Yn ôl i Danville

Cymerai'r daith o Lerpwl i Efrog Newydd bum wythnos, ac yn ystod y cyfnod hwn dywedir i Joseph Parry gynnal dau gyngerdd ar fwrdd y llong, gan drefnu côr a chanu'i hun.

Ar ôl cyrraedd yn ei ôl, un o'r pethau cyntaf a wnaeth oedd trefnu taith 'ewyllys da' ar hyd a lled taleithiau gogledd-ddwyrain y wlad. Nid oedd wedi anghofio ymateb hael y cymunedau Cymreig yno i Gronfa Parry a'i galluogodd i fynd i Lundain yn y lle cyntaf. Yr oedd am ddiolch iddynt, gan deimlo dyled foesol i Gymry America am eu cefnogaeth a'u ffydd ynddo fel cerddor. Ond byddai neges ddwbl i'r daith gerddorol: nid yn unig y byddai'n canu a chyfeilio iddo'i hun ac eraill – fel y gwnaeth yn ei gyngherddau yng Nghymru rhwng 1868 ac 1871 – ond fe fyddai hefyd yn annerch ei gynulleidfa, gan gyhoeddi syniad newydd, sef sefydlu coleg cerdd yn Danville ar gyfer Cymry America. Unwaith eto byddai angen cefnogaeth ariannol y bobl at ei achos.

Wrth iddo deithio ar hyd a lled Cymru, roedd Joseph Parry wedi sylweddoli mor brin ei haddysg gerddorol oedd ei genedl. Penderfynodd geisio gwella'r sefyllfa – yn America i ddechrau, ac yna mewn colegau cerdd tebyg yng Nghymru. Er ei fod yn Gymro pybyr America oedd ei gartref erbyn hyn, ac felly rhaid oedd dechrau'r addysg gerddorol yn yr Unol Daleithiau. Mae'n debyg y bu'r Athrofa yn Llundain yn fodd i'r cerddor weld sut oedd sefydliad addysgol cerddorol yn gweithio, gan ei ysgogi i ystyried goblygiadau sefydlu coleg cerdd tebyg yn America. Yn ogystal ag apelio drwy gyfrwng ei daith gyngherddau, anfonodd Joseph Parry lythyr at y wasg ac eglwysi Cymraeg America. Yn 1872, roedd Cymry'r wlad yn mynychu dros 380 o addoldai, a gofynnwyd i bob un gasglu cyfartaledd o $20 y flwyddyn, sef cyfanswm posibl o tua $7,680 tuag at yr achos. Yn y llythyr, mynegodd Joseph Parry ei farn ei bod:

> yn ffaith erbyn hyn fod yn y genedl Gymreig dalentau cerddorol disglair, ac y mae yn ffaith hefyd fod ein talentau cerddorol yn marw o ddiffyg diwylliant

. . . Mae gan y Ffrancod, yr Italiaid, y Germaniaid a'r Saeson y fath sefydliad ers canrifoedd, a thrwy hynny maent y blaenaf yn y byd cerddorol, tra yr ydym ni fel cenedl heb fagu cymaint ag un cerddor . . . sydd yn cael ei restru yn y radd flaenaf . . . Cofier, nid diffyg talentau ydyw yr achos o hyn, ond diffyg cyfleusterau o fewn cyrraedd ein cenedl.

Er mwyn ceisio codi'r arian angenrheidiol i wireddu'i freuddwyd, roedd cyfnod prysur yn wynebu Joseph Parry: 103 o gyngherddau mewn deuddeg talaith – New York, Pennsylvania, Ohio, Illinois, Wisconsin, Minnesota, Iowa, Kentucky, Tennessee, Virginia, West Virginia a Maine. Cymerodd y daith gerddorol bron i flwyddyn i'w chwblhau; teithiodd tua 2,500 o filltiroedd ac ennill oddeutu $20 y cyngerdd – cyfanswm o dros $2,000 erbyn diwedd y daith.

O ran cynnwys y cyngherddau, mae'r achlysur a gynhaliwyd yng nghapel y Methodistiaid Calfinaidd yn Chicago ar 22 Awst 1872 yn nodweddiadol. Canodd un o flaenoriaid y capel, Mr John P. Jones, gân a chafwyd unawdau gan Lizzie Parry James, nith Joseph Parry a merch Robert James ei frawd-yng-nghyfraith. Canodd Parry bedair cân: 'The American Star', 'Y Trên', 'Gwnewch Bopeth yn Gymraeg', a 'Pleserfad y Niagara'. Cyfansoddwyd yr olaf yn 1871 ar eiriau'r Parchedig Thomas Levi, ac mae cerddoriaeth Parry yn tynnu llun dramatig o drafferthion llong y rhaeadr a'r ymgais i achub y bobl ar ei bwrdd. Er bod tripledi'r cyfeiliant yn cyfleu hapusrwydd y teithwyr, ar y dechrau, mae'n anodd osgoi clywed y 'Dead March' allan o *Saul* Handel yn yr alaw!

Er hynny, mae'n gân sy'n llwyddo er gwaethaf y diffyg diweddglo. Nid yw'r gwrandawr yn gwybod a achubwyd y pleserfad ai peidio.

Nid dyma'r un *repertoire* ag a ganwyd yng nghyngherddau Cymru rhwng 1868 ac 1871. Ymddengys i Joseph Parry sylweddoli y byddai rhaid ennill calonnau – ac arian – Cymry America drwy ganu deunydd a oedd yn fwy gwladgarol Gymreig-Americanaidd, gan apelio at deimladau'r Cymry am yr Hen Wlad yn y Byd Newydd.

Wrth gynnal cyngerdd yn Youngstown, Ohio, tref cychwyn Cronfa Parry yn 1865, cafwyd y math o ymateb yr oedd y cerddor wedi gobeithio amdano: ar ddiwedd y noson, daeth gweinidog â'i fab deg oed at Parry i'w holi am addysg gerddorol y plentyn, ac ymateb naturiol Joseph Parry oedd annog y bachgen, Charles Evans Hughes, i fynychu'r coleg cerddorol newydd a oedd i agor yn Danville cyn bo hir. Digwyddiadau bychain fel hyn a arweiniodd at lwyddiant cyffredinol cyngherddau apêl Joseph Parry, ac wrth ddiolch i Gymry America am eu cefnogaeth, mynegodd y Pencerdd mewn llythyr bod: 'yr holl eglwysi (gydag ond un eithriad) â'u drysau yn agored i mi; y gweinidogion yn rhoddi eu dylanwad ac yn cydweithredu o'm plaid; a'r cerddorion un ac oll ymhob man (oddigerth dau le) a'u holl galonnau yn fy nghynorthwyo, a gwneud yr holl a allent er gwneud fy nghyngerdd yn llwyddiant.'

Erbyn mis Hydref 1872, wedi blwyddyn o deithio, perfformio ac areithio, roedd wedi sicrhau cyfalaf ar gyfer ei deulu, a oedd bellach yn bum aelod, wedi geni William Sterndale Parry (a enwyd ar ôl Prifathro'r Athrofa yn Llundain) yn 1872, ynghyd ag arian dros ben i sefydlu'r coleg cerdd. Dychwelodd Joseph Parry i Danville, gan ailgydio yn ei hen ffordd o fyw: y gymdeithas Gymreig a'r capel. Sefydlodd gôr cymysg 'The Danville Welsh Chorus', gyda'r canlynol ymysg yr aelodau: John Tovey, Reese Evans, Lillie Lyons Hoffman, Charles Lyons, Lizzie Lyons Scarlet, Mary Rogers Borden, John Hughes, Harriet Woods Bawdin. Ganrif ar ôl sefydlu'r côr roedd eu disgynyddion yn dal i fyw yn Danville.

Ond cyn bwysiced â dechrau'r côr roedd sefydlu coleg cerdd Joseph Parry. Agorwyd drws The Danville Musical Institute tua mis Hydref 1872, mwy na thebyg yng nghartref teulu'r cerddor ar S. W. Upper Mulberry Street. Bu'r Pencerdd yn ffodus i gael cymorth Dr D. J. J. Mason, cerddor a anwyd yn Nhrecynon ond a oedd wedi ennill enw iddo'i hun fel tenor yn nhref Wilkes-Barre (tua hanner can milltir i'r gogledd o Danville) a'r cyffiniau. Llwyddodd y ddau gerddor i gael y Sefydliad ar ei draed, gyda Mason yn gyfrifol am ddysgu elfennau cerddoriaeth i'r myfyrwyr iau – deg i bymtheg oed – cyn eu trosglwyddo i Joseph Parry ar gyfer hyfforddiant yn egwyddorion cyfansoddi, canu a'r organ. Deg disgybl ar hugain oedd gan y Danville Musical Institute wrth gychwyn – rhai lleol yn bennaf, ond gydag ambell un wedi dod o bell, er enghraifft Quincy B.

Williams o dalaith Vermont, 300 milltir i'r gogledd. Tyfodd nifer y disgyblion i dri ar ddeugain erbyn Chwefror 1873, ac wyth ar ddeugain erbyn mis Mawrth. Roedd rhesymau ariannol – yn ogystal â rhai cerddorol a chenedlgarol – dros sefydlu'r Danville Musical Institute. Prin y gallai Joseph Parry ennill ei fara menyn drwy berfformio a beirniadu yn unig, ac er iddo ganolbwyntio ar gynnal ei goleg cerdd, parhaodd Parry i dderbyn gwahoddiadau i ymddangos yn gyhoeddus, ef er enghraifft oedd beirniad Eisteddfod Utica ar Ddydd Calan 1873.

Tra oedd Pencerdd America yn canolbwyntio ar ei goleg yn Danville, mewn coleg newydd arall yng Nghymru, Coleg Prifysgol Cymru Aberystwyth, roedd enw Joseph Parry hefyd ar gerdded. Sefydlwyd y Coleg Prifysgol yn Aberystwyth yn 1872 o dan lywyddiaeth ddoeth a grymus y Prifathro Thomas Charles Edwards. Sylweddolwyd yn fuan yr angen am sefydlu Adran Gerddoriaeth – y gyntaf yng Nghymru – a John Griffith y Gohebydd, y gŵr a fu'n cefnogi achos y Pencerdd ers deuddeng mlynedd bellach fu'n bennaf cyfrifol am awgrymu ac argymell Joseph Parry ar gyfer y Gadair newydd. Mewn llythyron rhwng y Prifathro a Hugh Owen, Llundain, aelod blaenllaw o bwyllgor y Coleg newydd, trafodwyd awgrym y Gohebydd, ac mewn llythyr dyddiedig 4 Medi 1872 mynegodd Hugh Owen ei farn am Joseph Parry: 'a most estimable man, and is moreover a man of talent.' Atebodd y Prifathro drannoeth, gan ddweud:

> I shall be delighted to have Pencerdd America filling the Chair of Music at the College. It will help immensely to make the Institution popular in Wales. Let us by all means make a strenuous effort to secure such a man.

Y cam nesaf oedd cyflwyno'r syniadau anffurfiol ac answyddogol hyn i Bwyllgor y Coleg, a gyfarfu ar 20 Mehefin 1873. Ar ôl trafodaeth, cafwyd cytundeb ymysg aelodau'r Pwyllgor, a gofynnwyd i'r Gohebydd *gynnig* y swydd – ni fu sôn am hysbysebu cyhoeddus – ar ran Coleg Prifysgol Aberystwyth i Joseph Parry, Danville. Disgwylid i'r Athro newydd: 'to lift the standard of music in the nation generally' ac i'r addysg gerddorol fod yn 'garreg camu' i gerddorion Cymreig 'from the village choir to the Royal Academy of Music' (sylwer ar y nod o gyrraedd yr Athrofa) a byddai disgwyl i'r Athro Cerdd ddysgu canu, cyfansoddi, organ a phiano i'r 80–100 o fyfyrwyr disgwyliedig yn y Coleg yn ystod yr ail dymor, sef Ionawr 1874.

Roedd disgwyl mawr am ddychweliad Parry i Gymru, ac ymateb y genedl i'r 'penodiad' yn un brwd. Roedd yr ymateb canlynol yn *Y Gerddorfa* (1 Ionawr 1874, t. 1) yn nodweddiadol: 'disgwyliwn y bydd olwyn fawr diwylliant cerddoriaeth yn troi yn llawer cyflymach nac y bu yng Nghymru.' Yn Danville, nid oedd ymateb Parry mor hyderus â'i genedl yn ôl yn yr Hen Wlad. Roedd yn gam mawr o fod yn bennaeth ei goleg bach ei hun yn Danville i fod yn Athro Cerdd newydd yng Ngholeg Prifysgol Cymru.

Un o brif bryderon Joseph Parry oedd arian. Roedd athrawon cerddorol llai eu bri nag ef yn ennill rhwng $3,000 a $4,000 y flwyddyn. Fel pennaeth ei Sefydliad, beirniad eisteddfod, arweinydd cymanfa ac organydd y llwyddai i gael dau ben llinyn ynghyd. Yn ôl ei hunangofiant (t. 32), byddai derbyn y swydd yn golygu 'a great financial sacrifice to myself and family'. Nid oedd cyflog y Gadair Gerddoriaeth yn Aberystwyth wedi'i bennu ar y pryd, felly gambl ariannol fyddai i Parry dderbyn y swydd newydd. Yn y pen draw, cytuno a wnaeth – roedd y cyfle unigryw i wasanaethu'r genedl yn y fath fodd yn bwysicach na'r aberth ariannol.

Wrth benderfynu mynd i Aberystwyth, plesiodd un genedl a siomodd un arall. Erbyn 1873 – ddwy flynedd ar ôl ei ddychweliad o Lundain – roedd enw a statws cerddorol Joseph Parry yn dal i gynyddu. Colled America oedd gwobr y Cymry. Adlewyrchiad o'i boblogrwydd cerddorol oedd i destunau Church Hill, Ohio, 4 Gorffennaf 1874 gynnig gwobr o $20 i'r buddugol yn y gystadleuaeth 'Anerchiad Saesneg yn canmol Joseph Parry am ei waith cerddorol yn America ac yn ei longyfarch ar ei swydd newydd'.

Gofynnwyd i Parry ddechrau ar ei swydd yn Aberystwyth ym mis Ionawr 1874, ond roedd hynny'n anghyfleus: roedd tywydd croesi'r Iwerydd yn ddrwg, roedd galwadau cerddorol ar y cerddor hyd at ganol 1874, roedd trefniadau teuluol i'w cwblhau, ac yn fwyaf arbennig roedd rhaid penderfynu beth i'w wneud â'r Danville Musical Institute. Er mwyn dod â'r ymrwymiadau hyn i ben, penderfynodd Joseph Parry adael yr Unol Daleithiau adeg yr haf 1874. O safbwynt y Sefydliad, roedd yr awenau i'w trosglwyddo i Dr D. J. J. Mason. Yna, byddai Parry yn cynnal cyfres o gyngherddau 'ffarwél' cyn gadael am Gymru. Yno, derbyniwyd y newydd am ddyddiad cyrraedd Joseph Parry â siom. Yn ôl y Gohebydd, roedd y bardd Mynyddog wedi datgan bod o leiaf ddwsin o bobl ifainc yn barod i ddechrau astudio gyda'r Athro newydd yn Aberystwyth 'mor gynted ag y deuai Parry drosodd' – ond yn awr byddai rhaid iddynt hwy ac eraill aros tan i'r cerddor gyrraedd Cymru yn yr haf a chychwyn ar ei waith yn yr hydref.

Dechreuodd y Pencerdd gyhoeddi drwy hysbysebion yn y wasg ei fwriad i gynnal 'Cyngherddau Ymadawol' yn nhaleithiau'r dwyrain o fis Mehefin ymlaen, gan annog ffurfio pwyllgorau lleol i gysylltu â'r cerddor yn Danville. Pedwarawd lleisiol fyddai'n cynnal y cyngherddau:

Soprano:	Miss Fannie McAnnall
Contralto:	Miss Lizzie Parry James (nith y Pencerdd)
Tenor:	Dr D. J. J. Mason
Bas:	Joseph Parry

Caewyd drws y Danville Musical Institute ddiwedd Mai 1874 – gan y byddai'r ddau athro yn mynd ar y daith gerddorol – a Dr Mason a ddychwelodd i ailagor y coleg ym mis Awst, ar ôl i Parry ymadael am Aberystwyth. Ond byr fu hanes y Danville Musical Institute wedi hynny: erbyn 1876, roedd Dr Mason wedi dychwelyd i Wilkes-Barre fel athro cerddoriaeth, cyn treulio 1881–4 yn yr Athrofa yn Llundain. Yna dychwelodd i Wilkes-Barre i ddysgu cerddoriaeth cyn treulio gweddill ei fywyd yn Chicago.

Roedd amserlen taith ymadawol Joseph Parry yn llawn, gydag ond ambell noson rydd, a phob dydd Sul wedi'i neilltuo ar gyfer gorffwys a mynd i'r capel. Ar 4 Gorffennaf, cynhaliwyd achlysur arbennig a gwahanol i weddill cyngherddau'r daith. Fel rhan o ddathliadau Eisteddfod Youngstown, Ohio – achlysur ag atgofion arbennig i Joseph Parry – cyflwynwyd tysteb iddo yno ar ran Cymry America. Anfonwyd cyfraniadau at achos y Pencerdd wedi i lythyr T. J. Phillips, Plymouth, Pennsylvania ymddangos yn *Y Drych* (21 Mai 1874, t. 161) yn galw am gyflwyno elw'r daith o gyngherddau i Joseph Parry ar ffurf tysteb fel arwydd o werthfawrogiad Cymry America ohono.

Yng Nghymru, roedd Brinley Richards, ar anogaeth Stephen Evans o'r Brifysgol, wedi penderfynu codi arian tuag at 'Music Fund' yr Adran Gerdd newydd yn Aberystwyth. Roedd y gronfa i'w defnyddio ar gyfer sefydlu ysgoloriaethau cerddorol. Cynhaliwyd darlith, ar y testun 'Hen Gerddoriaeth y Cymry', a chyngerdd yn y Neuadd Ddirwestol yn Aberystwyth ar 28 Gorffennaf. Perfformiwyd eitemau gan gôr lleol a'r unawdwyr Brinley Richards, Lizzie Evans, Mary Davies a'r feiolinydd Caradog. Cynhaliwyd cyngerdd tebyg yng Ngheinewydd (29 Gorffennaf), Castellnewydd Emlyn (30 Gorffennaf), ac Aberteifi (31 Gorffennaf) gyda llwyddiant mawr, a chodwyd swm sylweddol o arian tuag at Gronfa'r Adran.

Croesodd Joseph Parry yr Iwerydd ar y *City of Brooklyn* – er nad yw'r hunangofiant yn sicr o'r enw – o Efrog Newydd i Lerpwl. Hon oedd ei chweched mordaith ac, yn wahanol i'r un daith yn 1868, roedd ei deulu gydag ef y tro hwn – Jane ei wraig, a phedwar plentyn erbyn hyn (ganwyd Annie Edna Parry yn Danville yn 1873). Gadawyd yn America fam Joseph Parry, a oedd yn 69 oed, ei frawd a'i ddwy chwaer, tra gadawai Jane Parry ei rhieni, dau frawd a chwaer. Cyrhaeddwyd porthladd Lerpwl ar 13 Awst, ac yno roedd brysneges yn disgwyl Joseph Parry a'i galwodd i fynd yn syth i'r Eisteddfod Genedlaethol ym Mangor. Bron cyn i'r Pencerdd gael cyfle i gael ei draed oddi tano, roedd y genedl yn galw am ei wasanaeth!

Cyfnod arbrofol oedd y tair blynedd yn Danville. O safbwynt Joseph Parry yr unawdydd, yr organydd, yr arweinydd a'r athro bu'n llwyddiant cyffredinol. Ond o safbwynt Joseph Parry y cyfansoddwr, dywedodd yn ei hunangofiant (t. 30), 'This period [1871–1874] is the *least* productive of *all* my career as a composer, much to my regret, and contrary to my life's ideals.' Cyfnod cymharol hesb fu hi felly, yn enwedig o'i gymharu â'r cyfnodau cyfansoddi cyn ac ar ôl hynny, gydag oddeutu pymtheg darn yn unig y gellir eu dyddio'n bendant o'r cyfnod hwn, a'r rhan fwyaf ohonynt yn ganeuon. Teitlau Saesneg sydd i fwyafrif y cyfansoddiadau, er enghraifft y gân 'Cheer Up!' a'r ganig 'Sleighing Glee'.

Prin y cafodd Joseph Parry amser rhwng 1871 ac 1874 i ystyried ei sefyllfa fel cyfansoddwr – roedd ei brysurdeb cyffredinol a galwedigaethol wedi lleihau'r cyfle i gyfansoddi. Yn Aberystwyth, er iddo fod mor brysur ag erioed, agorodd y llifddorau cerddorol unwaith eto, a dychwelodd Joseph Parry at ei arfer o gyfansoddi'n doreithiog.

5

Aberystwyth

Ar ôl cyrraedd porthladd Lerpwl teithiodd Joseph Parry a'i deulu'n syth i Forgannwg i dreulio tridiau gyda chyfeillion. Yna, ar 17 Awst, aeth y Pencerdd yn ei flaen i Fangor, a'i gydymaith ar y daith oedd John Griffith y Gohebydd. Roedd Eisteddfod Genedlaethol i'w chynnal yno rhwng 18 a 21 Awst, ac er nad oedd enw Joseph Parry ar raglen yr Eisteddfod, cyfrannodd at weithgareddau cerddorol yr Ŵyl mewn amryw ffyrdd: cyd-feirniadodd gydag Owain Alaw a John Thomas (Pencerdd Gwalia) gystadlaethau canu'r anthem a'r unawd, a chanodd ar lwyfan yr Eisteddfod ganeuon fel 'Hoff Wlad fy Ngenedigaeth', 'Yr Auctioneer' a'r 'Bachgen Dewr' yng nghyngerdd yr hwyr. Mae'n ddiddorol sylwi mai 'hen' unawdau a berfformiwyd ganddo, sy'n arwydd arall o brinder amser cyfansoddi ar ôl iddo ddychwelyd i Danville.

Ym mis Medi, cyrhaeddodd Aberystwyth ar gyfer un o uchafbwyntiau academaidd ei yrfa: Athro yr Adran Gerdd newydd yng Ngholeg Prifysgol Cymru, Aberystwyth. Sefydlwyd y Coleg yn Hydref 1872 gyda chwech ar hugain o fyfyrwyr, y Prifathro Thomas Charles Edwards, Athro Mathemateg, Athro Anianeg ac Athro Ieithoedd Modern i'w dysgu. Yna penderfynwyd ehangu'r pynciau drwy ychwanegu adrannau daeareg, cemeg ac eraill – ynghyd â cherddoriaeth. Pan gyrhaeddodd Joseph Parry yn 1874, roedd nifer y myfyrwyr bellach yn 86, ond cynnydd artiffisial ydoedd gan fod tua'u traean am astudio cerddoriaeth. Roedd enw'r athro newydd yn atyniad pendant, ac roedd tri – Annie Owen, David Davis a Gershom T. Davies – wedi dod o America. Roedd yr olaf yn ddisgybl i Parry yn y Danville Musical Institute a phenderfynodd barhau ei astudiaeth gyda'i athro yn Aberystwyth. Rheswm arall dros nifer 'anghyfartal' yr efrydwyr cerddoriaeth oedd y ffaith i Joseph Parry ddarbwyllo awdurdodau'r Coleg i adael i *ferched* ymuno. Dadl yr athro newydd, mae'n rhaid, oedd ei bod yn amhosibl ffurfio côr cymysg heb leisiau benywaidd! Ni dderbyniwyd merched yn swyddogol i'r Coleg tan 1884 – ddeng mlynedd ar ôl sefydlu'r Adran Gerdd newydd.

Wrth dderbyn y swydd, mynegodd Pencerdd America bryder ynghylch yr aberth ariannol o adael Danville ac ymsefydlu yn Aberystwyth. Ym Medi 1874 – ar *ôl* iddo gyrraedd – roedd ansicrwydd o hyd ynghylch ei union gyflog. Cyfarfu Pwyllgor y Coleg ar 22 Medi a phennwyd cyflog Parry yn £250 y flwyddyn, swm a gymharai'n deg â chyflog Athrawon yr adrannau eraill ond a oedd yn is na'r hyn a enillai yn ôl yn Danville. Ond yn wahanol i Athrawon eraill y Coleg, 'het newydd' i'w hychwanegu at sawl un arall oedd y Gadair Gerdd iddo. Roedd Parry yn feirniad, yn unawdydd ac yn arweinydd a chyda phrif gerddor y Cymry yn ôl yng ngwlad ei febyd, ni allai wrthod y ceisiadau am ei wasanaeth. Bu'n beirniadu, canu ac arwain yng Nghymru tra oedd yn fyfyriwr yn Llundain a dyma gyfle i ailgydio yn yr awenau. Ond y tro hwn roedd un gwahaniaeth sylfaenol. Hyd yn hyn, bu Joseph Parry yn feistr arno'i hun; bellach Coleg Aberystwyth oedd ei feistr, ac nid oedd yr awdurdodau wedi sylweddoli goblygiadau cael cerddor mor boblogaidd yn Athro Cerdd newydd. O fewn dim i gyrraedd Aberystwyth roedd Parry wedi dechrau crwydro o'r dref, er enghraifft ar 26 Medi roedd y cerddor ym Mhen-tyrch fel un o unawdwyr cyngerdd côr undebol y pentref.

Ar 7 Hydref 1874, agorwyd drws Coleg Prifysgol Cymru Aberystwyth – a'r Adran Gerdd newydd – ar flwyddyn academaidd newydd. Nifer y myfyrwyr cerdd oedd tri ar hugain ac roedd y niferoedd a ddilynai'r gwahanol gyrsiau fel a ganlyn: llais a chanu (10); 'Senior' (16) a 'Junior' (15) wrth y piano a'r harmoniwm; cyfansoddi (4); 'Junior Reading' a 'Junior Harmony' (15); a 'Senior Harmony' (18). Roedd dosbarthiadau ychwanegol ar gyfer gwella darllen ar y pryd, harmoni, canu rhan-ganau a chanigau ac ati, ac arwain – a gwnaethpwyd ymdrech arbennig i hyfforddi athrawon cerdd, organyddion ac arweinyddion corawl. Y tâl am wers breifat gyda'r Athro oedd £1 y tymor am un wers yr wythnos, £2 am ddwy wers, £3 am dair ac yn y blaen. Roedd hi hefyd yn bosibl llogi offerynnau o'r coleg am 10*s.* 6*d.* y sesiwn. Cynigiai'r coleg nifer o Arddangosfeydd ac o'r pedair a gynigid mewn cerddoriaeth roedd un ar gyfer merched yn unig. Cynhelid arholiadau ar gyfer un o'r Arddangosfeydd hyn ar ddechrau tymor y gwanwyn a dyma'r meysydd dan sylw: piano neu harmoniwm, canu, cyfansoddi, gwaith cyffredinol.

O safbwynt y cyrsiau a gynigid, ymddengys i Adran Gerdd Joseph Parry fod tua hanner ffordd rhwng cwrs coleg cerdd megis yr Athrofa yn Llundain, a phrifysgol fel Caer-grawnt. Yng Nghymru'r bedwaredd ganrif ar bymtheg, roedd cerddoriaeth fel pwnc naill ai'n brin iawn neu'n gwbl absennol o gwricwlwm yr ysgolion dyddiol, felly cerddorion ifainc brwd ond heb dderbyn llawer o addysg gerddorol a ddaeth i Aberystwyth. Nod yr Athro Parry oedd ceisio gwneud yn iawn am eu diffygion fel y gallent ddychwelyd i'w broydd a hyfforddi eraill. Roedd ymroddiad diffuant Parry i'w alwedigaeth newydd yn amlwg o'r cychwyn. Mynegodd yn ei hunangofiant fod ganddo:

deep at heart a stirring desire to consecrate my life's labours to the development and promotion of the music and of the young musician of my fellow countrymen, as a matter of duty, in return for their noble efforts to educate me. (t. 32)

O fewn pythefnos i ddechrau'r tymor, cafodd yr Adran Gerdd newydd gyfle i arddangos ei thalentau, gyda nifer o'i myfyrwyr o dan ofal yr Athro yn canu eitemau ar ddiwedd cyfarfod hanner blynyddol y Coleg a gynhaliwyd ar 21 Hydref. Roedd y math hwn o achlysur i dyfu'n rhan bwysig o weithgareddau'r Adran, yn enwedig ar ddiwedd tymor. Y tymor cyntaf hwn, cynhaliwyd cyngerdd ar 18 Rhagfyr yn Neuadd Ddirwestol Aberystwyth, gyda swyddogion y Coleg yn bresennol. Perfformiwyd:

1. 'Cytgan y Morwyr' (Joseph Parry): Côr meibion
2. 'March aux Flambeaux' (Clark): Miss Hattie Davies (Caerdydd)
3. 'Thou Art so Near and yet so Far' (Reichardt): Mr Morgan Edwards (Llanafan)
4. 'Wandering in the May Time' (Glover): Miss E. Edwards (Aberystwyth) a Miss G. Morgan (Aberystwyth)
5. 'Jennie Jones' (Brinley Richards): Joseph Haydn Parry, piano
6. 'Y Bwthyn ar y Traeth' (David Jenkins): y cyfansoddwr
7. 'Scotch Air' (Kuhe): G. Morgan, piano
8. 'Non Piu Mesta' (Rossini): E. Edwards
9. 'Qui Vive' (Ganz): Miss Richards (Aberystwyth) ac E. Edwards, deuawd piano
10. 'Farewell to the Forest' (Mendelssohn): Côr cymysg

EGWYL

11. 'Phantom Chorus' (Bellini): Côr cymysg
12a. 'Sleep, Lady, Sleep' (Joseph Parry): Miss C. Edwards (Bermo), Mr Edwards a Mr G. Davies (America), triawd
12b. 'Fy Angel Bach' (Joseph Parry), triawd
13. 'Home Sweet Home' (Thalberg): Miss Mary Jones (Caerdydd)
14. 'The Blustering Winds' (Handel): G. Davies
15. 'Yr Ehedydd' (Joseph Parry): H. Davies
16. 'Stars of the Summer Night' [ni enwir y cyfansoddwr]: Côr meibion
17. 'Fantasie Oberon' (Favargen): Miss Kate Rees (Aberystwyth)
18. 'Y Ddau Forwr' (Joseph Parry): M. Edwards a D. Jenkins
19. 'I'm a Merry Zingara' (Balfe): C. Edwards
20. 'Ti Wyddost Beth Ddywed fy Nghalon' (Joseph Parry): C. Edwards, E. Edwards, M. Edwards a Mr R. C. Jenkins (Llanelli), pedwarawd

Dyma'r perfformiad cyntaf o 'Ti Wyddost Beth Ddywed fy Nghalon', a pherfformiadau cyntaf yng Nghymru o'r triawdau 'Fy Angel Bach' a 'Sleep, Lady, Sleep'. Ychydig o ddarnau a gyfansoddodd Joseph Parry ar

gyfer tri llais unigol, ac o safbwynt arddull maent yn dioddef oherwydd harmoni Fictorianaidd y *parlour-song*. Cyhoeddwyd 'Sleep, Lady, Sleep' tuag 1871, ond fe'i cyfansoddwyd tuag 1864 yn Danville. Darn sylweddol ydyw (a gyflwynwyd i William Sterndale Bennett), ac o gofio mai tair ar hugain oedd y cerddor ar y pryd, mae rhannau ohono'n gerddorol aeddfed, fel y gwelir yn yr enghraifft ar dudalen 47.

Yn ogystal ag eitemau cerddorol y rhaglen uchod, traddodwyd araith gan Brifathro'r Coleg, Thomas Charles Edwards, oedd yn mynegi balchder oherwydd dyma oedd y cyngerdd cerddorol colegol *cyntaf* yng Nghymru. Galwodd ar sefydliadau tebyg i'r Coleg i 'achub' cerddoriaeth Cymru, a chanmolodd yr Athro am ei ymdrech, ac am iddo 'ddwyn pen a chalon at ei waith'. Drannoeth y cyngerdd oedd dechrau gwyliau Nadolig y Coleg, ond ni olygai gwyliau academaidd wyliau personol i Joseph Parry. Ar Ddydd Nadolig, er enghraifft, roedd ym Mlaenau Ffestiniog yn beirniadu a chanu mewn 'cyfarfod llenyddol' – un o'r sawl ymadrodd Fictorianaidd a olygai eisteddfod – yn Assembly Rooms y dref.

Ar ddechrau'r ail dymor roedd gan y Coleg gant myfyriwr namyn pedwar, ac roedd ugain ohonynt yn yr Adran Gerdd. Yn wahanol i weddill y pynciau academaidd, roedd yn bosibl ymuno ag adran Joseph Parry heb orfod astudio pynciau eraill, ac yn sgil hynny – ac efallai oherwydd nifer 'anghyfartal' yr efrydwyr cerdd – penderfynodd Cyngor y Coleg osod 'Arholiad Mynediad Cerddoriaeth' ar gyfer darpar-fyfyrwyr, cymaint oedd y galw am astudio gyda'r Pencerdd. Yn ôl *Adroddiad Blynyddol* y Coleg am 1874–5, rhaid oedd gwneud hyn oherwydd: 'Professor Parry's time and energies were overtaxed . . . He does not spare his students, neither does he spare himself.' Yn ôl y sôn, treuliai bob dydd o naw y bore tan wyth yr hwyr wrth ei waith, ac eithrio dyddiau Mercher a Sadwrn pryd y rhoddai wersi preifat. Fe'i disgrifiwyd yn ddiweddarach gan ei ddisgybl David Jenkins fel 'y gweithiwr caletaf a'r siriolaf y deuthum i gysylltiad ag ef erioed' (*Y Cerddor,* Tachwedd 1913, t. 117). Gofynnodd Parry i Gyngor y Coleg benodi cynorthwy-ydd iddo a hynny er gwaethaf amheuon y Gohebydd y byddai'n anodd darbwyllo'r awdurdodau i roi rhagor o arian i'r Adran. Felly'n union y bu, a'r sefyllfa ddisymud rhwng Joseph Parry a'r Cyngor yn llusgo'i thraed am fisoedd i ddod.

Ar 22 Ionawr 1875, cynhaliodd yr Adran Gerdd gyngerdd cyhoeddus yn neuadd arholiadau'r Coleg, a Parry wrth y llyw. Ond nid oedd ymateb y Cyngor i'r achlysur yn gefnogol, oherwydd daethpwyd i sylweddoli mai cyngerdd er lles Joseph Parry ydoedd, ac yn un o nifer y bwriadai eu cynnal er mwyn gwneud yn iawn am y golled ariannol o symud i Gymru. Mewn llythyr dyddiedig 10 Chwefror 1875 at y Gohebydd, mynegodd Hugh Owen, un o aelodau mwyaf blaenllaw y Cyngor, ei anfodlonrwydd: 'We all like Professor Parry, and admire his talent and his wonderful zeal, but exhibitions such as that referred to cannot be tolerated. The Council cannot afford to tolerate them.' Roedd sefyllfa anffodus yn datblygu: yn gyntaf, yr ymrafael dros benodi cynorthwy-ydd iddo, ac yn ail, yr anghytuno dros hawl y cerddor i drefnu cyngherddau er ei les ei hun. Roedd yr ysgrifen eisoes ar y mur, ac roedd yr anawsterau i rygnu ymlaen gan raddol waethygu dros y saith mlynedd nesaf.

Tua diwedd Chwefror 1875, sefydlodd Joseph Parry Undeb Corawl yn nhref Aberystwyth. Myfyrwyr yr Adran Gerdd oedd mwyafrif y cantorion, ond roedd hefyd nifer o drigolion y dref ymysg yr aelodau. Dangosodd Parry ei ymwybyddiaeth o'r angen am gefnogaeth i'w adran gan drigolion y dref, a phwysigrwydd y cysylltiad *Town and Gown* yn gynnar yn hanes Coleg Prifysgol Cymru. Er gwaethaf ymateb anffafriol awdurdodau'r Coleg i'w gyngherddau 'personol', ni bu diwedd arnynt. Ar ddiwedd mis Mai, yn ogystal â chynnal eisteddfod a chyngerdd yn Ffestiniog, cynhaliodd gyngerdd yn Aberystwyth, y tro hwn gyda'r Undeb Corawl yn ogystal ag aelodau'i Adran yn cyfrannu eitemau cerddorol. Perfformiwyd nifer o unawdau, deuawdau a chytganau allan o operâu'r dydd, er enghraifft y 'Misere' allan o *Il Trovatore* Verdi, darnau Cymreig a Seisnig gan D. Emlyn Evans a Henry Bishop, ynghyd â'r cwota arferol o gynnyrch Parry ei hun. Yn Aberystwyth, daeth Joseph Parry i gysylltiad ehangach â cherddoriaeth heblaw ei eiddo'i hun, ac adlewyrchir hynny yn *repertoire* ei gyngherddau.

Daeth tymor yr haf i ben ar 19 Mehefin, a dyma gyfle i'r Athro Cerdd a Chyngor y Coleg asesu hyd a lled y berthynas broffesiynol ryfedd oedd wedi datblygu rhyngddynt. Gwraidd y drwg yn syml oedd prinder arian – problem a fu'n ddraenen yn ystlys y Cyngor er sefydlu'r Coleg yn 1872. Yna cynigiwyd syniad a fyddai'n fodd o leiaf i dawelu rhywfaint ar ddyfroedd tymhestlog perthynas y Cyngor â'r Adran Gerdd: roedd Eisteddfod Goronog Llanarth i'w chynnal ar 29 Gorffennaf. Ers dechrau'r flwyddyn, roedd Joseph Parry wedi cytuno i fod yn un o'r beirniaid ond yn ychwanegol, penderfynwyd cynnal cyngerdd yn yr hwyr a chyflwyno'r elw i Gronfa Coleg Aberystwyth. Ymddengys i Parry a'r Cyngor fod yn gytûn cyn i ddadl godi ynghylch pwy yn union fyddai artistiaid y cyngerdd. Roedd yr Athro yn naturiol eisiau i'w fyfyrwyr cerdd gael y cyfle ond teimlad y Cyngor oedd na fyddai hynny yn ddigon i ddenu tyrfa, ac felly elw digonol. Yn y pen draw, cafwyd cyfaddawd: ymddangosodd rhai o fyfyrwyr Joseph Parry a chafwyd eitemau gan Brinley Richards a Parry ei hunan. Perfformiwyd y cyngerdd eto yng Ngheinewydd y noson ganlynol, ond ceir yma enghraifft arall o'r berthynas anwastad ac ansicr a fu rhwng dyheadau personol Joseph Parry a'r hyn oedd gan Gyngor Coleg Aberystwyth mewn golwg ar gyfer yr Adran Gerdd.

Dechreuodd blwyddyn academaidd arall yng Ngholeg Aberystwyth ar 6 Hydref 1875, gyda chwymp o dri yn nifer y myfyrwyr yn astudio cerddoriaeth – un o ganlyniadau cynnal yr 'Arholiad Mynediad Cerddoriaeth'. Roedd yr ymrafael ynghylch penodi cynorthwy-ydd i Joseph Parry yn dal i rygnu ymlaen, a mynegodd Hugh Owen ei farn wrth y Prifathro na ddylai'r Pencerdd gael rhagor o fyfyrwyr cerdd heb iddo'n gyntaf gael cymorth. Ni ddaethpwyd i gytundeb hyd Dachwedd a phenodwyd David Jenkins, brodor o Drecastell, yn 'ail' yn yr Adran ar gyflog o £10 y tymor. Ef fyddai'n dysgu harmoni a theori i'r myfyrwyr a chan ei fod eisoes yn gryn 'seren' yn yr Adran, roedd yn ddewis naturiol a phoblogaidd. Yn answyddogol bu'n cynorthwyo Parry ers peth amser – yn wir, bedwar mis ynghynt fe'i disgrifiwyd yn *Y Faner* fel yr 'ail athro cerddorol yn y Brifysgol'.

Treuliodd Joseph Parry a'i deulu Nadolig y flwyddyn honno yng nghwmni hen gyfeillion ym Merthyr Tudful, a'r cerddor yn beirniadu ar Ddydd Nadolig mewn eisteddfod yn y Drill Hall. Prysurdeb oedd yn ei aros ar ôl dychwelyd i Aberystwyth ac yntau'n ymddangos mewn sawl cyngerdd ac eisteddfod ar draws y wlad. Yna daeth mis Mehefin ac yn arholiadau'r Adran Gerdd enillodd rhai myfyrwyr wobrau arbennig:

Cyfansoddi	David Jenkins, Trecastell
Canu	Hattie Davies, Caerdydd
	Annie Williams, Caerdydd
Harmoni a phiano	Mary Jones, Aberystwyth
	Nellie Owen, Utica

Pan ddaeth diwedd y flwyddyn academaidd, roedd dyddiadur Joseph Parry, yn ôl yr arfer, yn llawn. Ei brif alwad yr haf hwnnw oedd Eisteddfod Gadeiriol Conwy, Llanrwst ar 13–14 Gorffennaf. Beirniadai yn ystod y dydd, a chyda'r hwyr, Joseph Parry oedd un o unawdwyr cyngerdd yr Ŵyl, ynghyd ag Eos Morlais, Llew Llwyfo ac Edith Wynne. Cafwyd eitemau hefyd gan Joseph Haydn Parry a rhai o fyfyrwyr Adran Gerdd Aberystwyth. Er ei bod hi'n wyliau ar y Coleg gallai'r Athro alw ar wasanaeth ei ddisgyblion – gymaint oedd eu hymroddiad iddo.

Ar ddiwedd tymor y gaeaf 1876 cynhaliodd yr Adran Gerdd gyngerdd a'r uchafbwynt oedd perfformiad, gyda cherddorfa, o *Stabat Mater* Rossini. Yn ôl pob tebyg dyma'r tro cyntaf i'r gwaith gael ei glywed yng Nghymru, ac mae'n amlwg mai amhosibl oedd plesio pawb. Cwynwyd bod gormod o'r 'Clasurol' yn cael ei gynnwys yng nghyngherddau'r Adran a chwynai eraill fod ynddynt ormod o gerddoriaeth Gymreig – yn enwedig gan gyfansoddwr o'r enw Joseph Parry! Cynhaliwyd cyngerdd yr ail 'bentymor' ar 26 Mawrth, ac ymgasglodd swyddogion y Coleg ynghyd â chyhoedd Aberystwyth yn y Neuadd Ddirwestol i wrando ar raglen a gynhwysai berfformiad o oratorio Beethoven *Engedi,* a 'Cantata Tywysog Cymru' Owain Alaw. Y cyfansoddwr ei hun a arweiniodd yr ail waith, a dyma oedd un arall o syniadau arloesol Joseph Parry yn ystod ei gyfnod fel Athro Cerdd y Coleg, sef cael cyfansoddwyr Cymru i berfformio'u gweithiau'u hunain.

Fis yn ddiweddarach, bu damwain ddifrifol ym mhwll glo Tynewydd yn Rhondda, a chaewyd pump o ddynion dan ddaear am naw diwrnod.

Yn wyrthiol fe'u hachubwyd, a chanu'r emyn 'Yn y Dyfroedd Mawr a'r Tonnau' a gadwodd eu gobeithion yn fyw yn ystod eu caethiwed ofnadwy. Ymateb Joseph Parry i'r hanes oedd cyfansoddi'r anthem 'Molwch yr Arglwydd', gan ddefnyddio'r emyn a ganodd y glowyr fel rhan o'r darn. Yna, ar 14 Mai 1877, bu farw'r cerddor amryddawn Ieuan Gwyllt yn 54 oed ac unwaith eto ymateb Parry oedd cyfansoddi. Lluniodd 'Requiem Gynulleidfaol' er cof am ei gyfaill, ar eiriau'r bardd Mynyddog. Bu canu mawr ar y ddwy anthem, ac erbyn Gorffennaf 1877, cyhoeddwyd dros 8,000 copi o'r *Requiem* a 13,000 copi o 'Molwch yr Arglwydd' – ffigurau uchel yn eu dydd.

Roedd dyddiau cyntaf gwyliau'r haf yn rhai prysur i Joseph Parry oherwydd ar 20 a 21 Mehefin, cynhaliwyd cyfarfod o gerddorion Cymru yn Aberystwyth. Llywydd y sesiwn cyntaf oedd John Thomas, Llanwrtyd, gyda Thanymarian yn ei ddilyn ar yr ail ddiwrnod. Ymysg y cerddorion eraill oedd yno roedd D. Emlyn Evans, Eos Morlais, John Thomas (Blaenannerch), Megan Watts-Hughes, ynghyd â rhai o fyfyrwyr yr Adran Gerdd. Un canlyniad cadarnhaol i'r cyfarfod oedd penderfynu sefydlu ysgoloriaeth gerddorol yn Aberystwyth er cof am y diweddar Ieuan Gwyllt, ac elw cyngherddau arbennig ledled Cymru i fynd at yr achos. Nodwyd anfodlonrwydd ynghylch yr holl ddarnau Saesneg a gâi eu dewis ar gyfer cystadlaethau'r Eisteddfod Genedlaethol a hynny ar draul cynnyrch Cymreig llawn cystal a thuedd pwyllgorau i ddewis yr un hen ddarnau dro ar ôl tro.

Prin dair wythnos ar ôl cyfarfod y cerddorion yn Aberystwyth, ar 14 Gorffennaf 1877, trawyd Cymru gan golled arall: bu farw'r bardd Mynyddog yn 44 oed. Roedd Joseph Parry wedi gosod tipyn o'i farddoniaeth ar gân, ond cymwynas fwyaf Mynyddog oedd llunio *libretto*'r opera *Blodwen*. Bu Parry'n bresennol yn angladd y bardd, ac mae'n arwyddocaol mai pum gini oedd ei gyfraniad tuag at Dysteb Coffadwriaeth Mynyddog o'i gymharu â chyfraniadau 10*s*. gan Brinley Richards a 10*s*. 6*d*. gan y Gohebydd.

Ar 3 Awst, roedd Joseph Parry, ei wraig a'r ddau fab hynaf yn Llundain ar gyfer seremoni cyflwyno tysteb i John Griffith y Gohebydd, ac fel yn achos Mynyddog, pum gini oedd ei gyfraniad hael. Ond ar 13 Rhagfyr, yn 60 oed, bu farw'r Gohebydd yn sydyn. Ef fu ar flaen y gad o blaid achos Joseph Parry ar ddwy ochr yr Iwerydd, ac roedd ei golli oddi ar Gyngor y Coleg yn gwanhau'r gefnogaeth i'r Adran Gerdd. Ymateb cerddorol Parry i golli'r fath gyfaill oedd cyfansoddi anthem angladdol er cof amdano sef 'Hiraethgan' ar eiriau Gwilym Hiraethog. Cynhaliwyd yr angladd yn y Fron ger Llangollen a dyma drydydd cynhebrwng Joseph Parry yn 1877: Ieuan Gwyllt, Mynyddog a'r Gohebydd – a thair ergyd bersonol iddo.

Dechreuodd tymor newydd y Coleg ond, gyda cholli Ieuan Gwyllt a Mynyddog yn dal yn y cof, cynhaliwyd cyngerdd ar 5 Mawrth yn

Neuadd Ddirwestol Aberystwyth gyda'r elw'n mynd at ysgoloriaethau'r ddau Gymro. Yna, ar ddiwedd y mis, cyhoeddwyd y bwriad i berfformio dau waith mawr newydd – *Jerusalem,* sef cyfansoddiad gradd Mus. Doc. Joseph Parry, a'r opera *Blodwen;* canolbwyntiodd yr Adran ei hegni felly ar baratoi a pherfformio'r gweithiau hyn. Ond roedd cwmwl ar y gorwel: yn llygaid rhai o aelodau'r Cyngor, roedd yr Adran Gerdd wedi dechrau mynd yn rhy bell yn ei hesgeulustod o'r academaidd ac, mewn llythyr dyddiedig 14 Mai 1878 at Brifathro'r Coleg, mynegodd J. F. Roberts ei farn yn ddiflewyn ar dafod: 'The Music Department is a loss, if some change could be made there I should be glad . . . that the Department be separated from the College.' Dyma un o'r arwyddion cynharaf a mwyaf pendant o ansicrwydd parthed parhad Adran Gerdd Coleg Aberystwyth, ac roedd gwaeth i ddod. Yn y cyfamser aeth y gweithgareddau cerddorol yn eu blaen gan roi'r argraff nad oedd yr Adran yn llwyr ymwybodol bod y sefyllfa rhyngddi a'r awdurdodau yn gwaethygu, ac yn fwyaf arbennig – roedd *Blodwen* ar fin ei geni!

Bu'r opera ar y gweill ers sawl blwyddyn, er enghraifft, soniwyd yn *Y Gerddorfa* ar 1 Ebrill 1876, ddwy flynedd cyn y perfformiad, fod Joseph Parry wrthi'n cyfansoddi, ac y disgwylid clywed yr opera 'cyn bo hir' (t. 31). Crybwyllir sawl blwyddyn fel dyddiad cyfansoddi *Blodwen,* ond er mwyn ceisio cysoni'r ansicrwydd, rhaid troi at sylwadau'r cyfansoddwr ei hun:

> It affords me very much pleasure to be able to record the comp[l]etion of this (my first attempt) in a dramatic work, began in February 1876, continued to write till April 1876. When I suspended its composition till end of Dec 76, from which time I have given to this work my leisure hours; and completed this day Wednesday, February the 7th 1877. Joseph Parry.

O ran dyddiadau, mae'r wybodaeth hon yn cytuno â sylwadau'r *Gerddorfa,* sef y tri mis Chwefror hyd Ebrill 1876, er na *chwblhawyd* yr opera bryd hynny; ac fel ychwanegiad at gymhlethdod cefndir *Blodwen,* mae tystiolaeth i rannau megis 'Cytgan y Milwyr' fodoli *cyn* y dyddiadau cyfansoddi a nodir uchod.

Roedd *Blodwen* yn gyflawn felly erbyn tua Chwefror 1877, ond ni pherfformiwyd y gwaith yn gyhoeddus am dros flwyddyn a hynny ar 21 (22 yn ôl ambell adroddiad) Mai 1878 yn Neuadd Ddirwestol Aberystwyth – achlysur tra phwysig yn hanes cerddoriaeth Cymru. Fodd bynnag, mae tystiolaeth i'r opera gael ei pherfformio cyn hynny sef yng Nghyfrinfa Seiri Rhyddion Aberystwyth. Derbyniwyd Joseph Parry'n aelod o'r seiri rhyddion yn ystod ei gyfnod fel myfyriwr yn Llundain. Prif Gyfrinfa Cymry Llundain oedd Rhif 224, a throsglwyddwyd aelodaeth Parry o'r Gyfrinfa yn y ddinas i Gyfrinfa 1072 yn Aberystwyth ar 9 Mawrth 1876. Ymddengys diddordeb y cerddor yn y frawdoliaeth yn achlysurol yn ei ohebiaeth ac mae ei lythyr dyddiedig 28 Hydref 1878 at W. R. Williams ar destun *Blodwen* yn ddadlennol:

> it was in our Lodge's Complimentary Concert to me for acting as the Organist of our Lodge *Blodwen* was first performed. So that it was the Masons brought out my important work, this [sic – thanks?] to him and his interest.

Os gwir hyn oll, yna ymddengys i *Blodwen* gael ei pherfformio gyntaf yng Nghyfrinfa'r Seiri Rhyddion yn Aberystwyth rywbryd rhwng gorffen ei chyfansoddi yn Chwefror 1877 a'r perfformiad cyhoeddus ym Mai 1878. Mwy na thebyg mai detholiad o'r opera a berfformiwyd yn y Gyfrinfa, y rhannau hynny ar gyfer lleisiau gwrywaidd yn unig, heb wisgoedd nac actio gyda'r cyfansoddwr wrth yr organ.

Felly'r perfformiad *cyhoeddus* cyntaf oedd yr un yn y Neuadd Ddirwestol yn Aberystwyth ar brynhawn Mawrth, 21 Mai 1878 – dyddiad pen-blwydd Joseph Parry yn 37 oed. Mewn araith ar ddechrau'r achlysur, esboniodd Joseph Parry na fyddai unrhyw ymdrech at *actio'r* opera er i'r cantorion gael eu gwisgo ar gyfer cyfnod y stori, sef Cymru'r bedwaredd ganrif ar ddeg. Roedd y rhagfarn biwritanaidd yn erbyn arferion y theatr yn gryfach na'r un yn erbyn y traddodiad operatig, a oedd yn ddieithr i'r Cymry beth bynnag, a pherfformiad *cyngerdd* oedd y perfformiad hwn hefyd i bob pwrpas.

Myfyrwyr cerdd y Coleg oedd y corws, ac eraill o'r adran ymysg yr unawdwyr: Hattie Davies (Blodwen), Gayney Griffith (Elen), Annie Williams (Arglwyddes Maelor), Thomas Evans (Hywel), gyda William Davies a J. Lucas Williams, yr olaf o'r 'Crystal Palace Concerts' yn Llundain, yn canu'r rhannau llai. Cyn-fyfyriwr o'r Adran, R. Cyril Jenkins, ganodd ran Iolo'r Bardd. Nid oedd cyfeiliant cerddorfa a dau fab yr Athro, Joseph Haydn a oedd yn dair ar ddeg a Daniel Mendelssohn a oedd yn ddeuddeg wrth y piano a'r harmoniwm – tipyn o gamp i gerddorion mor ifanc.

Roedd y neuadd dan ei sang gyda swyddogion y dref a'r Coleg yno yn ogystal â thrigolion Aberystwyth a'r cylch. Bu ymateb y gynulleidfa'n anghredadwy. Dyma'r Cymry cyntaf i glywed opera yn Gymraeg, ac ni wyddai'r rhan fwyaf sut 'ymddygiad' oedd yn gymwys. Fel y nododd un gohebydd anhysbys: 'Chwifiai'r bobl eu cadachau yn yr awyr, curent a bloeddient mor uchel nes yr oedd yn rhaid i'r cerddor dysgedig fegian ar y bobl adael i'r gwaith brysuro yn ei flaen' (*Yr Ysgol Gerddorol*, Gorffennaf 1878, tt. 50–1).

Llwyddodd *Blodwen* am nifer o resymau: roedd yn newydd, roedd yn arloesol, roedd ar destun cenedlaethol, ond yn bwysicach na'r cwbl roedd yn Gymraeg. Yn y Gymru oedd ohoni, gallasai fod wedi ei chyfansoddi, a llwyddo, ar eiriau Saesneg yn unig (nid oes geiriau Cymraeg i bob un o operâu'r cyfansoddwr) ond o'r cychwyn cyntaf penderfynodd Parry a Mynyddog mai opera Gymraeg fyddai *Blodwen*, penderfyniad yn sicr a ychwanegodd at ei llwyddiant ysgubol ymysg y werin uniaith.

Mae diffygion plot *Blodwen* yn deillio o wendidau'r *libretto*, oherwydd fel gyda'r gerddoriaeth ni fu cynllunio manwl ymlaen llaw. Er hynny, llwyddodd Mynyddog i ysgrifennu unawdau rhamantaidd, deuawdau serch, adroddganau dramatig a chytganau cyffrous. Wrth gydweithio â'r cyfansoddwr, roedd rhaid i'r bardd weithiau lunio geiriau ar gyfer cerddoriaeth barod Parry, ac enghraifft o hynny yn ôl David Jenkins yw'r ddeuawd 'Mae Cymru'n Barod'. Mewn ambell le arall, nid yw ysbryd y geiriau'n gweddu i ysbryd y gerddoriaeth a hynny o bosibl oherwydd y dull hwn o gydweithio, er enghraifft unawd Blodwen 'O dywed im' Awel y Nefoedd'. Geiriau'r ail bennill yw 'Fy Nhad a fu Farw'n y Carchar neu ynte ar Gochfaes y Gad' yn y cywair mwyaf ac yn amser $\frac{6}{8}$ hwylus. Ond fel cyfanwaith, roedd *Blodwen* yn llwyddiant ysgubol, gyda rhannau o'r opera yn dra phoblogaidd fel darnau prawf mewn eisteddfodau bach a mawr, neu fel eitemau cyngerdd yng Nghymru ac America, er enghraifft yr unawd 'Fy Mlodwen, F'anwylyd, fy Mhopeth', y gytgan olaf 'Moliannwn', a 'Hywel a Blodwen' wrth gwrs. Daeth enwi merched yn Blodwen yn boblogaidd, ac yn America, roedd hyd yn oed math o flawd yn cario'r enw!

Erbyn Gorffennaf 1878, roedd *Blodwen* wedi ymddangos mewn argraffiad nodiant erwydd a sol-ffa. Joseph Parry ei hun a'i cyhoeddodd ac, er gwaethaf cefnogaeth y seiri rhyddion ynghyd â rhestr faith o dangysgrifwyr, fe gollodd y fenter £400 iddo: 'a dreadful blow to my empty bank' fel y nododd yn ei hunangofiant. Er hynny, penderfynwyd mynd â'r opera, ynghyd â'r gantawd *Jerusalem*, ar daith drwy Gymru a Lloegr, gan ymweld â Llundain a Chaer-grawnt.

Roedd gofynion ennill gradd Mus. Doc. Caer-grawnt yn debyg i rai y Mus. Bac. a enillwyd gan Joseph Parry yn 1871, sef cofrestru gyda'r Brifysgol, sefyll arholiad a chyfansoddi darn sylweddol – cantawd gysegredig fel arfer – ar gyfer lleisiau a cherddorfa. Ond yn wahanol i'r Mus. Bac., roedd rhaid *perfformio* cyfansoddiad gradd y ddoethuriaeth, sef *Jerusalem* yn achos Joseph Parry. Ar gyfer taith perfformio *Jerusalem* a *Blodwen*, defnyddiodd Joseph Parry unawdwyr ei Adran ynghyd â chôr o dde Cymru 'The Welsh Representative Choir'. Dechreuwyd y daith ym Mhontypridd ar 29 Mai 1878, Aberdâr drannoeth, Caerdydd a Chasnewydd ar 3–4 Mehefin, Bryste ar y seithfed, a'r uchafbwynt oedd perfformio *Jerusalem* yng Nghapel Coleg Sant Ioan, Caer-grawnt ar 13 Mehefin, ar ddechrau cynulliad y Brifysgol. Ddeuddydd yn ddiweddarach, perfformiwyd *Jerusalem* a *Blodwen* yn yr Alexandra Palace yn Llundain. Bu'r daith yn llwyddiant cerddorol ond yn golled bersonol i Joseph Parry. Roedd y costau'n £800, ond dim ond ychydig dros £550 a dderbyniwyd. Penderfynodd aelodau Aberdâr y côr wneud ymdrech i'w ddigolledu, ac anelodd cerddorion Caerdydd at godi £100 tuag at yr un achos drwy gynnal cyngerdd.

Erbyn dychwelyd i Aberystwyth tua diwedd Mehefin, roedd Joseph Parry wedi rhoi'r daith a'i phroblemau ariannol y tu ôl iddo ac roedd ganddo chwilen newydd yn ei ben; roedd wrthi'n llunio'r oratorio fawreddog *Emmanuel.* Gosododd ar gân eiriau awdl Gwilym Hiraethog 'Cyfryngdod Emmanuel' a ymddangosodd yn 1860. Roedd y geiriau'n addas ar gyfer cyfansoddiad cysegredig, ac er mai 1878 oedd blwyddyn cyfansoddi *Emmanuel,* mae'r gwaith, fel *Blodwen,* yn cynnwys cerddoriaeth o gyfnodau cynharach, er enghraifft, cyfansoddwyd yr aria 'O Chwi sy'n Caru Duw' pan oedd Parry yn fyfyriwr yn Llundain. O'r cyfnod hwnnw hefyd y daw'r gytgan 'Fe Gyfyd Goleuni' sef cyfansoddiad gradd Mus. Bac. 1871, ac o *Jerusalem* y daw'r agorawd a'r gytgan 'O Jerusalem! Ti a Leddaist'. Mae'r corâl a'r ffiwg gorâl 'Fy Nuw Cyfamodol a Fydd' yn seiliedig ar emyn-dôn Joseph Parry 'Llan-gristiolus' a gyfansoddwyd yn 1869.

Oratorio yn y traddodiad Seisnig Handel-Mendelssohn yw *Emmanuel,* yn cynnwys yr holl ffurfiau arferol: unawd, deuawd, adroddgan, cytgan ac ati. Ond yn wahanol i oratoriau Lloegr a'r Almaen, mae'n defnyddio emyn-dôn Gymreig yn lle corâl, ac weithiau, fel gyda 'Dusseldorf' yn gwahodd y gynulleidfa i ymuno â'r côr. O ran cyhoeddi *Emmanuel,* gobaith y cyfansoddwr oedd argraffu'r oratorio mewn rhannau, ond fel gyda *Blodwen* roedd ennill tanysgrifwyr yn ddraenen yn yr ystlys, gan mai addewidion ariannol y noddwyr fyddai'n sicrhau argraffu'r rhan ddilynol. Rhoddwyd derbyniad gwresog i *Emmanuel,* ond ni fu mor boblogaidd â *Blodwen* o safbwynt nifer y perfformiadau o'r cyfanwaith. Mae cynnwys cerddorol yr oratorio gymaint yn anoddach ei ganu na'r opera, felly rhannau yn unig ohoni a ddaeth yn boblogaidd.

Roedd 20 Mehefin 1878 yn ddiwedd blwyddyn academaidd arall. I'r Athro Cerdd a'i adran, bu'r wythnosau blaenorol yn llawn, a thaith perfformio *Jerusalem* a *Blodwen* ynghyd â'r gwaith ar *Emmanuel* yn dwyn amser ac egni prin. Ond roedd pris i'w dalu am y prysurdeb hwn, ac achosodd esgeulustod diweddaraf Joseph Parry o'i ddyletswyddau academaidd y fath gyffro ymysg aelodau Cyngor y Coleg fel y cyfarfu'r corff yn ystod gwyliau'r haf i drafod y sefyllfa. Penderfynwyd bod *due notice* i'w roi i Joseph Parry, er mwyn gallu dechrau ar drefniadau newydd rhyngddo ef a'r Adran Gerdd. Er yr ymddengys hyn fel dial y Cyngor ar yr Adran, dylid nodi i apwyntiadau tri Athro arall – Grimley, Keeping a Craig – gael eu terfynu hefyd, gyda'r bwriad o'u hailapwyntio wedi iddynt gytuno i aildrefnu'u hadrannau. O safbwynt cerddoriaeth, penderfynodd y Cyngor: 'upon modifying the arrangements in regard to the teaching of music in the College' (*U.C.W. Reports 1878–1879,* tt. 12–13). Hanfod y trefniadau hyn oedd na ddylai Joseph Parry ddysgu cerddoriaeth ond i fyfyrwyr gwrywaidd; y byddai'n parhau yn ei swydd fel Athro ar yr un cyflog; y byddai'n rhydd i ddysgu'n breifat y tu allan i'r Coleg ac na ddylai gynnal na mynychu cyngherddau yn Aberystwyth a'r cylch yn ystod tymhorau'r coleg.

Dyma benllanw cyfres o ddigwyddiadau anffodus a oedd wedi dechrau bron cyn gynted ag y croesodd Joseph Parry drothwy'r Coleg. Nid penderfyniad sydyn ar ran y Cyngor oedd y gwaharddiadau ar yr Athro Cerdd ond ymateb terfynol i sefyllfa a fu'n mudlosgi ers pedair blynedd, gan ymfflamychu i'r wyneb yn achysurol. Cydnabu'r Cyngor fod Joseph Parry 'has discharged his functions with zeal and ability . . . but that the interest of the College in its primary and essential objects should render this modification necessary', ac ymddengys nad oedd ganddo gymaint â hynny o wrthwynebiad i'w absenoldeb achlysurol – yn aml roedd y rhan fwyaf o'i alwadau'n digwydd yn ystod gwyliau'r Coleg. Ond roedd bai ar y cerddor am iddo beidio â rhoi blaenoriaeth deilwng i'w brif swydd, sef cynnal unig Adran Gerdd Coleg Prifysgol Cymru, o flaen ei holl 'swyddi' eraill – gweithgareddau a ddygai fwy o glod iddo ef yn bersonol nag i'r Coleg. Ac er i Joseph Parry fynd â myfyrwyr yr Adran gydag ef i'w gyngherddau, ymddengys nad oedd y Cyngor yn gwerthfawrogi'r math hwn o 'hysbysebu'. Yn sicr, roedd yr Adran Gerdd yn derbyn digon o sylw – drwy natur gynhenid ei phwnc – ond gwelai'r Cyngor gyngherddau Parry yn Aberystwyth a'r cylch fel sioe fawr ddiangen. Dyddiau piwritanaidd a cheidwadol oes Fictoria oedd y rhain, ac roedd rhagfarn gref yn erbyn arddangos cyhoeddus mawr. Yn olaf, bu arian yn ddraenen yn ystlys y coleg ers ei sefydlu, a chan fod nifer myfyrwyr yr Adran Gerdd yn uchel o'i gymharu ag adrannau eraill, roedd problemau ariannol yn dwysáu yn sgil llwyddiant Joseph Parry. Roedd adrannau eraill y Coleg yn fwy *trefnus* yn ôl pob golwg, ond ni ellid cymharu cyfraniad yr un Athro arall â natur arloesol a deniadol Parry – llwyddodd i *ddenu* efrydwyr ac felly i gynyddu nifer myfyrwyr y Coleg. Efallai y dylai'r Cyngor fod wedi edrych ar y sefyllfa drwy lygaid mwy 'masnachol' ond fel yr oedd, cosbwyd Joseph Parry am iddo lwyddo lle'r oedd eraill wedi methu, sef drwy roi'r Coleg ar y map diwylliannol.

Ar ddechrau'r flwyddyn academaidd newydd roedd dyfodol yr Athro Cerdd a'i Adran yn ansicr. Yn sgil y gwaharddiadau arno, diddorol yw sylwi i gyngerdd yr Adran ar 19 Tachwedd yn y Neuadd Ddirwestol yn Aberystwyth fod o dan ofal ei ddirprwy, David Jenkins. Roedd Joseph Parry yn bresennol, ond ni chyfrannodd yn uniongyrchol er i nifer o'i ddarnau gael eu perfformio. Ond ymhen dim, roedd wrthi o ddifrif unwaith eto, yn torri cyfyngiadau'r Cyngor drwy gynnal perfformiadau o *Blodwen* ym Maesteg, Pen-y-bont ar Ogwr a Dinbych. Ym Mai 1879, roedd Joseph Parry ac offerynwyr o Gaerloyw, Caerwrangon a Birmingham – agwedd arall ar sefyllfa ddiffygiol cerddoriaeth offerynnol Cymru – yn perfformio'r gwaith yn Ffestiniog a Chaernarfon, gyda'r cyntaf yn berfformiad cyngerdd a'r ail yn berfformiad opera. Bu disgwyl mawr am y ddau achlysur, ac roedd llwyddiant yn anochel, yn enwedig o flaen torf o bedair mil ym Mhafiliwn Caernarfon. Ni welwyd erioed y fath wisgoedd a golygfeydd, ac yn arbennig *actio*. Canwyd yr opera o'r cof, a dim ond rhai rhannau a actiwyd; nid oedd barn y wasg mor uchel am hwnnw ag yr oedd am y canu. Roedd y perfformiad hefyd yn arbennig oherwydd canwyd un rhan unawdol gan un canwr yn unig, yn hytrach na bod un set o unawdwyr soprano, alto, tenor a bas yn canu'r holl unawdau, gan 'ddyblu' ar y rhannau unigol a gwneud cymeriadaeth yr opera yn hollol ddisynnwyr. Yn sgil y perfformiad ysbrydolwyd un bardd anhysbys i ganu:

Blodwen! ha, bywiol ydyw – a'i seiniau
Yn swynol ddigyfryw;
Haeddodd ein moliant heddiw,
Eirain ferch wna feirw'n fyw!

Ac at ŵr pur – y Doctor Parri [sic] – 'rhed
Anrhydedd yn genlli,
A'n hylon fyd yn heli,
Os aiff y nef â Joseph ni.

Yn ôl yn Aberystwyth, yr oedd dyddiau Joseph Parry fel Athro Cerdd y Coleg yn prysur ddirwyn i ben. Roedd 19 Mehefin 1879 yn ddiwedd blwyddyn academaidd arall, ac yn ddiwedd ar gyfnod Joseph Parry fel Athro Cerddoriaeth Coleg Prifysgol Cymru. Wrth bwyso a mesur blynyddoedd Parry yno gellir canfod rhagoriaethau a gwendidau ei yrfa. Ar y naill law, gellir ystyried nifer sylweddol y myfyrwyr cerdd o'i gymharu ag adrannau eraill ac enwogrwydd diweddarach nifer o'r myfyrwyr hyn, megis David Jenkins (Trecastell) fu'n canu, cyfansoddi a dysgu a J. T. Rees (Cwmgiedd) fu'n cyfansoddi ac arwain. Ond o safbwynt gallu Joseph Parry fel athro, braidd yn negyddol yw'r sylwadau, er enghraifft rhai David Jenkins yn *Y Cerddor*, Tachwedd 1913, t. 117: 'Nid ystyriem ef yn athro da, . . . yr oedd yn rhy wyllt a nwyfus i egluro i'r manylder sydd eisiau ar efrydydd ieuanc.' Ac ym marn E. Keri Evans: 'Ganwyd Parry yn gerddor, ond ni anwyd mohono'n athro; er y meddai'r brwdfrydedd angenrheidiol mewn mannau o'r gwaith, yr oedd yn dra diffygiol mewn nodweddion anhepgor eraill' (*Cofiant Joseph Parry*, t. 57).

Er gwaethaf gwendidau honedig Parry fel athro, roedd mwyafrif helaeth ei fyfyrwyr yn deyrngar iddo, a'r teyrngarwch hwn o bosibl ar ei amlycaf yn y ffaith iddynt ddilyn yr Athro o gyngerdd i gyngerdd dros gyfnod o fwy na phum mlynedd, a hynny'n aml yn ystod gwyliau swyddogol y Coleg. Roedd gwell perthynas rhwng Parry a'i fyfyrwyr na rhyngddo ef a mwyafrif aelodau'r Cyngor. Cafodd gefnogaeth hefyd o du'r werin ac mae gwasg y cyfnod yn fodd i ddeall dyfnder y gefnogaeth honno ynghyd â'r diffyg hyder yn awdurdodau'r Coleg yn Aberystwyth. O fewn tudalennau *Baner ac Amserau Cymru* (16 Gorffennaf 1879) wele ddau lythyr o gefnogaeth, y naill gan B. M. Williams a fu'n gysylltiedig â pherfformiad diweddar o *Blodwen* yn Ninbych a'r llall gan David Jenkins, Aberystwyth. Yn fwy ymarferol, trefnodd cefnogwyr Parry gyfarfod yn y Neuadd Ddirwestol yn Aberystwyth ar 1 Awst i amddiffyn y cyn-Athro, ac yn naturiol daeth ymddygiad Cyngor y Coleg o dan y lach.

Yn ystod mis Medi, cyfarfu Cyngor Coleg Aberystwyth i drafod achos Joseph Parry ymhellach, ond nid oedd newid meddwl i fod; cadarnhawyd na fyddai olynydd i swydd wag Athro Cerddoriaeth y Coleg a bod yr Adran felly wedi'i dirwyn i ben. Yn ôl Owain T. Edwards yn ei lyfryn ar y cerddor, 'Buasai bron yn amhosibl apwyntio neb heb golli bri ac heb roi sarhad gyhoeddus i Joseph Parry, oherwydd nid oedd Cymro arall ar y pryd a gyfrifid mor uchel' (*Joseph Parry*, t. 40). Nid oedd hyd yn oed David Jenkins i'w ystyried ar gyfer y Gadair wag, a glynodd y Cyngor wrth ei ddadl mai am resymau ariannol y caewyd yr Adran Gerdd, nid am resymau personol.

Felly ni ddychwelodd Joseph Parry i ailagor ei Adran Gerdd yn Aberystwyth ar ddechrau mis Hydref 1879, ar ôl gwneud hynny am bum mlynedd. Aeth y Coleg yn ei flaen heb bresenoldeb amlwg yr Adran, gyda nifer myfyrwyr 'cyffredinol' y flwyddyn academaidd honno'n troi o gwmpas yr hanner cant yn unig – o'i gymharu â chwech ar hugain pan agorwyd y drws saith mlynedd ynghynt, a hynny heb gyfrif nifer ymchwyddol y myfyrwyr cerdd. Hebddynt, ymddangosai'r 'cynnydd' yn nifer yr efrydwyr cyffredinol yn drychinebus o isel.

Roedd dwy ysgoloriaeth gerddorol yn enw Ieuan Gwyllt a Mynyddog heb eu defnyddio ac yn ddiweddar, roedd Mr G. E. J. Powell, Nanteos, wedi rhoi dros 150 o lyfrau a sgorau cerddoriaeth i lyfrgell y Coleg. Bellach roedd Joseph Parry ar fin sefydlu ei goleg cerdd ei hun, ac i'r perwyl hwn cynhaliodd gyfarfod cyhoeddus ar 10 Hydref yn yr Assembly Rooms yn Aberystwyth. Roedd y lle dan ei sang ac mae'n arwyddocaol bod rhai o aelodau'r Coleg yn bresennol, aelodau megis y Prifathro Thomas Charles Edwards a'r Athro Angus. Yn syml, syniad Parry oedd dechrau coleg cerdd tebyg i'r Danville Musical Institute y bu'n ei gynnal cyn dod i Aberystwyth. Anerchodd ar sefyllfa cerddoriaeth yng Nghymru, gan nodi bod y Cymry'n genedl gerddorol nad oedd wedi magu mwy na llond dwrn o ddatganwyr, perfformwyr, arweinwyr a chyfansoddwyr o fri; roedd gan wledydd megis Lloegr, Ffrainc, yr Eidal, yr Almaen, ac America eu sefydliadau cerddorol eu hunain – ond nid oedd dim tebyg yng Nghymru. Cyhoeddodd Parry ei fwriad i ddefnyddio'i arian ei hun i sicrhau llwyddiant ei fenter ac, wythnos yn ddiweddarach, ar 17 Hydref 1879, agorwyd drws The

Aberystwyth School of Music – un o blith sawl enw amrywiol. Cafwyd cyfarfod arbennig yn yr Assembly Rooms ac anerchiad arall ganddo, y tro hwn ar destun astudio cerddoriaeth. Cafwyd areithiau o gefnogaeth gan gyn-ddisgyblion iddo hefyd, a rhaglen faith o eitemau cerddorol a gynhwysai ddeuawd ffidl a phiano gan Joseph Haydn Parry a Miss Szlumper ac eitemau o'r opera *Blodwen*.

O fewn blwyddyn hysbysebodd yn y wasg fod ei goleg cerdd yn cynnig y canlynol: meithrin y llais a chanu; piano; harmoniwm (i baratoi disgyblion ar gyfer y capel ac ati); harmoni; gwrthbwynt a ffiwg; cerddorfaeth; ffurf a chyfansoddi; 'Educational wants' amrywiol; a pharatoi'r disgybl ar gyfer graddau cerddorol. Roedd y cyrsiau'n debyg i'r rhai a gâi eu cynnig yn ei hen swydd, ond bod rhai o'r cyrsiau ar gael fel gwersi drwy'r post hefyd – syniad arloesol arall. Byddai tri thymor y flwyddyn, fel yn y Brifysgol, a phedair gwers yr wythnos ym mhob cwrs am gost o chwe gini y tymor neu ddeunaw gini y flwyddyn. Hefyd, fel yn yr hen Adran Gerdd, byddai cyngerdd myfyrwyr ar ddiwedd pob tymor a chyngerdd diwedd y tymor cyntaf i'w gynnal ar 16 Rhagfyr 1879. Symudodd nifer o fyfyrwyr yr hen Adran gyda'u hathro i'w goleg newydd, arwydd arall o'i apêl bersonol, a chyfrannodd nifer ohonynt at y cyngerdd, er enghraifft David Davis a T. Cynffig Evans. Daeth y noson i ben gyda chôr y myfyrwyr yn canu diweddglo *Blodwen* 'Moliannwn'.

Yn sgil sefydlu'i goleg ei hun, mae'n ddiddorol sylwi i Joseph Parry grwydro llai a chanolbwyntio mwy o'i egni ar gynnal ei sefydliad – sef yr union sefyllfa roedd Cyngor y Coleg ei heisiau drwy osod gwaharddiadau arno yn y lle cyntaf! Ffactor arall oedd arian; gan mai ei gyllid ei hun fyddai'n sicrhau llwyddiant neu fethiant ei freuddwyd gwelwyd llai ar Joseph Parry y beirniad, arweinydd ac unawdydd. Eto, ym misoedd cynnar 1880 bu'n rhaid i Joseph Parry deithio'n aml rhwng Aberystwyth a Llundain ar gyfer ymarferion côr Cymry'r ddinas o *Emmanuel* oedd i'w berfformio yn St James' Hall ar 12 Mai. Detholiad o'r oratorio a ganwyd oherwydd problemau ynghylch hyd y gwaith. Llongyfarchwyd y cyfansoddwr am fentro cyflwyno gwaith mor fawr, ac roedd nifer o enwogion Llundain, yn gerddorion a gwleidyddion, yn bresennol: yn eu mysg Signor Garcia (cyn-athro canu Joseph Parry o'r Athrofa), Brinley Richards, John Thomas (Pencerdd Gwalia), David Jenkins, Weist Hill (Prifathro Guildhall School of Music), Dr Henffer (beirniad cerdd *The Times*) ynghyd â phedwar Aelod Seneddol, yn cynnwys Henry Richard, Merthyr Tudful. Cymaint oedd llwyddiant y perfformiad fel y gwahoddwyd ail berfformiad o'r oratorio fis yn ddiweddarach yn y Crystal Palace yn Llundain.

Cyn hynny, roedd taith o berfformiadau o *Emmanuel* yng Nghymru i'w chwblhau, gan ddechrau yn Aberystwyth ar 1 Mehefin. Yn ystod y daith chwe wythnos, y cyfansoddwr oedd yn gyfrifol am hyfforddi'r côr ac arwain pob un o'r deuddeg perfformiad, gan wneud ymdrech arbennig i fod yn bresennol mewn cynifer o'r ymarferion ag a fedrai, o Ffestiniog i Faesteg, a'i orfodi yn sgil hynny i fod yn absennol o'i goleg cerdd yn Aberystwyth yn aml. Nid oedd y perfformiadau hyn ar raddfa mor fawr ag un Llundain, er enghraifft, cyfeiliwyd gyda phiano a harmoniwm, a disgyblion Parry oedd yr unawdwyr a'r côr. Serch hynny, cafodd pob perfformiad dderbyniad gwresog. Ar ganol y daith, dychwelodd Parry i Lundain ar gyfer yr ail berfformiad. Y Crystal Palace oedd lleoliad perfformiad 9 Mehefin, a chafodd cynulleidfa o chwe mil flas arbennig ar yr un côr, unawdwyr ac arweinydd ag a gafwyd bum wythnos ynghynt. Rhan o Ŵyl Ryddfrydol fawr oedd y cyngerdd, gyda detholiad o'r oratorio yn hanner cyntaf y noson, ac Eos Morlais yn arwain amrywiaeth o ganeuon Cymraeg a Saesneg ar ôl yr egwyl. Dychwelodd Parry i Gymru er mwyn cwblhau taith *Emmanuel* yno: Ton-du (14 Mehefin), Cwmafan (15 Mehefin), Maesteg (16–17 Mehefin) a Ffestiniog (21–23 Mehefin). Y tri pherfformiad olaf oedd y rhai arbennig oherwydd daethpwyd i'w hystyried fel math o gyngherddau ffarwél i Joseph Parry – o fewn wythnos fe fyddai'n ymadael â Chymru am America.

Gadawodd y cerddor gyda'i deulu a David Davis, y tenor o Cincinnati a fu'n ddisgybl iddo yn Aberystwyth er 1878, ar y *City of Berlin* tua diwedd Mehefin. Dyma ei seithfed daith ar draws yr Iwerydd, a chyrhaeddwyd porthladd Efrog Newydd ar 10 Gorffennaf. Cynhaliwyd cyfarfod croeso iddo ef a'i deulu yn Danville, lle y bu Gomer Thomas, brawd yng nghyfraith Parry, yn hysbysebu yn y wasg Gymreig yn America fod Parry ar gael i dderbyn ymrwymiadau cerddorol amrywiol yn ystod ei ymweliad â thaleithiau New York, Pennsylvania, Ohio a Wisconsin, gan ofyn $100 am bob cyngerdd a/neu ddarlith, er y byddai llawer o'r arian yn mynd ar dreuliau wrth deithio ehangder y wlad. Yn ystod yr wythnosau dilynol, cynhaliwyd bron i ddeugain achlysur cerddorol yn nifer o'r lleoedd yr oedd Joseph Parry wedi ymweld â hwy yn ystod ei daith gerddorol yn 1871–2. Perfformiwyd amrywiaeth o eitemau ganddo ef, ei nith Lizzie Parry James, ei fab Haydn, a'i gyn-ddisgybl David Davis. Yn Newburgh, Ohio, ar 25 Medi, cyfrannodd y pedwarawd at berfformiad côr lleol o *Blodwen*, a thrannoeth arweiniodd Parry gymanfa ganu yng nghapel yr Annibynwyr. Dychwelwyd i'r dref ar gyfer ail gyngerdd ar 6 Hydref, ond *heb* Joseph Parry oherwydd fe'i trawyd yn wael yn Cincinnati ar ddechrau'r mis a'i gaethiwo yno i'r gwely. Collodd weddill y daith gerddorol, yn cynnwys cyngerdd yn Athrofa'i frawd Henry Parry yn Philadelphia.

O ystyried ffordd Joseph Parry o fyw a gweithio, roedd colli iechyd bron yn anorfod. Ers cyrraedd Aberystwyth yn 1874, bu ganddo broblemau gweinyddol a phersonol, ymrwymiadau cerddorol i ffwrdd o gartref, teithiau cyngherddol, problemau ariannol, cynnal teulu a chychwyn coleg newydd. Dioddefai o gerrig y bustl, ac wedi perfformiadau o *Emmanuel* a'r cyngherddau yn America, y salwch yn Cincinnati oedd y penllanw.

Ar ôl i'r cerddor fwrw'i flinder, gadawodd ef a'i deulu yr Unol Daleithiau ar 9 Hydref, gan groesi'r Iwerydd ar fwrdd y *City of Richmond*, a chyrraedd porthladd Lerpwl tua chanol y mis. Ond yn ôl yn Aberystwyth, roedd sawl hoelen derfynol i'w gosod yn arch y berthynas rhwng y cyn-Athro a'r Coleg. Ni chynhwyswyd cerddoriaeth bellach ar restr cyrsiau dechrau'r flwyddyn academaidd newydd ym mis Hydref 1880, ac ymddiswyddodd Joseph Parry yn ffurfiol o swydd y Gadair Gerdd, gan dorri'i berthynas â'r Coleg yn bendant a di-droi yn ôl. Yn ei hunangofiant, mynegodd ei siom â'r Cyngor 'for discontinuing its duties to the nation's most prominent gifts namely, music, since this subject was of no financial burden to them' (t. 38).

Yn sgil hyn, nid oedd coleg Parry mewn sefyllfa iachus ychwaith. Er profi dechreuad hyderus yn Hydref 1879, roedd 1881 yn agosáu a'r dyfodol yn ansicr. Bu 1880 yn flwyddyn brysur iddo ond roedd pris i'w dalu am boblogrwydd, sef absenoldeb o'i waith academaidd. Nid oedd capten wrth y llyw, ac nid oedd eilydd a allai lywio'r llong yn llwyddiannus yn ei absenoldeb. Yn wyneb yr anawsterau penderfynodd roi'r ffidl yn y to, codi gwreiddiau'n llwyr, ac anelu am dref Abertawe – lle cafodd alwad i ailgydio yn ei yrfa gerddorol. Ond cyn ffarwelio ag Aberystwyth, cafodd *Blodwen* ei pherfformio ym mis Mawrth 1881 mewn cyngerdd ffarwél iddo. Cynhaliwyd yr achlysur yn y Neuadd Ddirwestol – lleoliad perfformiad cyhoeddus cyntaf yr opera ynghyd â chyfres o gyngherddau colegol yn y gorffennol. Daeth 'tref a gwlad yn eu miloedd iddo. Yr oedd torf yn disgwyl i'r drysau agor, trowyd cannoedd i ffwrdd am nad oedd yno le iddynt; a chynhaliwyd cyngerdd arall i'r rheiny yn ddiweddarach' (*Cofiant Joseph Parry*, t. 106).

Y werin felly roddodd y deyrnged ffarwél fwyaf diffuant i'w Pencerdd yn Aberystwyth. I bobl y dref a'r cyffiniau bu'n anrhydedd a phrofiad cyffrous i gael Joseph Parry yn eu plith am saith mlynedd, ac roedd bwlch na ellid mo'i lenwi ar ei ôl.

6

Abertawe

Tua diwedd Mawrth 1881, symudodd Joseph Parry o Aberystwyth i Abertawe. Yn ôl ei hunangofiant, y gŵr a fu'n gyfrifol am ei 'ddenu' o Aberystwyth oedd Dr Thomas Rees, gweinidog Ebenezer, capel Annibynwyr y dref, a chryn arbenigwr ar hanes Ymneilltuaeth ac Annibyniaeth Cymru. Roedd yn bregethwr mawr, yn emynydd, ac yn awdur nifer o lyfrau. Derbyniodd y cerddor y gwahoddiad heb ymdroi, ac erbyn y Pasg 1881, ef oedd organydd swyddogol capel Ebenezer am gydnabyddiaeth o £60 y flwyddyn. Ni fu'n derbyn incwm sefydlog ers gadael Coleg Aberystwyth ryw ddwy flynedd ynghynt – ac yn Abertawe hefyd ceisiodd Joseph Parry wneud yn iawn am ei golled drwy gynnig ei wasanaethau cerddorol amrywiol i'r genedl. Parhaodd hefyd â'i freuddwyd o sefydlu coleg cerddorol Cymreig – ei drydedd ymgais i wneud hynny. Ar 22 Ebrill 1881, cynhaliwyd cyfarfod cyhoeddus yn yr Agricultural Hall yn Abertawe, gyda'r bwriad o roi cyhoeddusrwydd i'w gynlluniau. Derbyniodd nifer o swyddogion y dref wahoddiad i fynychu'r cyfarfod, ac yno hefyd roedd Prifathro Coleg Aberystwyth, Thomas Charles Edwards, a oedd hefyd yn bresennol yng nghyfarfod sefydlu coleg Parry yn Aberystwyth, sy'n cryfhau'r ddamcaniaeth iddo fod yn fwy pleidiol i Joseph Parry na mwyafrif Cyngor y Coleg.

Cyflwynodd Parry araith faith o blaid sefydlu coleg cerddorol Cymreig, gan ailadrodd y dadleuon a roddwyd gerbron cyfarfod tebyg yn Aberystwyth ddwy flynedd cyn hynny. Mynnodd fod angen y fath sefydliad ar Gymru yn yr un modd ag yr oedd angen prifysgol arni; gwelwyd sefydlu honno cyn diwedd y ganrif, felly daethai un o'i freuddwydion yn wir. Wedi gwyntyllu'r anghydfod yn Aberystwyth, aeth yn ei flaen i ddweud bod gwir angen 'athrawon cerddorol galluog', er mwyn addysgu'r werin yn eu broydd eu hunain, ac wrth fanylu ar sut i gyrraedd y nod hwn dywedodd y byddai ei goleg yn cynnig gwersi gyda'r hwyr yn ogystal â thrwy'r post i ddysgu elfennau cerddoriaeth. Bwriedid hefyd gynnal cyngherddau, arholiadau ac ysgoloriaethau, felly agor coleg tebyg i'w un yn Aberystwyth oedd nod Parry.

Sefydlwyd Coleg Cerddorol Cymru, un o'r sawl enw gwahanol ar y sefydliad, yng nghartref y Parry-aid, yn 1 Northampton Terrace, Abertawe. Symudwyd i'r dref hefyd y llyfrgell sylweddol o gyfrolau cerddorol amrywiol a gafwyd yn rhodd gan deulu Powell, Nanteos, ynghyd ag ysgoloriaethau cerddorol Ieuan Gwyllt a Mynyddog. Ychwanegwyd at y rhain Ysgoloriaeth Ambrose Lloyd. Cynigiodd yr ysgoloriaethau flwyddyn o addysg, sef pedair gwers yr wythnos, ynghyd â'r hawl i fynychu holl ddosbarthiadau eraill Dr Parry. Yn ôl Daniel Protheroe, disgybl iddo yn Abertawe, roedd y coleg cerddorol yn cynnig gwedd genedlaethol ar addysg gerddorol yng Nghymru, ac ymateb y genedl oedd cefnogi'r fenter.

Roedd gan Parry gynlluniau y tu hwnt i furiau'i goleg hefyd, gan iddo fynd ati erbyn canol 1881 i sefydlu cymdeithas gorawl yn y dref, o dan yr enw The Swansea Musical Festival Society, gan ddilyn esiampl Evan Davies chwarter canrif ynghynt. Rhwng y côr, y capel a'r coleg, roedd mor brysur ag erioed ac, wrth gwrs, parhâi i fynychu eisteddfodau a chyngherddau ledled y wlad. O 30 Awst hyd 2 Medi, bu yn Eisteddfod Genedlaethol Merthyr Tudful. Yn anffodus, er mai dyma oedd tref enedigol y cerddor, eisteddfod i'w hanghofio fyddai hon iddo. Wrth gyd-feirniadu'r gystadleuaeth cyfansoddi cantawd, ar y testun 'Cantre'r Gwaelod', tynnodd nyth cacwn i'w ben drwy anghydweld â'i gyd-feirniaid Tanymarian a Mr J. Spencer Curwen. Barnai Parry 'Taliesin Ben Beirdd' yn orau a 'Corelli' yn drydydd, sef y gwrthwyneb i farn Curwen a Thanymarian, ond ar ôl cyfarfod yn yr Eisteddfod i drafod y mater, cytunwyd o'r diwedd mai atal y wobr fyddai orau. Yn y cyfamser, roedd 'Corelli', sef W. Jarrett Roberts (Pencerdd Eifion), wedi clywed rywsut am farn wreiddiol Curwen a Thanymarian, ac wedi teithio'n unswydd o Gaernarfon i Ferthyr i dderbyn y wobr. Cyhuddwyd y beirniaid, yn enwedig Joseph Parry, o dwyllo, ac aeth pethau'n sur iawn gydag erthyglau a llythyrau yn ymddangos yn y wasg. Yn y pen draw, gostegodd y storm, ond mae'n amlwg i Parry gael ei ysgwyd gan ffyrnigrwydd y gwrthwynebiad iddo.

Nid arhosodd y diflastod hwn yn hir yn ei feddwl fodd bynnag oherwydd bod digwyddiad cerddorol arall ar y gweill, sef ymweliad tywysog a thywysoges Cymru ag Abertawe ar gyfer agor doc newydd ym mhorthladd y dref. Cyfraniad Joseph Parry i'r achlysur fyddai cyfansoddi dwy anthem, 'Hoff Dywysog Cymru Gu' ac 'Â Chalon Lon', ar eiriau Saesneg Irvonwy Jones a chyfieithiad Cymraeg Dr Thomas Rees. Silas Evans, codwr canu Ebenezer, a benodwyd i arwain yr anthemau, ond bu farw'n sydyn ar 25 Awst yn 43 oed, a gofynnwyd i Joseph Parry gymryd ei le. Ar ddydd yr ymweliad ar 18 Hydref bu'r canu'n llwyddiant ysgubol, gyda chôr o dros 2,000 o leisiau a thair seindorf bres. Er hynny lleisiodd aelodau un gymdeithas gorawl leol eu gwrthwynebiad i'r holl sylw a roddwyd i achlysur mawreddog Joseph

Parry. Newydd-ddyfodiad i'r dref ydoedd, a'i gymdeithas gorawl ond wedi bodoli ers chwe mis, tra oedd corau lleol eraill wedi llafurio ers blynyddoedd. Roedd y 'gystadleuaeth' hon i godi'i phen eto yn ystod arhosiad Parry yn Abertawe.

Ar 21 Rhagfyr roedd y cerddor yn Lerpwl, fel arweinydd ac unawdydd cyngerdd capel yr Annibynwyr, Park Road. Bu cysylltiad hapus rhyngddo a Chymry'r ddinas fyth ers iddo fod ar ymweliadau yno yn ystod ei gyfnod fel myfyriwr. Yn ystod y Nadolig hwnnw, ymddangosodd mewn sawl cyngerdd a'r elw'n mynd at ysgoloriaethau ei goleg yn Abertawe; yn Llanwrtyd a Llandrindod llwyddwyd i godi tair gini ar ddeg ar gyfer Ysgoloriaeth Mynyddog.

Yn Abertawe âi coleg Joseph Parry yn ei flaen er gwaethaf absenoldebau'r prifathro, er iddo erbyn hyn dderbyn llai o alwadau oddi cartref. Cynhaliwyd yr arholiadau cyntaf yn Abertawe ar 21–22 Mehefin, gyda Ben Davies, D. Emlyn Evans a David Jenkins yn arholi drwy gyfrwng profion ymarferol. Rhannwyd y disgyblion yn ôl oedran a/neu offeryn, gyda'r goreuon yn ennill ysgoloriaeth: piano, y dosbarth ieuengaf: Nita Rees (Abertawe) – bathodyn, Miss Cotton (Abertawe) – gwobr; piano, darllen ar yr pryd: Flory Jones (11 oed); canu, y dosbarth hŷn: Miss Thomas (Llanelli) – bathodyn; organ: cymeradwywyd Miss Foster (Tredegar), Miss Morris (Maesteg), Miss Jones (Abertawe), Mr Evans (Tair Croesffordd) a Mr Davies (Clydach); piano: Miss Field (Abertawe); ysgoloriaeth piano: Miss Howells (Mymbls); ysgoloriaeth leisiol: Miss Annie James (Llanelli); ysgoloriaeth gyfansoddi: atal y wobr. Cyflwynwyd y gwobrau mewn seremoni oedd yn rhan o gyngerdd a gynhaliwyd gan y myfyrwyr yn yr Albert Hall, Abertawe, drannoeth yr arholiadau.

Yn ystod gwyliau haf y coleg ym mis Gorffennaf, ymwelodd Joseph Parry a'i deulu â'r Almaen. Prin iawn yw'r cyfeiriadau at ymweliadau'r cerddor ag Ewrop, er ei fod yn honni yn ei hunangofiant iddo deithio mor bell â'r Swistir. Cyfansoddodd nifer o emyndonau yn ystod y daith. Dychwelodd i Gymru, gan fynychu Eisteddfod Genedlaethol Dinbych ar 22–24 Awst. Yno, yn ogystal â'r beirniadu a pherfformio arferol, y gofynnwyd iddo ddarlithio ac anerchodd gyfarfod o Gymdeithas y Cymmrodorion ar 'Addysg Gerddorol yng Nghymru'. John Thomas (Pencerdd Gwalia) oedd yn y gadair a phwysleisiodd Joseph Parry yr angen am addysg gerddorol golegol gan gyfeirio at rodd teulu Nanteos o lyfrgell gerddorol, yr angen am arweinyddion da, a diffygion y genedl o safbwynt cerddoriaeth offerynnol. Galwodd hefyd am ffurfio 'Cymdeithas Gerddorol Gymreig' (methiant hyd yn hyn fu ymdrech Parry ac eraill i wneud hynny), am fywgraffiad manwl o hen gerddorion Cymru, am gynnal arholiadau cerddorol yn lleol, ac, unwaith eto, am sefydlu Gŵyl Gerddorol Genedlaethol yng Nghymru. Eiliwyd yr araith gan David Jenkins.

Yna, ym Medi, dechreuodd Coleg Cerddorol Cymru ar flwyddyn academaidd newydd. Roedd cant o ddisgyblion ar y gofrestr a'r rhain yn derbyn hyfforddiant gan naill ai Parry ei hun neu'i gynorthwy-ydd Joseph Haydn, y mab hynaf. Am ffi o rhwng £1.10*s.* a £6.6*s.* y tymor, cynigiwyd pedair gwers yr wythnos mewn meysydd cerddorol amrywiol, ynghyd â'r cyfle i ymgeisio am dair ysgoloriaeth, medalau a gwobrau amrywiol. Er gwaethaf brwdfrydedd cyffredinol, a nifer sylweddol o efrydwyr, roedd un agwedd ar gynnal y Coleg yn boen beunyddiol i'r Prifathro, sef prinder arian. Ond ni adawodd Parry i hynny amharu ar ei gynlluniau cerddorol, ac ni fu trai ar ei egni creadigol.

Y flwyddyn 1883 a welodd berfformio ail opera Joseph Parry. Rhyfel Cartref America yw testun *Virginia* ac, yn wahanol i *Blodwen,* opera mewn tair act fer ydyw; mae iddi naws 'Light Military Operetta', ac o'r herwydd mae'n ysgafnach a doniolach na'i rhagflaenydd. Gwahaniaeth arall yw bod y geiriau yn Saesneg yn unig. Ganwyd eu hawdur, yr Uwchgapten Evan Rowland, yn Nhregaron, ond ymfudodd ei deulu i Wisconsin pan oedd yn blentyn. Ef oedd conswl yr Unol Daleithiau yng Nghaerdydd a lluniodd eiriau ar gyfer Parry ar sawl achlysur. Perfformiwyd y gwaith yn y Theatre Royal yn Abertawe ar 19 Gorffennaf 1883, a hynny oddi ar gopïau *llawysgrif;* ni fentrodd y cyfansoddwr gyhoeddi'r un opera arall ar ôl colledion *Blodwen.* Dyma'r unig berfformiad o'r opera newydd ac o'i chymharu â *Blodwen,* methiant ydoedd, yn enwedig o safbwynt iaith a thestun. Nid oedd yn Gymraeg nac yn Gymreig, ac ni olygai hanes America yr un peth i'r werin yng Nghymru ag y gwnâi i Joseph Parry.

Erbyn Medi 1883 roedd Joseph Parry wedi llwyddo i sicrhau nawdd ariannol i'w goleg, a rhestr y cefnogwyr ariannol yn cynnwys Henry Hussey Vivian AS, Arglwydd Aberdâr a J. T. D. Llewelyn. Erbyn hynny, cynigiai'r coleg amrywiaeth o gyrsiau: hyfforddiant lleisiol, harmoni, gwrthbwynt, offeryniaeth, piano, ffidl, organ, elfennau cerddoriaeth, a chanu ar yr pryd. Ceir yr argraff felly bod coleg Joseph Parry yn cynyddu a llwyddo, ond yn ystod haf 1883 ymgeisiodd y cerddor am swydd newydd, sef darlithydd cerddoriaeth yng Ngholeg Deheudir Cymru a Sir Fynwy yng Nghaerdydd.

Unarddeg a ymgeisiodd am y swydd, yn cynnwys Joseph Parry a David Jenkins. Yn y pen draw, penodwyd Mr Clement Templeton BA, ysgrifennydd Ysgol Gerddorol Harrow ger Llundain. Cythruddwyd y wasg Gymreig gan y penodiad, nid yn unig am mai Sais ydoedd, ond am nad oedd ganddo gymwysterau cerddorol arbennig. Yn wir, galwyd ef gan *Cerddor y Cymry* Hydref 1883, yn 'amateur cerddorol', a methwyd â deall sut na phenodwyd naill ai Joseph Parry neu David Jenkins. Ynghyd â chais Parry roedd dros ddeugain llythyr o gefnogaeth iddo gan bobl enwog a dylanwadol megis athrawon o'r Athrofa yn Llundain, John

Stainer (organydd Eglwys St Paul), John Thomas (Pencerdd Gwalia), Prifathro a chyn-Athrawon Coleg Aberystwyth, gweinidogion, maer Abertawe, cerddorion Cymru, Aelodau Seneddol, Arglwyddes Llanofer ac Ardalydd Bute. Bu'r ddau olaf hyn yn noddi cyngherddau Joseph Parry yn Abertawe a Chaerdydd, ac yn Hydref 1883 hwy oedd y tu cefn i gystadleuaeth ar gyfer telynorion y delyn deires. Cymaint oedd llwyddiant yr achlysur, fel yr aethpwyd ati'n syth i drefnu gŵyl debyg iddi ar gyfer 1885.

Ym mis Rhagfyr 1883, mentrodd Joseph Parry i faes newydd arall, sef cyhoeddi *llyfrau* yn Gymraeg ar ddysgu cerddoriaeth. Mewn erthygl ar 'Addysg Gerddorol', cyfeiriodd ei sylwadau'n arbennig at ieuenctid Cymru, gan resynu at y diffyg adnoddau cerddorol oedd ar eu cyfer. Cyhoeddodd ei fwriad 'i wneud fy rhan er cyfarfod ag anghenion addysgol fy ngwlad, nid yn unig fel athro, ond drwy baratoi cyfres o lyfrau addysgol *yn Gymraeg*' (*Cerddor y Cymry,* Rhagfyr 1883, tt. 78–9). Bwriad Parry oedd llenwi'r bwlch ym meysydd canu, harmoni, gwrthbwynt, ffiwg, y gerddorfa, ffurf ac ati. Soniodd fod digon o lyfrau Saesneg, a bod y Cymry'n haeddu cystal os nad gwell adnoddau addysgol.

Erbyn diwedd 1883, roedd Parry wedi dod i'r casgliad nad oedd ei goleg yn cyflawni'i ddyletswydd fel sefydliad gwir 'genedlaethol' Gymreig. Roedd yn llwyddo yng nghylch Abertawe a'r cyffiniau, os nad yn ne Cymru'n gyffredinol, ond prin iawn oedd y disgyblion o'r gogledd. Felly cylchlythyrodd y cerddor ei gyfeillion a'i gefnogwyr i fynegi ei deimladau, a'i ddymuniad i osod Coleg Cerddorol Cymru ar dir ehangach, a bod at wasanaeth y genedl gyfan. Cynhaliwyd cyfarfod o gefnogwyr y coleg yn y Guild Hall yn Abertawe ychydig cyn y Nadolig 1883, a galwodd Joseph Parry am sefydlu bwrdd llywodraethol. Teimlai'r cerddor fod datblygiadau mawr ar y gweill, ac os oedd ei freuddwyd o sefydliad cerddorol *cenedlaethol* i'w wireddu, byddai angen bwrdd o'r fath i'w reoli'n llwyddiannus. Ym Medi 1884 cyhoeddwyd mai Hussey Vivian fyddai 'Llywydd' a J. T. D. Llewelyn fyddai 'Is-lywydd' y coleg.

Treuliwyd y rhan fwyaf o chwarter cyntaf 1884 yn ymarfer *Emmanuel* ar gyfer perfformiad yn Abertawe ar 6 Mawrth. Roedd Parry yn arwain, Haydn Parry wrth yr organ, ac roedd cerddorfa ac unawdwyr lleol. Ar y noson, er mai'r cyfansoddwr ei hun oedd wrth y llyw, gwan ac ansicr oedd y perfformiad ar brydiau o safbwynt safon a chydsymud. Roedd hyd y cyngerdd, sef tair awr, hefyd yn destun cwyno. Nid cwbl annisgwyl mo'r diffygion lleisiol oherwydd ers i Parry ddod i Abertawe a sefydlu'i gymdeithas gorawl ei hun, bu mewn cystadleuaeth uniongyrchol â sefydliadau corawl eraill megis cymdeithas gorawl Eos Morlais.

Digwyddiad cerddorol i'w anghofio oedd y perfformiad diweddaraf o *Emmanuel,* ond roedd achlysur tipyn pwysicach ar y gweill, sef perfformiad o *Nebuchadnezzar* Parry yn Eisteddfod Genedlaethol Lerpwl ym Medi 1884. Comisiwn gan yr Eisteddfod, y cyntaf o bedwar gan y Brifwyl dros y pymtheng mlynedd nesaf, oedd y gantawd, a byddai Eisteddfod Lerpwl yn gyfle iddo ailosod ei stamp ar gerddoriaeth Cymru, gan y bu peth trai ar ei boblogrwydd cerddorol ers iddo adael Aberystwyth.

Cynhaliwyd perfformiad cyntaf *Nebuchadnezzar* ar 18 Medi gyda'r cyfansoddwr yn arwain o flaen torf frwd o ddeng mil. Yn ôl sawl adroddiad, nid oedd y perfformiad o'r safon orau ond plesiwyd beirniaid cerdd Lerpwl a Llundain. Serch hynny, er gwaethaf safon uchel a natur soffistigedig y gerddoriaeth, ni fu'r gantawd erioed yn waith poblogaidd yng Nghymru ac yn ôl Ap Mona (O. Gaianydd Williams) un rheswm am hyn oedd 'nad oedd Joseph Parry wedi ei bwriadu i'w genedl ei hun, gan nad yw wedi rhoi iddi eiriau Cymraeg' (*Cerddor y Cymry,* Awst 1887 tt. 41–3). O safbwynt y gerddoriaeth, mae'n waith cymhleth o ran cynllun, ac er y ceir yr unawdau, deuawdau a chytganau traddodiadol, rhed un rhan o'r gwaith yn rhwydd i'r nesaf, gyda chryn dipyn o waith dysgu i'r unawdwyr a'r côr.

Eisteddfod Genedlaethol Lerpwl 1884 oedd un o binaclau cerddorol cyfnod Joseph Parry yn Abertawe. Dychwelodd i Lerpwl adeg y Nadolig ar gyfer beirniadu yn eisteddfod Cymry'r ddinas yn Hope Hall; yna dychwelyd yn syth i Abertawe i baratoi ar gyfer y perfformiad cyntaf o *Nebuchadnezzar* yn y dref ar Ddydd Calan 1885. Bu'r gwaith yn boblogaidd dros y Nadolig, gyda o leiaf bedwar perfformiad yn cael eu cynnal yn ardal Merthyr Tudful yn unig.

Erbyn diwedd 1884, roedd i'r teulu Parry saith aelod. Ganwyd y pumed plentyn, Dilys Joseph Parry, y flwyddyn honno, ac o'r cyfnod hwn y daw un o'r lluniau prin o'r teulu'n gyfan. Prinnach byth yw'r lluniau o Jane a'r plant fel unigolion.

Ar 3 Ionawr 1885, gadawodd Joseph Haydn Parry borthladd Lerpwl ar gyfer taith gyngherddau yn America, gan ymweld â'r cymunedau Cymreig fu'n cefnogi ei dad yn y gorffennol. Tra oedd ei fab dramor, gorfu i Joseph Parry gynnal breichiau'r coleg yn Abertawe heb gymorth ei 'ddirprwy'; roedd dosbarthiadau i'w dysgu, gwersi i'w trefnu, disgyblion i'w hyfforddi, cyngherddau i'w paratoi ac arholiadau i'w cynnal. Ym mis Mawrth, cyhoeddwyd y cynhelid arholiadau diwedd tymor ar 29 Ebrill yn y Guild Hall, Abertawe, gyda Dr Roland Rogers, Bangor, yn asesu. Hefyd, cyhoeddwyd manylion yr ysgoloriaethau diweddaraf: lleisiol 'Penllergaer', £20 y flwyddyn am dair blynedd; offerynnol/arddangosfa 'Cyfaill', £20 am un flwyddyn; offerynnol 'Stephen Evans', £5 y flwyddyn am ddwy flynedd; gwobr elfennau 'Cyfaill', £5 y flwyddyn am ddwy flynedd; gwobr elfennau 'Cyfaill', £2 y flwyddyn am ddwy flynedd; ynghyd â gwobrau a medalau lleisiol ac offerynnol amrywiol. Sylw treiddgar *Baner ac Amserau Cymru* ar yr uchod oedd canmol Dr Parry am iddo roi'r cyfle i'r 'prif dalentau, lliaws o ba rai nas gallent byth obeithio derbyn manteision uwch colegau cerddorol y brifddinas [sef Llundain]' (25 Mawrth 1885, t. 10).

Rhywsut, er gwaethaf prysurdeb arferol ei fywyd, heb sôn am absenoldeb ei brif gynorthwy-ydd, daeth Joseph Parry o hyd i amser i drefnu ac arwain dau berfformiad llawn o *Blodwen* yn yr Albert Hall, Abertawe adeg y Pasg, gyda gwisgoedd a chyfeiliant *cerddorfa* – rhywbeth prin. Er gwaethaf nifer uchel y perfformiadau a fu ar yr opera er 1878 roedd un a gynhwysai wisgoedd, actio a chyfeiliant cerddorfa yn anarferol iawn a chafwyd dwy noson lwyddiannus yn ôl yr adroddiadau.

Fis yn ddiweddarach, ysgytwyd pobl Abertawe gan y newydd am farwolaeth Dr Thomas Rees, gweinidog Ebenezer a chyfaill a chefnogwr mawr Joseph Parry. Bu farw ar 5 Mai 1885 yn 70 oed, a chynhaliwyd gwasanaeth angladdol cyhoeddus dridiau yn ddiweddarach yn y capel y bu'n ei wasanaethu ers yn agos i chwarter canrif. Roedd Ebenezer dan ei sang (daliai dros 500), a Joseph Parry yn arwain y canu o'r organ. Yn ystod y gwasanaeth, perfformiwyd ei *Requiem Gynulleidfaol* a gyfansoddwyd yn wreiddiol i goffáu Ieuan Gwyllt. Bu'r berthynas rhwng y cerddor a'r gweinidog yn un agos, ac yn ôl hunangofiant Joseph Parry, ei weinidog fu'n bennaf cyfrifol am ei gymell i ddechrau *Llyfr Tonau Cenedlaethol Cymru*. Lluniodd hefyd eiriau ar gyfer llawer o emynau a darnau lleisiol Parry.

Ddeuddydd wedi angladd Dr Rees bu farw Tanymarian, sef y Parchedig Edward Stephen: cerddor brwdfrydig, cyfansoddwr *Ystorm Tiberias*, yr oratorio Gymraeg gyntaf, ac un o gymwynaswyr mawr y genedl. Teithiodd Dr Parry i Dal-y-bont ger Llanllechid ar gyfer yr angladd, ei ail o fewn wythnos, gan arwain y canu gydag Eos Morlais. Cymharol dawel fu hi arno weddill yr haf, gydag ond ambell alwad gerddorol megis arwain ac annerch cymanfa ganu Dosbarth Annibynwyr Abertawe. Dychwelodd Haydn o'r Unol Daleithiau ym mis Mehefin ar ôl taith gerddorol lwyddiannus. Bu'n ystyried ei ddyfodol gan benderfynu symud i Lundain i fyw a gweithio fel cyfansoddwr a cherddor ar ei liwt ei hun; dyma ergyd i goleg ei dad a cholled i'r teulu'n gyffredinol.

Colled Abertawe oedd gwobr Llundain. Blwyddyn dawel fu 1886 yn hanes Joseph Parry a'i goleg ond, i Joseph Haydn Parry, roedd yn gyfnod o lwyddiannau personol a cherddorol. Ym mis Mawrth, bu'n arwain mewn cyngerdd yn y Polytechnic yn Llundain, a chafodd ei benodi'n gynorthwy-ydd ac yna'n olynydd i Mr Faning, athro piano Ysgol Harrow. Ymgeisiodd 250 am y swydd – yn cynnwys yn eu plith rai a feddai ar raddau MA, BA, Mus. Bac., a hyd yn oed athro o'r Athrofa yn Llundain. Yna yn Nhachwedd, cafodd ei benodi'n organydd eglwys Harrow, ac yn gyfeilydd côr John Stainer, organydd Eglwys St Paul yn

Rhes gefn o'r chwith i'r dde: Joseph Haydn Parry, Daniel Mendelssohn Parry, William Sterndale Parry.
Rhes flaen o'r chwith i'r dde: Annie Edna Parry, Joseph Parry, Dilys Joseph Parry, Jane Parry (née Thomas)

Llundain. Daeth Joseph Parry ei hun i Lundain ar ddechrau Ebrill 1886 i gynnal darlith-gyngerdd i Gymdeithas y Cymmrodorion. Stephen Evans, un o Gymry'r ddinas a fu'n gefnogol iddo yn Abertawe, oedd yn y gadair a thestun Parry oedd 'The Musical Composer and the Development of his Art'. Ychwanegwyd enghreifftiau cerddorol gan Haydn Parry ac eraill.

Ar 11 Mehefin 1886, bu farw mam Joseph Parry yn 81 oed ac mae'n rhyfedd nad yw'r mab unwaith eto'n cyfeirio o gwbl yn ei hunangofiant at y profiad o golli rhiant. Treuliodd Elizabeth Parry ei blynyddoedd olaf gyda'i merch, Elizabeth Lewis, yn Ligonia Village, Cape Elizabeth (South Portland heddiw) yn nhalaith Maine a bu'n gaeth i'w gwely am ddeunaw mis olaf ei bywyd. O'i thylwyth yng Nghymru, ei hŵyr Haydn Parry oedd yr olaf i'w gweld, a hynny ym Mehefin 1885 yn ystod ei daith gyngherddau. Yn yr Unol Daleithiau, yn ogystal â'i merch ym Maine, roedd ei merch, Jane, yn byw yn Kingston, Pennsylvania, a'i mab Henry wedi ymgartrefu yn McKeesport yn yr un dalaith. Er na chrybwyllir y golledigaeth gan Joseph, gwyddys iddo gyfansoddi'r emyn-dôn 'Maine' er cof am ei fam.

Ymwelodd Jane Parry ag America ar ddiwedd y flwyddyn, gan gyrraedd porthladd Efrog Newydd ar 5 Rhagfyr, a gadael tua Medi 1887. Dyma oedd ei hymweliad cyntaf heb Joseph, a threuliai ei hamser yn ymweld â pherthnasau a chyfeillion. Ychydig o deithio a wnaeth yntau yn 1886 ac enghraifft brin oedd ei arhosiad yng Nghaerwys o 31 Awst hyd 2 Medi ar gyfer yr 'Eisteddfod Gymreig' yn Neuadd y Dref. Beirniadodd gystadleuaeth, arwain côr, a chanu unawd 'Y Marchog', rhywbeth a wnâi yn llai aml erbyn hyn. Cyfansoddiad diweddar oedd yr unawd, o bosibl yn arbennig ar gyfer Eisteddfod Caerwys, gan yr ymddengys mai dyma'r perfformiad cyntaf ohoni. Er i'r 'Marchog' ddod yn boblogaidd, nid dyma Parry ar ei orau; ysbryd y geiriau a'r rhythmau militaraidd a thrawsacennol sy'n ei hachub. Mewn gwirionedd, yr alaw werin 'Ymdeithgan Caerffili' wedi'i haddasu ar gyfer y llais yw 'Arweinwyr Ffyddlon Cymru', alaw yr adran olaf, a chan fod yr alaw wreiddiol yn dda, mae'r 'Marchog' yn cyrraedd uchafbwynt cerddorol effeithiol.

Cymharol dawel fu 1887 hefyd, er iddo barhau i grwydro gan ymweld wrth gwrs â'r Eisteddfod Genedlaethol yn Llundain ar 9–12 Awst, cyn mynd ymlaen i Dyddewi erbyn 17 Awst i feirniadu mewn eisteddfod yno. Gyda'r hwyr, ef oedd un o unawdwyr cyngerdd yr eisteddfod honno ac wrth y piano roedd Madam Clara Novello Davies, mam y cerddor Ivor Novello. Wythnos yn ddiweddarach, roedd Joseph Parry yn beirniadu unwaith eto – y tro hwn ym Mhorthmadog yn Eisteddfod Daleithiol Gwynedd. Ar y cyfan, blwyddyn o fynd a dod yn beirniadu, arwain a chyngherdda fu 1887 iddo heb fawr o sôn am y coleg yn Abertawe, sy'n awgrymu dirywiad yn ei statws ac ansicrwydd am ei ddyfodol. Heb ei fab wrth law, roedd cynnal y coleg yn mynd yn anos, yn enwedig yn sgil ymrwymiadau amrywiol Parry ledled Cymru ac yn Llundain. Mae'n bosibl mai rhesymau ariannol a'i 'gorfododd' i barhau â'r ymrwymiadau hyn, a'i absenoldeb yn gwanhau cynnydd a llwyddiant y coleg. Heb na'r tad na'r mab wrth y llyw, nid oedd gwir ddyfodol i'r sefydliad ac, o fewn naw mis, roedd Coleg Cerddorol Abertawe wedi cau'i ddrysau am byth.

Yn ystod Mawrth 1888, ailadroddwyd sefyllfa a ddigwyddodd bum mlynedd ynghynt, sef bod Cyngor Coleg Prifysgol Caerdydd yn hysbysebu am ddarlithydd mewn cerddoriaeth. Aflwyddiannus fu cais Joseph Parry am y swydd yn 1883, pan benodwyd Clement Templeton. Gadawodd ef y swydd ar ddiwedd blwyddyn academaidd 1886–7, ac yn Hydref yr un flwyddyn penderfynodd y Cyngor beidio â llenwi'r swydd wag, a hynny am resymau ariannol a diwylliannol yn ôl pob tebyg. Ond dygwyd pwysau ar y Cyngor i newid ei feddwl gan Gymry'r Coleg, Cymdeithas yr Cymmrodorion yng Nghaerdydd, ynghyd ag amryw o gyrff Cymreig tebyg ac, yn y pen draw, gorfodwyd y Cyngor i hysbysebu'r swydd. Cefnogwyd cais Parry unwaith eto gan lu o'i gyfeillion mwyaf dylanwadol, yn eu mysg John Stainer, Manuel Garcia, Ben Davies, James Sauvage, Eos Morlais a Chorfforaeth Abertawe. Derbyniwyd deuddeg cais am y swydd ac, ar argymhelliad Senedd y Coleg, galwyd ar Joseph Parry i ymddangos gerbron y Cyngor ar 2 Mai i esbonio'i fwriadau. Bu'n llwyddiannus, ac fe'i penodwyd yn y fan a'r lle ar gyflog o £100 y flwyddyn ynghyd â '2/3 of the fees'.

Nid y penteulu oedd yr unig un i gael llwyddiant gyrfaol yn ystod 1888. Cafodd Joseph Haydn ei benodi'n athro cerddorol yn y Guildhall School of Music yn Llundain, swydd a ganiatâi iddo barhau â'i waith yn Ysgol Harrow, a phenodwyd Daniel Mendelssohn yn athro cerddoriaeth yng ngholeg Llanbryn-mair. Ni fu cymaint o sôn am yr ail fab hwn, a phylodd rywfaint yng nghysgod talentau'i dad a'i frawd hŷn. Un tawelach ei natur ydoedd ac, er ei fod yntau'n gerddorol, nid oedd ganddo'r un ysbryd arloesol a brwdfrydig. Bu'n cynorthwyo'i dad a'i frawd yng ngweinyddiaeth y colegau cerdd yn Aberystwyth ac Abertawe. Colli 'Mendy' o Abertawe oedd yr hoelen olaf yn arch coleg ei dad yn y dref.

Yn lle arafu, dod â phethau yn Abertawe i ben yn raddol, a phwyso a mesur goblygiadau y symud i Gaerdydd, ni fu pall ar weithgareddau cerddorol amrywiol Joseph Parry. Oddeutu'r cyfnod hwn y cyhoeddodd y gyntaf mewn cyfres o lyfrau addysgiadol. Disgrifiwyd 'The Cambrian Series', ganddo fel 'Cyfres o Lyfrau Cerddorol Addysgiadol' ac roedd rhan 1, *Elfennau Cerddoriaeth*, yn dwyn y rhagymadrodd canlynol: 'Hoff gerddorion ieuainc. A ydych yn efrydu y gelfyddyd nefolaidd o gerddoriaeth?' Elfennau cerddoriaeth fyddai cynnwys naw llyfr y gyfres – deunydd y bu'r cerddor yn ei baratoi a'i ddefnyddio ers blynyddoedd yn ôl yr adroddiadau. Nodwedd arall oedd mai cyfres yn *Gymraeg* ydoedd, er mai Saesneg a ddefnyddiwyd ar gyfer mwyafrif y termau.

Wrth i gyfnod Joseph Parry yn Abertawe ddod i ben, ac wrth bwyso a mesur llwyddiant neu fethiant Coleg Cerddorol Cymru, dylid ystyried i ba raddau roedd y sefydliad, fel ei ragflaenydd yn Aberystwyth, yn wir goleg *cenedlaethol*. Ni lwyddodd coleg Aberystwyth i gyrraedd y nod, a methodd coleg Abertawe hefyd. Os rhywbeth roedd coleg Abertawe, efallai oherwydd ei safle daearyddol, yn llai cenedlaethol ei apêl. O edrych ar y rhestr o enwau myfyrwyr Abertawe sydd wedi goroesi, rhestr o tua deugain, gwelir mai o'r dref a'r cyffiniau y daeth y mwyafrif helaeth: Llanelli, Tredegar, Maesteg, Clydach, Mymbls, Llangennech, Pembre – gydag ambell eithriad yn unig wedi mentro o bell megis Mr D. Manllwyd Jones, Llanberis. Ymysg yr enwau hefyd ceir nifer sylweddol o blant o dan bymtheg oed oedd yn byw yn lleol, a phrin yw'r 'enwogion' cerddorol. Datblygodd nifer sylweddol o'r praidd yn Aberystwyth i fod yn gerddorion cenedlaethol, ond o Abertawe dim ond Daniel Protheroe a David Vaughan Thomas a gyrhaeddodd yr un lefel o enwogrwydd.

Wrth ffarwelio ag Abertawe, teimladau cymysg oedd gan Joseph Parry mae'n sicr: cafodd lai o anawsterau personol nag a gafodd yn Aberystwyth, ond eto, ni sicrhaodd lwyddiant pendant i'w goleg na'i gynlluniau uchelgeisiol ym myd cyhoeddi cerddoriaeth a llyfrau. Fel cyfansoddwr, fodd bynnag, dyma a ddywedodd yn ei hunangofiant (t. 38): 'I here [Abertawe] write some of my best compositions'. Yn sicr, mae cerddoriaeth cyfnod Abertawe yn fwy aeddfed a gwreiddiol na'r cyfnodau cynt, ac roedd yn argoeli bod gwell i ddod. Felly, wrth i Joseph Parry ymadael ag Abertawe am Gaerdydd, roedd cyfnod newydd arall yn ei wynebu, a disgwyliadau ei genedl ohono mor uchel ag erioed. Ac nid llai oedd ei obaith yntau y câi wireddu'i freuddwydion personol a cherddorol.

7
Caerdydd

Ym Mhenarth yr ymgartrefodd Joseph Parry gan ddefnyddio'r trên i deithio i'r coleg yng Nghaerdydd. Cysylltir yr enw 'Cartref' yn aml â'r cyfeiriad yn 23 Plymouth Road, ond nid oedd hyn yn hollol gywir. 'Haythorn' yw'r enw ar y tŷ heddiw, ac mae'n dra thebyg mai dyma fu ei enw o'r cychwyn cyntaf, er mai 'Cartref' a ddefnyddiai Joseph Parry ar gyfer pob tŷ y bu'n byw ynddo ym Mhenarth. 'Cartref' hefyd a welir wrth enw'i fab Mendelssohn fel cyfeiriad busnes cyhoeddi cerddoriaeth ei dad o 1888 ymlaen. Parhaodd y ddau i gyhoeddi ar raddfa fechan, ar y cyd ac ar wahân, ond ni fentrodd yr un i fyd costus argraffu opera neu oratorio.

Cychwynnodd Joseph Parry ar ei swydd newydd ar 9 Hydref 1888 ac ar wyneb-ddalen casgliad Parry o alawon gwerin *Cambrian Minstrelsie* a gyhoeddwyd yn 1893, fe'i disgrifir fel 'Professor of Music'. Ond yn wahanol i'w swydd yng Ngholeg Aberystwyth, nid oedd yn Athro Cerdd yng Nghaerdydd; ni ddaeth y Gadair honno i fodolaeth tan 1908 a David Evans a benodwyd iddi. Darlithydd fu'r swydd hon ers sefydlu'r Coleg yn 1883, a dim ond mewn Groeg, Lladin, Saesneg a mathemateg y penodwyd Athrawon. Swydd gymharol ysgafn oedd gan Joseph Parry; treuliai ryw bum awr yr wythnos yn darlithio i ddyrnaid o ddisgyblion. Yn ystod y dydd darlithiai ar ffurf, hanes, gwrthbwynt a cherddorfaeth ac, yn yr hwyr, cynhaliai ddosbarthiadau rhan-ganu, elfennau a chanu ar yr pryd i Gymdeithas Philharmonig y Coleg a Chymdeithas Gerdd y myfyrwyr. Dyma fu sylfaen yr addysg gerddorol a gynigiai Joseph Parry fwy neu lai drwy gydol ei arhosiad yn y swydd, a mynegodd yn ei hunangofiant (t. 40): 'Here I find a still larger sphere of usefulness'. Erbyn troad y ganrif, aeth y cyrsiau'n fwy soffistigedig a'r pynciau dan sylw'n cynnwys seinyddiaeth, a cherddoriaeth y Dwyrain. Gallai dilyn y cwrs arwain at radd Mus. Bac. y Coleg. Roedd rhaid talu am fynychu gwersi, gyda'r ffi yn amrywio o bymtheg swllt i un gini y sesiwn.

Ym mis Rhagfyr 1888, derbyniodd Joseph Parry wahoddiad i fod yn organydd capel Ebenezer yn Charles Street, Caerdydd, am gydnabyddiaeth o £40 y flwyddyn. Can punt oedd cyflog Parry fel darlithydd, felly roedd hwn yn ychwanegiad sylweddol at ei gyllid. Nid yw'r ymadrodd 'organydd' yn hollol gywir chwaith, oherwydd nid organ oedd yn y capel ond harmoniwm – cam i lawr i raddau o'r organ bibau y bu'n ei chanu yng nghapel Ebenezer, Abertawe. Rhannai'r gwaith ar y Sul â'i fab Mendelssohn: y tad yn cyfeilio un gwasanaeth a'r mab y llall fel arfer. Yn sgil dyfodiad Parry, gwellodd ansawdd cerddorol yr addoldy, a chôr Ebenezer yn chwyddo oherwydd presenoldeb nifer o ddisgyblion y Coleg ar y Sul. Ar 13 Mawrth 1889 cynhaliwyd cyngerdd i arddangos gweddnewidiad cerddorol y capel.

Dros y Nadolig, bu Parry yn y Bala ac yng Nghoed-poeth, ger Wrecsam. Yno, bu'n annerch y gynulleidfa gan ddweud iddo ddychwelyd o America i Gymru er mwyn addysgu ei gyd-genedl. Rhaid meithrin athrawon yng Nghymru oedd byrdwn ei neges, ac yn lle anfon cerddorion yn syth i Lundain, eu hanfon i leoedd fel Caerdydd yn gyntaf. Dyma enghraifft arall o 'hysbysebu' ei achos, ac er mai cyrraedd Llundain oedd y nod unwaith yn rhagor mae'n ymddangos ei fod yn gwneud safiad digon teg ac onest ynghylch addysg cerddorion Cymru ar y pryd.

Un o ymrwymiadau cyntaf Joseph Parry yn 1889 oedd dychwelyd i Abertawe. Ar 17 Ionawr, cyflwynwyd tysteb iddo yng nghapel Ebenezer fel arwydd o werthfawrogiad am gynnal ochr gerddorol yr eglwys o 1881 hyd 1888. Mynegodd maer Abertawe, a oedd hefyd yn un o ddiaconiaid y capel, i Joseph Parry adael bwlch mawr ar ei ôl – yn enwedig yn yr Ysgol Sul ond ei fod yn falch bod y cerddor erbyn hyn wedi ymsefydlu'n llwyddiannus yng Nghaerdydd. Roedd hyn yn rhannol gywir, oherwydd er bod incwm Parry yng Nghaerdydd yn fwy sefydlog nag a fu yn Abertawe, roedd o hyd yn brin o arian. Yn ogystal â darlithio a chanu'r organ ar y Sul, dechreuodd y cerddor, gyda chymorth ei fab Mendelssohn, roi gwersi preifat yn ei gartref ym Mhenarth yn ogystal ag yn y 'Beethoven Chambers', 2 Newport Road – gyferbyn â Choleg y Brifysgol. Yno, byddai'n cynnal gwersi cerddorol pan nad oedd yn darlithio. Roedd Miss Mabel H. Davies ymysg ei ddisgyblion cyntaf ac mae derbynneb iddi am £3.12*s*. – dyddiedig 6 Tachwedd 1889 – wedi goroesi, sef y tâl am dymor o wersi piano gyda Dr Parry.

Ar 10 Mai 1889, cynhaliodd y Cardiff Orchestral Society ei gyfarfod cyffredinol blynyddol, ac yn dilyn ymddiswyddiad yr arweinydd, Mr S. Fifoot, etholwyd Joseph Parry yn unfrydol yn olynydd iddo. Dyma ddechrau cyfnod newydd yn ei hanes fel arweinydd, ac yn Eisteddfod Porthcawl ar 22 Gorffennaf, arweiniodd y Cardiff Orchestral Society yng nghystadleuaeth perfformio agorawd opera Auber *Masaniello*. Cafodd ef a'i gerddorfa o hanner can aelod dderbyniad gwresog, a'r beirniaid a'r gynulleidfa'n mynnu ail berfformiad o'r darn. Wrth gwrs fe enillwyd y wobr gyntaf o £25 yn rhwydd. Ond eisteddfod bwysicaf y mis, yn enwedig o safbwynt Joseph Parry yr arweinydd, oedd Eisteddfod

Genedlaethol Aberhonddu ar 26–29 Awst 1889. Un o uchafbwyntiau cerddorol ei wythnos yno oedd buddugoliaeth y Cardiff Orchestral Society a'r wobr gyntaf o £20 am berfformio symudiad cyntaf Symffoni 40 Mozart.

Nid oedd y mis dilynol yn un mor hapus i'r cerddor. Penderfynodd roi'r gorau i'w swydd fel organydd a chôr-feistr capel Ebenezer yng Nghaerdydd, yn bennaf oherwydd ei absenoldeb mynych ar y Suliau ar sail ei ymrwymiadau cerddorol eraill, ac fel y mynegodd mewn llythyr dyddiedig 11 Medi 1889 at Mr E. R. Gronow, cyn-aelod o'r eglwys: 'I find my Sunday's work is really too much a strain upon me, and, I also find that I cannot now do what I could 20 years ago.' Serch hynny, parhaodd i fynychu dwy eglwys ym Mhenarth, sef Eglwys Christchurch, Stanwell Road (English Congregational) a chapel Bethel, Plassey Street (Annibynwyr), ac mae tystiolaeth iddo fod yn aelod ac yn organydd achlysurol yn y ddau le.

Treuliwyd mis Hydref yn paratoi'r gerddorfa o dros 80 aelod erbyn hyn, nifer mawr ar gyfer grŵp o offerynwyr yn y Gymru oedd ohoni, ar gyfer cyngerdd agoriadol tymor 1889–90 ar 13 Tachwedd 1889 yn y Park Hall, Caerdydd. Dechreuad cymharol dawel oedd i 1890, gyda bywyd personol a cherddorol Joseph Parry yn mynd yn ei flaen yn weddol rwydd. Aeth ymarferion y Cardiff Orchestral Society â thipyn o'i amser rhydd, gyda chyngerdd pwysig i'w baratoi ar gyfer y Park Hall ar 9 Ebrill 1890. Roedd yn achlysur arbennig oherwydd ymddangosiad Joseph Haydn Parry fel unawdydd piano, gan berfformio ei 'Allegrezza', a gyfansoddwyd y flwyddyn flaenorol. Ymddangosodd y tad a'r mab mewn achlysur cerddorol arall ar 6 Mai, sef cyngerdd mawreddog yn St James's Hall, Llundain. Cerddoriaeth Haydn Parry a gafwyd yn yr hanner cyntaf, a cherddoriaeth ei dad yn yr ail hanner, a'r ddau gyfansoddwr yn arwain eu gweithiau eu hunain. Dechreuwyd y noson â pherfformiad cyntaf o gantawd Haydn Parry *Gwen* i eiriau Mr J. Young Evans, Rhydychen, wedi'i seilio ar chwedl 'Llyn y Fan Fach'. Rhoddwyd derbyniad brwd i'r gwaith, ond nid oedd hynny mor wir am yr ail hanner, sef y perfformiad o gantawd Joseph Parry *Nebuchadnezzar* – efallai am i'r rhannau corawl fod y tu hwnt i allu'r côr o aelodau capeli Cymraeg Llundain. Perfformiwyd *Gwen* am wythnos gyfan rhwng 22 a 30 Medi yn Albert Hall Abertawe, ac ar 22 Hydref yng Nghaerdydd. Haydn Parry ei hun a arweiniodd y perfformiadau hyn.

Yn y cyfamser roedd ei dad yn canolbwyntio'i egnïon ar fenter fawr arall, y tro hwn yng Nghaerdydd, sef perfformio dwy o'i operâu: *Blodwen* ac *Arianwen*. Er mis Mawrth, bu'r cyfansoddwr yn cyd-drafod â Llew Ebbwy (John Williams), cyn-ddisgybl o gyfnod Aberystwyth a Mr Fletcher, perchennog y Theatre Royal yng Nghaerdydd, y posibilrwydd o berfformio'r ddwy opera yno yn ystod haf 1890. Roedd *Blodwen* yn hen gyfarwydd i gynulleidfaoedd Cymru, ond dyma fyddai'r perfformiad

Priodas Joseph Haydn Parry a Louise Watkins. Gwelir Joseph a Jane Parry yn y rhes flaen a William yw'r bachgen ifanc y tu ôl iddynt.

cyntaf o'r opera mewn theatr broffesiynol a'r cyntaf oll o *Arianwen* yn ôl pob tebyg. Fodd bynnag, cododd perfformiadau arfaethedig 1890 wrychyn Cymry piwritanaidd Caerdydd, a'r Parchedig F. C. Spurr yn arbennig ar flaen y gad yn mynegi'r math o ragfarn a achosodd i berfformiad cyhoeddus cyntaf *Blodwen* yn 1878 fod ar ffurf cyngerdd. Nid yr operâu eu hunain oedd asgwrn y gynnen, ond y ffaith bod aelodau capeli yn perfformio mewn 'chwareudy'. Bu dadlau mawr yn y wasg, ond ychydig iawn o ymateb a gafwyd gan Joseph Parry y naill ffordd na'r llall – efallai bod yr anrhydedd o gael wythnos o berfformiadau wedi tawelu'i gydwybod dros dro. Yn y pen draw, bu'r ddau berfformiad (*Blodwen* ar 2–4 Mehefin, ac *Arianwen* ar 5–8 Mehefin) yn dra llwyddiannus, gyda'r theatr dan ei sang a'r cyfansoddwr yn amlwg wrth ei fodd gyda'r ymateb. Yn dilyn y llwyddiant yng

Nghaerdydd, perfformiwyd *Arianwen* ym Merthyr Tudful ar 14 Gorffennaf, ac aeth y Welsh National Opera Company â'r opera ar daith, ond derbyniad cymysg a gafwyd.

Erbyn hyn, sefydlwyd patrwm o dri chyngerdd y tymor gan gerddorfa'r Cardiff Orchestral Society; ac enwau Joseph Parry a'i ferch Dilys yn flaenllaw ar restr y tanysgrifwyr i'r cyngherddau hyn. Cynhaliwyd un o'r cyngherddau mwyaf arbennig yn Nhachwedd 1890, oherwydd dyma ymddangosiad cyntaf yr enwog Madam Adelina Patti yng Nghaerdydd. Roedd y cyngerdd a gynhaliwyd ar nos Lun y Pasg 1891 yn y Park Hall yn wahanol i'w ragflaenwyr am i'r rhaglen gynnwys darn i gerddorfa a gyfansoddwyd yn ddiweddar gan Joseph Parry ar gyfer y Cardiff Orchestral Society. Arweiniwyd y *Suite* gan y cyfansoddwr, ac isdeitl y gwaith yw 'Three Tone Statuettes' sef Regret, Mirth a Courage. Tri darn disgrifiadol ar ffurf ABA yw'r cyfanwaith. Roedd y Pasg bob blwyddyn yn gyfnod prysur i Joseph Parry fel arweinydd cymanfaoedd. Y flwyddyn honno, teithiodd mor bell â Llundain a Merthyr Tudful a hynny yng nghanol ei waith gyda'r Cardiff Orchestral Society. Tua'r un adeg fe'i comisiynwyd gan yr Eisteddfod Genedlaethol i gyfansoddi gwaith corawl ar gyfer Eisteddfod y Rhyl 1892. Testun y gwaith fyddai bywyd Sant Paul, a byddai'r Eisteddfod yn cyfrannu'n ariannol at draul argraffu'r darn.

Abertawe oedd lleoliad Eisteddfod Genedlaethol 1891, ac yng Nghyfarfod Cyffredinol Blynyddol y Cardiff Orchestral Society ar 22 Mai, trafodwyd a ddylai'r gerddorfa gystadlu yn yr Eisteddfod y flwyddyn honno, a cheisio ailadrodd llwyddiant Eisteddfod Aberhonddu ddwy flynedd ynghynt. Yr anhawster oedd mai Joseph Parry oedd un o feirniaid Eisteddfod Abertawe, ond er hynny penderfynwyd cystadlu a chael ysgrifennydd cyffredinol y Gymdeithas, Mr W. A. Morgan, i arwain yn ei le. Cynhaliwyd y Brifwyl ar 17–21 Awst, a bu ymdrech y Cardiff Orchestral Society i gipio'r wobr o £50 yng nghystadleuaeth y gerddorfa yn llwyddiant.

Ar ôl cyrraedd adref, dechreuodd Joseph Parry ymgyrchu o blaid sefydlu 'Gŵyl Gerddorol Caerdydd'. Drwy lythyron cyhoeddus, mynegodd iddo ddadlau dros wyliau cerddorol Cymreig ers blynyddoedd, gan apelio ar i'r Cymry beidio â chanolbwyntio'n gyfan gwbl ar eisteddfodau, am fod gafael y traddodiad hwnnw yn un cryf iawn. Galwodd golygydd y *South Wales Echo* am gyfarfod ar ddiwedd Medi, lle y penderfynwyd bwrw ymlaen â'r ŵyl ym Medi y flwyddyn ganlynol. Er mai Caerdydd fyddai'r lleoliad mynegodd Parry ei farn y dylai'r achlysur fod yn un ar gyfer *de* Cymru'n gyfan. Dewiswyd Caerdydd fel canolfan oherwydd bod yno neuaddau addas. Yn y wasg parhaodd y dadlau o blaid ac yn erbyn y syniad, a chododd nifer o broblemau ynglŷn â'r trefniadau, yn arbennig ynghylch penodi arweinydd. O safbwynt *repertoire*, dewiswyd *Elias* Mendelssohn, *Requiem* Mozart, *Messiah* Handel

– a *Saul of Tarsus* Joseph Parry. Comisiwn Eisteddfod Genedlaethol y Rhyl oedd yr olaf, a'r perfformiad cyntaf o'r gwaith i ddigwydd yno yn ystod wythnos gyntaf Medi – yr un mis â gŵyl arfaethedig Caerdydd.

Ond ymyrrwyd â'r paratoadau gan ergyd angheuol i'r teulu. Tua diwedd Mawrth 1892, dychwelodd mab ieuengaf y teulu, William Sterndale Parry, o Lundain yn annisgwyl oherwydd salwch. Gwaethygodd ei gyflwr, a bu farw ar 5 Ebrill yn ugain oed. Fel plentyn, ni fu'n dda ei iechyd, ac ergyd ofnadwy i'r teulu oedd colli un mor ifanc. Mae geiriau hunangofiant ei dad yn mynegi'r brofedigaeth (t. 42): 'Oh Time! Thou art a cruel mother, giving birth to sad and sorrowful incidents and events, that ye this year send thy servant death into our quiet and happy family circle.' Roedd Willie wedi penderfynu dilyn ôl troed ei dad a'i ddau frawd talentog: roedd yn ganwr, yn bianydd ac roedd, yn ddiweddar, wedi dechrau dysgu elfennau harmoni a gwrthbwynt. Disgrifiwyd ef gan David Jenkins fel un â 'gwên hawddgar a diniwed ar ei wyneb bob amser', a dywedodd D. Christmas Williams: 'Enillodd ei dymer addfwyn, ei ymddygiad boneddigaidd, a'i gymeriad dilychwyn iddo edmygwyr a ffrindiau lawer.' Cynhaliwyd yr angladd ym Mhenarth, ac ar garreg ei fedd ym mynwent eglwys St Augustine torrwyd y geiriau: 'Blessed are the pure in heart for they shall see God.' Diddymodd Joseph Parry ei ymrwymiadau cerddorol am yr wythnosau dilynol, ac yng Nghyfarfod Cyffredinol Blynyddol y Cardiff Orchestral Society, ar 31 Mai, ymddiswyddodd fel arweinydd a phenodwyd Mr T. E. Aylward yn olynydd iddo. Daeth terfyn felly ar un o'i gyfnodau mwyaf llwyddiannus fel arweinydd.

Parhaodd 1892 i fod yn flwyddyn anodd i Joseph Parry. Ar ddechrau Mehefin, bu ei gyfaill Eos Morlais farw'n sydyn yn 51 oed. Roedd y ddau gerddor o'r un oedran, ac wedi bod yn gyfeillion ers cyfnod Parry yng nghapel Ebenezer, Abertawe, lle'r oedd Eos Morlais yn arweinydd y gân. Anerchodd Joseph Parry yn yr angladd yng Nghastell Nedd ar 10 Mehefin. Yna, ar 4 Gorffennaf 1892, bu farw Henry Parry, brawd Joseph, yn Minersville, Pennsylvania. Nid yw Parry yn crybwyll colli'r aelod hwn o'i deulu yn ei hunangofiant chwaith, ac mewn gwirionedd ni fu llawer o gysylltiad rhwng dwy gangen y teulu ar ddwy ochr yr Iwerydd.

Tua'r un adeg ymddangosodd adroddiadau yn y wasg fod Joseph Parry a'i fab Mendelssohn yn bwriadu sefydlu coleg cerdd yng Nghaerdydd: 'Ysgol Gerddorol y De'. Ond er gwaetha'r enw mawreddog, ni bu fawr o sôn amdano, hyd yn oed yn yr hunangofiant, ac os 'bodolodd' fel coleg cerddorol o gwbl, sefydliad ar raddfa fach ydoedd. Bu'r tad a'r mab yn cynnal gwersi cerddorol preifat yn Beethoven Chambers ers dod i Gaerdydd, ac yn 1890 penodwyd D. Christmas Williams yn gynorthwyydd iddynt. Eto ni cheir sôn am 'Ysgol Gerddorol' am sawl blwyddyn arall ac, ar y cyfan, methiant fu'r fenter a hynny unwaith eto yn bennaf oherwydd absenoldeb mynych Joseph Parry.

Down beat only 88.
THE GUARDIAN ANGELS.
𝅗𝅥. = 84 to a beat, 3 beats a bar.
(I)
The right at
♩ = 84 to a beat, 4 a bar.
THE SCOFFING WOMEN.
he shall die the death of a trai - tor, drag him hence like a
𝅗𝅥 = 84 to a beat, 2 a bar.
THE PRAETORIUM GUARDS.
(VI)
trai-tor come to meet thy fate............ Thou hast well de-serv'd to die.
𝅝 = 84 to a beat, 1 a bar.
(III) THE PRIESTS.
meet......... thy....... fate. Let him per - - ish, let him per-ish like a
last must tri - - - umph
trai - tor to die. He shall die the death of a trai - tor,
trai-tor come to meet thy fate, trai-tor come to meet thy fate Thou hast
trai - tor,............ Let him per-ish like a trai - tor.............. Let him per-ish like a

Ar nodyn hapusach, roedd Joseph Parry yng nghanol paratoadau Eisteddfod Genedlaethol Y Rhyl 6–9 Medi, a'r perfformiad cyntaf o *Saul of Tarsus* yn un o brif ddigwyddiadau cerddorol yr wythnos. *Saul of Tarsus* yw ei ail oratorio, ac mae bwlch o dros ddegawd rhyngddi a'i rhagflaenydd *Emmanuel*. Mae'n waith byrrach ac yn darlunio bywyd Saul mewn pedair golygfa: Damascus, Philippi, Jerusalem a Rhufain. Perfformir *Saul of Tarsus* gan unawdwyr soprano, tenor a bas, corws, organ a cherddorfa. Mae'r ffurf yn llai caeth nag *Emmanuel*, a'r argraff gyffredinol yw un o lifo o un rhan neu olygfa i'r nesaf. Mae'r elfen Handelaidd wedi cilio erbyn hyn, ac mae Parry'n defnyddio system Wagner o *leitmotiv*, sef alaw sy'n cynrychioli person, teimlad neu le. Ceir emyn-donau yn yr oratorio ac yn yr enghraifft uchod cyfunir 'Glan'rafon' â *leitmotive* mewn portread o ddryswch.

Cyhoeddwyd yr oratorio newydd yn gynnar yn 1892, ac aeth Côr yr Eisteddfod ati'n syth o dan hyfforddiant Felix C. Watkins, Llanelwy, i baratoi'r gwaith ar gyfer ei berfformio ar 8 Medi. Cymaint oedd y gymeradwyaeth ar ddiwedd y perfformiad fel y bu'n rhaid i'r cyfansoddwr annerch y dorf, gan gydnabod yr ymdrech a wnaethpwyd gan bawb at sicrhau llwyddiant yr achlysur. Ond eto, fel yn achos *Nebuchadnezzar*, methodd y wasg â deall dewis Parry o iaith y gwaith: 'Pe buasai geiriau Cymraeg i'r gwaith, buasem yn teimlo'n fwy balch ohono' (*Cerddor y Cymry*, Hydref 1892, t. 116).

O fewn pythefnos, ceisiodd ailgreu llwyddiant *Saul of Tarsus*, y tro hwn fel rhan o Ŵyl Gerddorol Caerdydd, 20–23 Medi. Ymateb cymysg a gafodd y perfformiad ar 22 Medi, ac yn gyffredinol cytunwyd bod gwefr y perfformiad cyntaf yn Y Rhyl ar goll. Roedd y gynulleidfa'n llai, ni chafodd y cyfansoddwr gystal hwyl ar arwain, ac nid oedd y côr wedi dysgu'r gwaith mor drwyadl. O safbwynt cyllid, colled ariannol fu'r perfformiad; eto, aethpwyd ati'n syth i drefnu ail berfformiad o'r oratorio yn y Park Hall, Caerdydd, ar 3 Tachwedd – perfformiad a oedd yn well na'r un a gafwyd yn yr Ŵyl, ond a oedd unwaith eto heb fod cystal â'r noson ogoneddus yn Y Rhyl.

Treuliodd Joseph Parry y Nadolig, fel ag y gwnaeth sawl tro yn y gorffennol, ym Mlaenau Ffestiniog yn beirniadu a chanu. Treuliodd 24–26 Rhagfyr yn Assembly Rooms y dref, lle y cynhaliwyd Eisteddfod Gadeiriol Flynyddol yr Annibynwyr, gyda chyngherddau yn yr hwyr. Y flwyddyn honno, ac mae hyn yn berthnasol i yrfa Joseph Parry fel athro, tynnodd arweinydd yr Eisteddfod sylw at Ysgol Gerddorol y Pencerdd yng Nghaerdydd, y manteision i gerddorion ifainc o fynd yno, a bod arholiadau ysgoloriaeth ar gyfer mynediad i'w cynnal ym mis Ionawr 1893. Bu Ffestiniog a'r cylch yn driw i achos Joseph Parry ar hyd y blynyddoedd, a phe bai mwy o gymunedau tebyg wedi hybu ei syniadau, efallai y byddai gwell llewyrch wedi bod ar ei yrfa academaidd fel athro cerddoriaeth.

Roedd achlysur cerddorol-teuluol arbennig ar y gweill ym mis Mawrth 1893, sef priodas Mendelssohn Parry â Miss Hannah M. Jones, merch i adeiladydd yn Abertawe, ac yn y dref honno y cynhaliwyd y briodas. Fel ei thad yng nghyfraith, derbyniodd ei haddysg gerddorol yn yr Athrofa yn Llundain, ac fel cantores, gwnaeth ei hymddangosiadau cyntaf yn Eisteddfodau Cenedlaethol Dinbych a Chaerdydd. Bu galw mawr arni fel cantores broffesiynol o hynny ymlaen, ac enillodd iddi'i hun glod a bri.

Rhwng 5 a 9 Medi 1893, cynhaliwyd eisteddfod fel rhan o Ffair y Byd yn Chicago. Cymdeithas Genedlaethol y Cymmrodorion yn America fu'n gyfrifol am noddi'r eisteddfod, sef cyfraniad Cymry'r wlad at yr Ŵyl fawreddog. Gwahoddwyd Joseph Parry a David Jenkins i fod yn feirniaid yn yr Eisteddfod, ond erbyn Mawrth 1893, cyhoeddwyd na fyddai'r un o'r ddau yn mynd wedi'r cyfan. Fodd bynnag, bu'r Ŵyl yn un arbennig i Joseph Parry oherwydd 'Cytgan y Pererinion' oedd un o ddarnau prawf cystadleuaeth y côr meibion rhwng 50 a 60 o leisiau. Aeth nifer o gorau Cymru draw i Chicago ar gyfer y gystadleuaeth, a'r Rhondda Glee Society gipiodd y wobr gyntaf hael o $1000 ynghyd â medal aur i'r arweinydd Tom Stephens. Côr Meibion y Penrhyn, Dinorwig, a enillodd yr ail wobr o $500 ynghyd â medal aur arall i'r arweinydd Edward Broome.

Yn ôl yng Nghymru, roedd Joseph Parry a nifer o'i ddisgyblion yn paratoi ar gyfer cyngerdd yn Neuadd Abermorlais, Merthyr Tudful ar 25 Hydref. Yn bresennol roedd Anthony Howells, sef conswl America yng Nghaerdydd, olynydd yr Uwchgapten Evan R. Jones. Roedd Anthony

Howells yn un o Gymry Youngstown, Ohio, a gefnogodd achos Joseph Parry yn ei ymdrech i godi arian i astudio yn yr Athrofa yn Llundain yn 1868. Arian hefyd oedd y rheswm dros gynnal y cyngerdd ym Merthyr, sef ceisio dechrau cronfa ariannol yn y dref ar gyfer ysgoloriaeth i Ysgol Gerddorol y De. Eglurodd Parry ei syniadau a gwahoddodd gefnogaeth gyffredinol i'w fenter, ond ychydig o sôn fu am yr ysgoloriaeth wedi hyn, ac ymddengys mai siomedig fu'r ymateb i'r gronfa. I Joseph Parry, blwyddyn gymharol dawel fu 1893, heb yr achlysuron cerddorol mawr na'r colledigaethau teuluol difrifol a gafwyd y flwyddyn cynt. Prif golled 1893 fu tân yn swyddfeydd y *Western Mail* yng Nghaerdydd a ddinistriodd werth rhwng £800 a £900 o blatiau argraffu *Blodwen, Emmanuel* a *Nebuchadnezzar*, ond ni chynigiwyd yr un ddimai o iawndal i'r cyfansoddwr gan y papur.

Ar 7 Mawrth 1894, cynhaliwyd pumed cyngerdd blynyddol yr University College of South Wales and Monmouthshire Musical Society yn y Lesser Park Hall yng Nghaerdydd. Arweiniodd Parry ei fyfyrwyr mewn rhaglen a gynhwysai yn yr hanner cyntaf ei 'Cambrian Rhapsodie' i gerddorfa, a cherddoriaeth leisiol ac offerynnol gan Mendelssohn, Rossini, Meyerbeer a Henry Bishop. *Nebuchadnezzar* a berfformiwyd yn yr ail hanner. Dair wythnos yn ddiweddarach, ar 29 Mawrth 1894, daeth y newydd syfrdanol fod Joseph Haydn Parry wedi marw'n naw ar hugain oed. Ar ôl bod allan i ginio yn Llundain, daliodd annwyd a gwaethygu'n gyflym. Gadawodd yn weddw Louise (née Watkins) a dau o blant bach. Dyma ail ergyd fawr i'r teulu o fewn dwy flynedd ac ysgytwyd cylchoedd cerddorol Cymru a Llundain gan y newydd trist. Cynhaliwyd yr angladd ar 2 Ebrill 1894, ym mynwent West Hampstead yn Llundain. Y prif alarwyr oedd ei dad (nid oes sôn bod Jane yn bresennol), Mrs Louise Parry, Mr a Mrs Watkins (rhieni-yng-nghyfraith), Mendelssohn Parry a'i wraig, ynghyd â cherddorion o Gymru a Llundain. Canwyd nifer o emynau, a gosodwyd gweddillion Haydn Parry mewn bedd rhwng George MacFarren (1813–87, cyn-brifathro'r Athrofa) a Walter Bache (1842–88, cyn-Athro piano yn yr Athrofa). Ar y garreg torrwyd y geiriau: 'His sun is gone down while it was yet day.'

Yn ystod yr wythnosau nesaf o alaru, penderfynodd Joseph Parry y byddai taith i America o fudd i'w deulu. Bu'r ymweliad diwethaf yn 1880, a chyn gadael ar ddiwedd Mehefin, ymgymerodd ag ambell addewid cerddorol megis arwain cymanfaoedd canu yn Llanelli a'i hen gapel, Ebenezer, yn Abertawe. Yn ystod y sesiynau hyn, canwyd yr emyn-dôn 'Haydn' a gyfansoddwyd ganddo er cof am ei fab. Hwyliodd Joseph Parry, Jane a Dilys, eu merch ddeg oed, am America ar 22 Mehefin ar fwrdd yr *Ertruria* – nawfed taith y Pencerdd ar draws yr Iwerydd – ac arhosodd Mendelssohn Parry a'i chwaer Edna gartref ym Mhenarth.

Hysbysebwyd Cymry America gan y Parchedig Thomas Cynonfardd Edwards, Edwardsville, Pennsylvania fod y Pencerdd ar ei ffordd a'i fod yn bwriadu aros am dri mis. Prif fwriad ymweliad Parry y tro hwn oedd cynnal taith o ddarlithoedd, a gwahoddodd Cynonfardd y cymunedau Cymreig i gysylltu ag ef os am gael Parry i ymddangos yn eu hardal. Drwy'r wasg Gymreig yn America, soniodd Cynonfardd am gysylltiad arbennig Joseph Parry â'r wlad, a sut y byddai croeso mawr o gymorth iddo ef a'i deulu anghofio'u profedigaethau diweddar. Ymatebodd Cymry America yn dda i'r apêl, a dechreuodd Cynonfardd drefnu amserlen ar gyfer y daith. Cyrhaeddodd y Parry-aid borthladd Efrog Newydd ar 1 Gorffennaf wedi taith o bum wythnos, ac fe'u croesawyd yn gynnes gan nifer o hen wynebau: John M. Price, Kingsbridge (cyn-athro Joseph Parry), Gomer Thomas, Danville (brawd Jane Parry), Mrs Elizabeth Lewis, Philadelphia (chwaer Joseph Parry) a'i gŵr, ynghyd â nifer o gyfeillion ac edmygwyr eraill.

Cyrhaeddwyd tref Scranton, Pennsylvania, ar 2 Gorffennaf, a'r Barnwr H. M. Edwards, un o hoelion wyth Cymry America, yno i'w cyfarfod wrth yr orsaf. Yn ei gartref ef y byddai'r ymwelwyr o Gymru yn lletya yn bennaf yn ystod tair wythnos gyntaf eu harhosiad. Roedd Cynonfardd wedi trefnu'r amserlen fel bod gan y cerddor gyfnodau o orffwys – wedi'r cyfan roedd dros ei hanner cant erbyn hyn, ac yn wahanol i'w deithiau cerddorol fel dyn ifanc, ni fyddai rhaid iddo deithio bob dydd. Rhoddodd y cyfnodau hyn o orffwys gyfle iddo dreulio mwy o amser gyda'i deulu a hen gyfeillion. Bu'n arwain cymanfaoedd, beirniadu mewn eisteddfodau, a thraddodi darlithoedd ar draws gogledd-ddwyrain America i gymunedau Cymreig Scranton, Edwardsville, Wilkes-barre a Pittsburgh ymysg eraill. Ar sawl achlysur, canodd 'Y Cyfaill Pur', unawd a gyfansoddwyd ganddo yn 1886 ac a ganwyd fynychaf ar eiriau'r cyfansoddwr ei hun 'Make New Friends but Keep the Old' – hon fyddai prif gân y daith drwy America, a'i theitl yn mynegi'n gryno deimladau'r cerddor tuag at bobl y wlad y'i magwyd ynddi.

Erbyn 25 Gorffennaf, roedd wedi cyrraedd Youngstown, Ohio, a dilynodd y cyfarfod yno y drefn arferol: darlith mewn dwy ran, Joseph Parry yn canu 'Y Cyfaill Pur', ac eitemau cerddorol gan artistiaid lleol. Ar y noson ganlynol, cafwyd cyfarfod croeso arbennig yng Nghapel Cynulleidfaol Elm Street yn y dref, gydag areithiau ac eitemau cerddorol. Un o'r areithwyr oedd Joseph Aubrey, aelod o Bwyllgor Eisteddfod Youngstown yn 1865 a benderfynodd gychwyn Cronfa Parry. Darllenodd ef y cylchlythyr gwreiddiol a anfonwyd at gymunedau'r Cymry yn America y flwyddyn honno, a chyflwynwyd copi o'r llythyr i Joseph Parry ar gyfer Amgueddfa Caerdydd. Ar ddiwedd ei araith o ddiolch, soniodd Parry am ei fwriad i ddychwelyd i America yn 1895 gyda chwmni opera er mwyn perfformio *Blodwen* a'i operâu eraill yno – syniad a fu'n mudferwi yn ei feddwl ers tro byd.

Daeth taith 1894 i ben gydag ymrwymiadau cerddorol yn nhaleithiau Ohio, Illinois, Pennsylvania a New York. Bu'n dri mis prysur ond heb fod yn orlwythog o ran galwadau, ac ar y cyfan cafwyd ymateb brwd i'r darlithoedd. Bu wrthi hefyd yn ymarfer ei ddoniau fel beirniad, arweinydd ac unawdydd. Ond Joseph Parry y person a gafodd y croeso a'r derbyniad mwyaf twymgalon gan Gymry America, ac ymateb y Pencerdd i hynny oedd cyhoeddi llythyr yn y wasg Gymreig yno yn diolch ar ei ran ei hun a'i deulu am y croeso a dderbyniodd ymhobman. Gadawodd y cerddor a'i deulu America ar 29 Medi, gan ddychwelyd i fywyd tipyn mwy hamddenol. Daliai i ddarlithio yn y Coleg yng Nghaerdydd ac i geisio cynnal yr Ysgol Gerddorol drwy ddysgu'n breifat. Tra oedd yn America, bu dau o Gymry cerddorol Llundain – Charles Coram a Frederick Griffith – yn trefnu cyngerdd coffa i Joseph Haydn Parry, a gwnaethpwyd elw sylweddol o dros £187.

Ymrwymiad cerddorol pwysicaf Joseph Parry yn 1895 oedd perfformiad o'r oratorio *Saul of Tarsus* yn Newcastle-upon-Tyne ar 19 Chwefror. Gwahoddwyd ef gan Harmonic Society y dref i arwain y perfformiad, a chymaint oedd brwdfrydedd y dorf fel y mynnwyd ailberfformio ambell ran. Cafodd yr oratorio dderbyniad dipyn mwy gwresog yno nag a gafodd yng Nghymru ddwy flynedd a hanner ynghynt – efallai am nad oedd gan y Saeson yr un rhagfarnau, a'u bod yn fwy parod na'r Cymry i dderbyn y gwaith am yr hyn ydoedd heb lyffetheiriau'r traddodiad 'eisteddfodol, gwerinol, capelaidd, Cymreig'.

Yn ôl yng Nghymru, roedd symudiad ar droed i gydnabod cymwynas Joseph Parry i gerddoriaeth Cymru drwy gyflwyno 'Tysteb Genedlaethol' iddo. Roedd y dysteb i'w chyflwyno yn ystod Eisteddfod Genedlaethol Llandudno 1896, a chyfraniad arbennig y Brifwyl fyddai comisiynu gwaith newydd ganddo – y trydydd comisiwn o'r fath. Roedd bras gynnwys comisiwn 1896 wedi'i bennu'n barod sef cantawd ar *libretto* O. M. Edwards a fyddai'n cynnwys 'telynegion' gan John Morris Jones, Bangor a David Rowlands, Aberhonddu. Byddai tair rhan i'r gwaith: Cymru Fu: eiddigedd y mân dywysogion; Cymru Sydd: eiddigedd y mân wleidyddion; Cymru Fydd: eiddigedd y Cymry. Aeth y cyfansoddi yn ei flaen yn ystod gweddill 1895, gan fod angen ymarfer y gwaith newydd yn Llandudno adeg y Calan 1896.

O safbwynt teuluol priododd merch Joseph Parry, Annie Edna, ym Mai 1895 â Mr Edward Wilkie Waite. Ychydig yw'r wybodaeth amdanynt wedi hynny, heblaw i un plentyn gael ei eni iddynt – Doreen ac i'r teulu fyw yn Y Barri a Wolverhampton.

Ar 29 Mehefin 1895, cynhaliwyd cyngerdd yng Nghaerdydd er budd tysteb Pencerdd America. 'Unforgettable' oedd gair y cerddor yn ei hunangofiant i ddisgrifio'r achlysur: roedd y Rosebery Hall, sef neuadd marchnad Canton, dan ei sang a thua 9,000 wedi dod ynghyd i ddangos eu gwerthfawrogiad drwy wrando ar gôr meibion unedig o 800 aelod dethol o wyth neu naw o gorau meibion de Cymru, unawdwyr o fri, seindorf bres Sir Forgannwg, a cherddorfa leol o Gaerdydd.

O fewn ychydig wythnosau, cafwyd perfformiad cerddorol a ddisgrifiwyd yn ddiweddarach gan y cyfansoddwr fel digwyddiad cerddorol pwysicaf ei fywyd, sef yr un o'i opera *Sylvia*. Bu'r gwaith ar y gweill ers tua phedair blynedd, a'r cyfansoddwr yn dychwelyd ato'n achlysurol. Perfformiwyd yr opera ar 19 Awst yn y Theatre Royal yng Nghaerdydd, ac ar derfyn y noson, diolchodd Joseph Parry yn Gymraeg a Saesneg i'w gynorthwywyr a datgelodd ei fwriad i lunio operâu ar destunau Arthur, y Tywysog Llywelyn ac Owain Glyndŵr.

Y tylwyth teg yw testun stori *Sylvia*, a chyfansoddwyd y geiriau Saesneg gan Mendelssohn Parry – roedd elfen o'r bardd yn y tad a'r mab, ond bod Joseph Parry'n gogwyddo mwy at farddoniaeth caneuon a disgrifio blodeuog. Collfarnwyd geiriau Mendy am fod yn rhy ddifrifol ar gyfer ysgafnder naws hud a lledrith y stori. Erbyn hyn, roedd Mendy wedi dilyn ôl troed ei ddiweddar frawd, gan symud i Lundain, a sefydlu yno yn ystod hanner cyntaf 1895 'Mendelssohn Parry's Concert and Operatic Agency'. Yn ôl rhai beirniaid, *Sylvia* yw opera orau Joseph Parry, yn bennaf am i'r gwaith osgoi'r cynllun Eidalaidd traddodiadol – un o wendidau *Blodwen* – ac mae'r plot o'r herwydd yn fwy llyfn a didoriad. Mae *Sylvia*'n wahanol hefyd am ei bod yn cynnwys bale, ac enghraifft o hyn yw dawns y tylwyth teg ar ddechrau Golygfa VII.

Ar 11 Tachwedd 1895, cynhaliwyd dau gyngerdd – yn y prynhawn a'r nos – yn yr Albert Hall, Abertawe, i godi arian at dysteb Joseph Parry. Ceisiwyd efelychu llwyddiant cyngerdd Rosebery Hall Caerdydd ym mis Mehefin drwy gael wyth o gorau meibion o'r cylch (tua 500 o leisiau), unawdwyr o fri, cerddorfa o drigain a Charadog ac eraill i arwain. Ond yn wahanol i lwyddiant ysgubol Caerdydd, siomedig oedd cynulleidfa'r prynhawn, ac nid oedd cynulliad yr hwyr fawr gwell; colled ariannol fu'r fenter.

Ar 28 Ionawr 1896, bu farw Joseph Barnby, Prifathro'r Guildhall School of Music yn Llundain. Roedd yn gerddor amryddawn a bu ganddo beth cysylltiad â cherddoriaeth Gymreig, er enghraifft lluniodd eiriau ar gyfer Joseph Haydn Parry. Ym mis Chwefror, penderfynodd Joseph Parry wneud cais am swydd y diweddar Brifathro. Ni wyddom y rheswm dros ei benderfyniad. Yn sicr, nid oedd Parry'n aflwyddiannus yng Nghaerdydd, er nad oedd wedi cyflawni ei ddyhead am weld *gwir* goleg cerddorol i Gymru yno. Roedd yn Gymro pybyr, ond eto roedd nifer sylweddol o Gymry cerddorol 'mawr' wedi ymgartrefu yn Llundain ers blynyddoedd ac wedi llwyddo yno, yn eu plith Brinley Richards. Yno hefyd y daeth llwyddiant i Haydn a Mendelssohn Parry ac mae'n bosibl mai awydd i godi ei statws cerddorol yn llygaid y Cymry oedd prif gymhelliad eu tad. Ni ddylid anghofio ychwaith am gysylltiad emosiynol Parry â'r Guildhall drwy ei ddiweddar fab Haydn – ac wrth gwrs roedd i'r swydd gyflog uwch.

Ymgeisiodd deunaw ar hugain am y swydd, a chefnogwyd cais Parry gan ddwsinau o dystlythyron; yn eu mysg roedd maer a deuddeg ar hugain o gynghorwyr Cyngor Caerdydd, Prifathro a deuddeg o staff y Brifysgol yng Nghaerdydd, dwsin o fyfyrwyr a chyn-fyfyrwyr yr Adran Gerdd, Pwyllgor y Cardiff Orchestral Society, ynghyd â cherddorion enwog fel George Grove, George MacFarren a John Stainer. Erbyn diwedd Mai, roedd y broses benodi wedi symud gam ymhellach a datgelwyd i ddeg o'r ymgeiswyr gwreiddiol gael eu dewis yn y bleidlais gyntaf a bod Joseph Parry yn eu plith. Roedd ail bleidlais i'w chynnal yn fuan ar gyfer dewis rhestr fer o bump, ond nid oedd enw Joseph Parry ar y rhestr honno. Yn y diwedd, ar 4 Mehefin, William Hayman Cummings a benodwyd yn brifathro newydd y Guildhall School of Music. Er bod hyn yn siom fawr i Joseph Parry, prin bod ganddo'r amser i gnoi cil dros ei fethiant – roedd Eisteddfod Genedlaethol Cymru i'w chynnal yn fuan. Cynhaliwyd Prifwyl 1896 yn Llandudno yn ystod wythnos gyntaf Gorffennaf, a phrif achlysur yr wythnos i'r cerddor fyddai perfformio *Cambria* a derbyn y Dysteb Genedlaethol ar 1 Gorffennaf.

Yn ystod y cyfarfod i gyflwyno'r dysteb cafwyd anerchiad gan Anthony Howells, a adroddodd hanes cynnar Joseph Parry yn Danville. Cofiai iddynt gyfarfod yn Youngstown yn 1865, soniodd am yrfa gerddorol Parry yn yr Unol Daleithiau, Cronfa Parry, ac am ei anfon i'r Athrofa yn Llundain, a chyflwynodd Dysteb Genedlaethol gwerth £581.2*s*.6*d*. i'r Pencerdd. Erbyn dyddiad cau'r gronfa, cyfanswm y rhoddion oedd £628.4*s*.1*d*., gyda'r cyfraniadau cenedlaethol fel a ganlyn: Cymru £494.9*s*.1*d*.; America £118.9*s*.0*d*. [sef tua $590]; Lloegr £15.6*s*.0*d*. Dilynwyd y seremoni gan berfformiad cyntaf llwyddiannus o gantawd gomisiwn Joseph Parry, a'r cyfansoddwr yn arwain côr a cherddorfa o 450.

Yn wahanol i'w weithiau mawreddog diweddar, testun a geiriau Cymraeg oedd i *Cambria*, ac roedd yn gampwaith, gyda Joseph Parry yn manteisio ar adnoddau eang llwyfan y Genedlaethol i greu darn ar gyfer unawdwyr – Cambria, Aurora, Llywelyn a Glyndŵr – côr a cherddorfa. Ceir hefyd rhan i lefarydd, sy'n adrodd i gyfeiliant gyda rhythm y geiriau wedi'i nodi ar yr erwydd. Gwendid *Cambria* yw anghydbwysedd ffurf: mae Rhan I yn hir a Rhan II yn fyr, ac fe ddylai Joseph Parry fod wedi ymateb i'w feirniaid ac ymestyn y diweddglo. Fel yn achos *Saul of Tarsus* a *Nebuchadnezzar*, ychydig o berfformio a fu ar *Cambria*, yn bennaf oherwydd i'r arddull soffistigedig ei gwneud hi'n anodd i'r werin ei berfformio a'i werthfawrogi.

Wedi'r cyfnod cyffrous diweddar, gaeaf tawel a gafodd y Pencerdd. Parhaodd â'i waith yn y Coleg yng Nghaerdydd, ynghyd â dysgu'n breifat yn Ysgol Gerddorol y De a oedd erbyn hyn wedi symud i 94 Queen Street. Aeth yn ei flaen hefyd â'r dosbarthiadau nos y bu'n eu cynnal er 1894, o dan awenau 'Technical Instruction Committee' Corfforaeth Caerdydd. Treuliodd hanner cyntaf 1897 yn teithio Cymru benbaladr yn ymarfer amrywiol gorau ar gyfer gŵyl flynyddol Cerddoriaeth Gymreig y Tonic Sol-fa Association yn y Crystal Palace yn Llundain ar 17 Gorffennaf. Joseph Parry gafodd y fraint o arwain côr unedig o 2,500 o leisiau yn cynnwys, er enghraifft, 200 o Ffestiniog, 200 o Lerpwl, 100 o Ddinbych, 100 o'r Rhyl, cerddorfa, a phedair seindorf bres. Cynhwysai'r rhaglen nifer o ddarnau ac emyn-donau Joseph Parry, ond unig uchafbwyntiau'r cyngerdd oedd 'Cytgan y Pererinion', 'A Dream', a thri emyn. Yn gyffredinol, ei siomi a gafodd y gynulleidfa a hynny gan berfformiadau anniben ac ansicr. Yn ei hunangofiant, beiai Parry y corau unigol am fethu â dysgu'i gerddoriaeth yn drylwyr er gwaethaf y cyfnod maith a dreuliodd yn teithio ledled Cymru yn ymarfer a pharatoi.

Codwyd calon y cerddor gan wahoddiad i feirniadu mewn Eisteddfod yn Salt Lake City, Utah ar ddechrau Hydref 1898. Hwyliodd – heb Jane a'r teulu – o borthladd Lerpwl ar 30 Gorffennaf ar fwrdd y *Campania*, unfed daith ar ddeg y cerddor ar draws yr Iwerydd. Yn cadw cwmni iddo roedd y Parchedig T. Cynonfardd Edwards, y Cymro a dreuliodd lawer o'i oes yn America ac a fu'n gyfrifol am drefnu ymweliad blaenorol Joseph Parry. Fel ag y gwnâi ar fordeithiau'r gorffennol, difyrrodd y cerddor ei gyd-deithwyr drwy gynnal cyngherddau ar fympwy. Cyrhaeddodd Efrog Newydd ar 12 Awst, ac ar ôl aros yn yr Universal Hotel, teithiodd Parry i Danville i ymweld â hen berthnasau a chyfeillion. Ar 21 Awst, ef oedd wrth yr organ mewn cymanfa ganu yn Eglwys Bresbyteraidd Mahoning, sef yr addoldy lle y bu'n organydd cyn gadael am yr Athrofa yn Llundain. Canwyd nifer o emyn-donau'r Pencerdd, anerchodd y gynulleidfa'n Gymraeg a Saesneg, a recordiwyd yr achlysur ar ddisgiau ffonograff gan gwmni Edison Bell.

Ymwelodd hefyd â Chymry Ohio a Tennessee – nid oedd wedi gweld rhai ohonynt ers saith mlynedd ar hugain yn ystod taith Cronfa Parry – cyn cychwyn o'r diwedd ar wythnos o siwrnai drên tua'r gorllewin, taith a ddisgrifiwyd yn fanwl yn ei hunangofiant mewn iaith flodeuog iawn. Teithiodd drwy Louisville (Kentucky), St Louis (Missouri), Kansas City (Kansas), Denver a Colorado Springs (Colorado) cyn cyrraedd Salt Lake City (Utah) ar 25 Medi. Daeth pwyllgor o Gymry lleol a swyddogion yr Eisteddfod i'w gyfarfod yng ngorsaf Rio Grande y dref. Aethpwyd ag ef i westy'r Kenyon lle'r oedd 'suite' o dair ystafell yn ei aros. Yn ystod y deng niwrnod cyn dechrau'r Eisteddfod, rhoddwyd croeso arbennig i'r cerddor, ac aed ag ef i ymweld â'r Llyn Halen, y wlad o gwmpas, ynghyd â thref Ogden i'r gogledd lle y'i croesawyd gan y maer a'i gorfforaeth â phicnic yn y mynyddoedd. Yn Salt Lake City ei hun, anrhydeddwyd y cerddor drwy arddangos lluniau ohono o gwmpas y ddinas, a threfnwyd ymweliad â'r tŷ opera yno. Cyfarfu hefyd â dau hen bâr o gapel Bethesda, Merthyr Tudful, a adwaenai rieni Joseph Parry a gweddill y teulu – profiad emosiynol iawn mae'n sicr.

Yn y cyfamser roedd paratoi mawr ar gyfer trydedd Eisteddfod y ddinas yn Nhabernacl enwog y Mormoniaid, gŵyl a fyddai'n parhau am dridiau rhwng 5 a 7 Hydref. Roedd pedair cystadleuaeth ar hugain i'w cynnal, a thua 1,500 wedi dod i gystadlu o flaen cynulleidfa o rhwng 10,000 a 15,000. Ymhlith y darnau prawf roedd nifer o gyfansoddiadau Parry, a'r cyfansoddwr yn traddodi'i feirniadaethau o'r llwyfan. Canodd 'Hen Wlad Fy Nhadau', ef oedd llywydd y dydd, a thraddododd ddarlith-gyngerdd ar y Meistri. Ar 9 Hydref, canodd yn iach i Salt Lake City ar derfyn ymweliad tra llwyddiannus, ac ar 15 Hydref hwyliodd am Lerpwl ar fwrdd y *Campania*, a threuliodd weddill 1898 ym Mhenarth a Chaerdydd, a'i atgofion hapus am yr ymweliad â Salt Lake City yn dal yn ei feddwl.

Dychwelodd i America flwyddyn yn ddiweddarach, ar gyfer taith Awst–Hydref 1899. Y tro hwn aeth â phedwarawd lleisiol gydag ef: Ashworth Hughes, Hannah Jones (gwraig Mendelssohn Parry), Maldwyn Humphries a Meurig James (y ddau olaf yn gyn-ddisgyblion iddo), a Mendy'n drefnydd cyffredinol a chyfeilydd swyddogol. Bu'r ymweliad hwn ar y gweill ers pum mlynedd, ac erbyn 1899, fersiwn mwy ymarferol o'r syniad gwreiddiol o berfformio opera gyfan a gafwyd, a'r rhaglen yn cynnwys rhannau o *Blodwen, Sylvia* ac *Arianwen*, a hynny mewn gwisgoedd.

Rhwng 5 Medi a 6 Hydref, cynhaliwyd dros bum cyngerdd ar hugain ar hyd a lled taleithiau Wisconsin, Illinois, Ohio, Indiana, West Virginia, Pennsylvania, Maryland, Vermont a New York – amserlen dra phrysur a llwythog – ac fel gydag ymweliadau blaenorol, rhoddwyd croeso cynnes i'r Cymry o'r Hen Wlad. Dychwelodd Joseph Parry a Mendy a'i wraig tua chanol Hydref, tra arhosodd Maldwyn Humphries a Meurig James yn America tan ddechrau Tachwedd. Ar ôl yr ymweliad hwn hefyd cymharol dawel fu gweddill y flwyddyn i Joseph Parry. Derbyniodd ambell wahoddiad i draddodi ei ddarlith-gyngerdd ar y Meistri, arweiniodd ychydig gymanfaoedd canu, a bu'n feirniad yn Eisteddfod Genedlaethol Cymru yng Nghaerdydd ar 22 Gorffennaf. Yr hyn oedd yn arbennig am yr Ŵyl hon i Joseph Parry oedd ei gyfraniad ym maes cerddoriaeth newydd, nad oedd yn waith comisiwn ar raddfa fawr. Un o ddarnau prawf cystadleuaeth y côr meibion ar y dydd Gwener oedd 'Iesu o Nazareth', darn a gyfansoddwyd yn arbennig gan Parry. Maes o law daeth hwn bron mor boblogaidd â 'Cytgan y Pererinion' gan gorau meibion, a disgrifiwyd y gwaith gan ohebydd *Baner ac Amserau Cymru* 2 Awst 1899 fel 'dyfroedd oerion i'r enaid sychedig' (t. 2).

Cytgan gysegredig yw 'Iesu o Nazareth' sydd mwy neu lai'n oratorio fer mewn pedair golygfa: Bethlehem, Bywyd Iesu Grist, Calfaria, Hosanna; ond yn wahanol i 'Cytgan y Pererinion', prin y clywyd y darn y tu hwnt i Gymru. Perfformiwyd 'Cytgan y Pererinion' yn ehangach, er enghraifft yn Ffair y Byd yn Chicago, o flaen y Frenhines Fictoria yng nghastell Windsor, yng nghyngerdd Cymdeithas y Tonic Sol-ffa yn Llundain, ac yn Arddangosfa Paris pan oedd y cyfansoddwr Saint-Saëns yn y gynulleidfa.

Gyda throad y ganrif newydd – 1–2 Ionawr 1900 – roedd Joseph Parry yng ngogledd Lloegr ar gyfer dathlu chwarter can mlwyddiant eisteddfod flynyddol Workington, o dan lywyddiaeth y bytholwyrdd Ivander. Bu'r Pencerdd wrthi'n beirniadu ac yn canu unawdau yng nghyngherddau'r hwyr. Yn ddiweddarach yn y flwyddyn, byddai'r Pencerdd yn dychwelyd i Loegr ar gyfer digwyddiad cerddorol pwysicaf 1900 iddo sef perfformiad o'i waith newydd *Ceridwen* yn Eisteddfod Genedlaethol Lerpwl – ei bedwerydd comisiwn ar gyfer y Brifwyl. Ar 18–22 Medi, cynhaliwyd Eisteddfod Genedlaethol 1900 yn North Haymarket, Lerpwl. Joseph Parry oedd un o'r beirniaid ac, ar 20 Medi, perfformiwyd *Ceridwen* yn rhan gyntaf cyngerdd yr hwyr, gydag eitemau amrywiol yn yr ail hanner. Am unwaith, nid oedd yn fwriad cael y cyfansoddwr i arwain y perfformiad cyntaf hwn, ond bu rhyw ymrafael, a gofynnwyd i Joseph Parry arwain ar y funud olaf – heb yr amser i baratoi ond un ymarfer brys. Er hynny, cafwyd perfformiad llwyddiannus, ac yn ôl yr hunangofiant bu'n rhaid troi tair mil o bobl ymaith oherwydd bod y pafiliwn o dan ei sang.

Testun *Ceridwen* yw'r derwyddon, ymosodiad y Rhufeiniaid a dyfodiad Cristnogaeth, a nododd Joseph Parry y gellid perfformio'r gwaith naill ai fel opera (gydag actio) neu fel cantawd (heb yr actio), a'r olaf oedd fersiwn y perfformiad cyntaf. Fel gyda'i thri chomisiwn blaenorol i'r Eisteddfod Genedlaethol, yr un fu ffawd *Ceridwen*: llwyddiant cychwynnol, ond ychydig iawn o berfformiadau wedyn oherwydd natur aruchel y gerddoriaeth. Efallai i Parry geisio gwneud *Ceridwen* yn fwy 'poblogaidd' drwy gynnwys ei emyn-dôn 'Aberystwyth' i'w chanu gan y perfformwyr a'r gynulleidfa fel ei gilydd. 'Aberystwyth' ac alawon traddodiadol yw sail cerddorol cyffredinol y gwaith, ac mae'r cyfansoddwr yn eu trin yn gelfydd, er enghraifft 'Toriad y Dydd' ac 'Aberystwyth' (gweler tudalen 90).

Yn debyg i'r flwyddyn flaenorol, dechreuwyd 1901 gyda thaith i Workington ar gyfer beirniadu yn Eisteddfod Ivander ar 1–2 Ionawr. Roedd teithiau pell fel hyn yn mynd yn llai mynych gan fod Joseph Parry bellach yn tynnu at ei drigain a'i iechyd heb fod yn rhy wych. Gartref ym Mhenarth, fodd bynnag, roedd wrthi'n ddiwyd gyda phrosiect arbennig: *The Maid of Cefn Ydfa*. Yn gronolegol, hon fyddai ei seithfed opera, i eiriau Joseph Bennett, y beirniad cerdd o Lundain a fu â diddordeb yng ngherddoriaeth Cymru ers ymweld ag Eisteddfod Genedlaethol Caerfyrddin yn 1867. Ond bu rhaid i'r cyfansoddwr ddisgwyl i'r geiriau gyrraedd fesul tipyn o Lundain. Roedd Act I yn barod erbyn diwedd Mai 1901, a hyd at ganol Act II erbyn diwedd y flwyddyn. Yn y cyfamser, o

bosibl er mwyn lladd amser, cyfansoddodd Parry ddwy opera arall: *His Worship the Mayor* ac *Y Ferch o'r Scer* – seithfed ac wythfed operâu'r cerddor, tra arhosai'r nawfed heb ei chwblhau. Mae *His Worship the Mayor* yn gwneud hwyl am ben bywyd dinesig, mân wleidyddiaeth, a hunanbwysigrwydd swyddogion llywodraeth leol. Opera ysgafn, ddoniol ydyw, nid annhebyg i gynnyrch Gilbert a Sullivan. Ond yn wahanol i operâu'r Savoy, ni pherfformiwyd *His Worship the Mayor,* ac ni chyhoeddwyd y gwaith chwaith.

Erbyn diwedd 1901, roedd Parry yn paratoi ar gyfer perfformio *Ceridwen* ym Mhontypridd adeg y Nadolig. Canwyd hefyd *Nebuchadnezzar,* ond yn wahanol i'r arfer, perfformiwyd y gweithiau hyn 'in character' fel opera. Ym Mhontypridd, arweiniodd y cyfansoddwr Gôr Undebol Canolbarth Rhondda i gyfeiliant piano a harmoniwm. Er gwaethaf gwaith mawr y paratoi, gweddol yn unig fu'r perfformiadau – sefyllfa a ddigwyddai'n rhy aml yn ôl sylw Parry yn ei hunangofiant. Yn wir, ysgrifennu'r hunangofiant hwn a gafodd sylw pennaf Joseph Parry yn ystod hanner cyntaf 1902, ac fe aeth ati gyda brwdfrydedd – a brys. Mae'r cyfanwaith o dros 80 tudalen o dro i dro yn fylchog o ran cynnwys, yn anwastad ei arddull ac yn ddidrefn ei ddilyniant. Er hyn oll, mae'n ddarlun gwerthfawr o feddwl cerddor oedd yn tynnu at ddiwedd oes o wasanaeth cerddorol a diwylliannol ar ddau gyfandir. Dechreuodd ar y gwaith ar 1 Ionawr 1902, gyda'r frawddeg farddonol: 'O thou; unseen, and ever moving Time!' a sôn bod ei chwaer Ann a'i frawd Henry wedi marw, a'i ddwy chwaer Elizabeth a Jane yn fyw o hyd yn America. Yna eir drwy hanes ei fywyd, gan fanylu neu beidio yn ôl mympwy neu gof, a chyrraedd 20 Mai 1902 dros drigain tudalen yn ddiweddarach.

Yn 'Ail Ran' y gwaith, rhestrir y cerddorion hynny yr oedd Parry wedi eu gweld, eu clywed a'u cyfarfod, rhestr hirfaith, yn eu mysg Wagner, Liszt, Grieg, Dvořák, Hallé, Richter a Verdi. Yn anffodus nid yw Joseph Parry yn gwahaniaethu rhwng y rhai a welodd, a glywodd neu y cyfarfu â hwy! Yna rhestrir dros 70 o'r operâu a glywodd – yn cynnwys gweithiau Verdi, Mozart, Wagner, Puccini, Rossini, Weber, a Sullivan – ynghyd â thaleithiau America a gwledydd Ewrop yr ymwelodd â hwy. Roedd yn bwriadu ymweld ag Awstralia yn ogystal ag America unwaith eto, gan adael Cymru ar ddiwedd Mehefin 1903 ar gyfer taith o ddarlith-gyngherddau a beirniadu yn Eisteddfod Ballarat, Awstralia, ar 9 Hydref, yna hwylio ar 1 Tachwedd i San Francisco a gadael America ar 3 Ionawr 1904 ar ôl taith o ddarlithio, cyngherdda ac arwain cymanfaoedd canu. Dechreuodd drydedd ran ei hunangofiant gyda'r pennawd mawreddog '*Wales* as *it is*, Wales as it *need be*, and Wales as it *might be*'. Ond mae gweddill y dudalen yn wag. Roedd diddordeb gan y cerddor ym mudiad cenedlaethol Cymru Fydd yr oes, ac mae'n drueni mawr na orffennodd y rhan hon o'r gwaith.

Diweddglo cerddorol 1902 oedd gorffen cyfansoddi a threfnu perfformiad o'i opera *The Maid of Cefn Ydfa* yn y Grand Theatre, Caerdydd, ar 15 Rhagfyr gan y Moody Manners Opera Company. Cafwyd llwyddiant mawr, a disgrifiwyd yr achlysur yn hunangofiant y cyfansoddwr fel 'the greatest success of my life labours' (t. 82), gyda holl adnoddau'r cwmni opera a'r theatr wedi cydweithio'n ardderchog: cast o 92 a cherddorfa o 110. Madam Fanny Moody, a fu'n *prima donna* yng nghwmni Carl Rosa am dair blynedd, a ganodd ran Ann Thomas – prif gymeriad yr opera – ac addawodd Mr Manners y ceisiai gynnwys yr opera yn *repertoire* ei '*A* Company' a deithiai drwy Loegr – cwmnïau *B* ac C a ddeuai i Gymru fynychaf – ac addawodd Joseph Bennett eiriau opera arall i'r Pencerdd.

Fel ei opera flaenorol *Y Ferch o'r Scer*, mae *The Maid of Cefn Ydfa* yn olrhain stori'r chwedl, yn defnyddio deialog heb gyfeiliant ac yn dyfynnu nifer o alawon gwerin, yn enwedig 'Bugeilio'r Gwenith Gwyn'. Ond y tro hwn, yn lle dyfynnu'r alaw ac amrywio'r *cyfeiliant*, mae Joseph Parry yn defnyddio 'Bugeilio'r Gwenith Gwyn' fel sail cerddorol yr opera. Fe'i clywir gan y gerddorfa yn y Rhagarweiniad – nid oes agorawd traddodiadol – ac fe'i ceir mewn fersiwn cerdd dant gyda Wil Hopcyn yn canu'r gyfalaw, gan ddechrau, yn ôl y traddodiad, ar ôl y gainc (gweler t. 92).

Ym mis Ionawr 1903, ysgrifennodd Parry lythyr at Bwyllgor Cerdd yr Eisteddfod Genedlaethol yn holi a fyddai gobaith perfformio'i oratorio *Jesus of Nazareth* yn Eisteddfod Genedlaethol Y Rhyl yn 1904. Ei fwriad oedd i'r cywaith rhyngddo ef a'r bardd Elfed – sef y Parchedig H. Elvet Lewis – fod yn *brif* waith ei fywyd, ac er i'r oratorio fod ar y gweill ers dros bum mlynedd, ni ddechreuwyd o ddifrif ar y cyfansoddi tan 1902. Dywedodd fod hanner y gwaith yn barod a'i fod yn 'bwnc ardderchog, ac un o'm gweithiau gorau. Ai hwn fydd y diwethaf o'm heiddo?' Ond ni cheid perfformiad o'r oratorio, ac roedd cwestiwn olaf y llythyr yn anffortunus o ragfynegol, oherwydd bu farw o fewn mis i'w ysgrifennu. Daeth y diwedd yn sydyn: cymerwyd ef yn sâl ar ddechrau Chwefror, cafodd lawdriniaeth ar y pumed, ac roedd pob argoel y byddai'n gwella. Ond gwenwynwyd y gwaed, cafodd lawdriniaeth arall, ond gwaethygu wnaeth ei gyflwr, a bu farw am hanner awr wedi naw ar nos Fawrth 17 Chwefror 1903 yn 61 oed.

Cynhaliwyd yr angladd ar 21 Chwefror. Yn ôl y disgwyl roedd yn achlysur enfawr, ac amcangyfrifir bod tua 7,000 o alarwyr – yn cynnwys Spencer Curwen o Lundain – wedi dod ynghyd ym Mhenarth. Ar ôl gwasanaeth angladdol yng nghapel Bethel, Plassey Street, aeth y cynhebrwng yn ei flaen i fynwent eglwys Sant Augustine, a gosodwyd yr arch yn yr un bedd â'i fab Willie. Canwyd 'Oh, Blessed are They' (Mendelssohn), 'Cytgan y Pererinion', a'r emyn-donau 'Aberystwyth' a 'Crugybar' dan arweiniad Tom Stephens, hen gyfaill i'r teulu. Gwasanaethwyd gan y Parchedigion Charles Davies, Caerdydd ac Elvet Lewis, Llundain – yr olaf yn cynnwys yn ei anerchiad angladdol:

> Nid yw yn bosibl claddu cerddor; gallwch gladdu bardd, neu arlunydd, neu bregethwr, ond byth gerddor, am fod caniadau cerddor yn ei ddal yn fyw am oesoedd o flaen y wlad, a bydd caniadau Joseph Parry yn byw yng nghof, nid yn unig yr oes hon, ond holl oesoedd y ddaear, ac felly yn perarogli ei enw ac yn anfarwoli ei goffadwriaeth.

Roedd nifer anferthol y galarwyr yn gynrychiolaeth deg o farn cenedl oedd wedi colli eu harwr cerddorol. Trefnwyd gwasanaethau, cyfarfodydd a chyngherddau lu er cof amdano, canwyd ei gerddoriaeth mewn cymanfaoedd canu arbennig, a chyhoeddwyd barddoniaeth, er enghraifft 'Cwyn Cymru am Dr Parry' gan fardd di-enw:

Stormydd y gaeaf du
    Sy'n curo arnai'n awr;
Mae'm hoff delynau cu
    Yn ddarnau ar y llawr:
O aeaf erch dywed a gaf
Delynau gwell pan ddaw yr haf . . .

Joseph, fy mhlentyn mwyn,
    Collais dy siriol wedd;
O! gresyn oedd dy ddwyn
    Mor gynnar i dy fedd;
Lluniaist alawon penna'th wlad,
A'i chysygredig donau mad . . .

Er colli'th wyneb glân
    Yn nh'wyllwch prudd y glyn,
Byr atsain per dy gân
    Yn fyw tra bro a bryn;
Y galon drom o dan ei loes
Yn sŵn dy gân ddaw at y groes.

Ar 16 Mawrth yn Youngstown, Ohio, cynhaliwyd cyfarfod coffa arbennig. Canwyd 'Aberystwyth' ac anerchwyd gan nifer o'r Cymry a fu'n agos at Parry yn ystod ei oes, er enghraifft Joseph Aubrey ac Anthony Howells. Cafwyd anerchiadau barddonol gan Mathrafal, J. B. Lodwick a D. J. Hughes, a manylodd Joseph Aubrey ar Eisteddfod Youngstown 1865, ar Gronfa Parry, ac am ei yrfa yn Llundain. Cynhaliwyd nifer sylweddol o gyfarfodydd a gwasanaethau tebyg yn America er cof amdano.

Gweinidog Joseph Parry yn ystod ei blentyndod yn Danville oedd y Parchedig John B. Cook, a'i ymateb ef yn 1903 i golli un o blant ei eglwys oedd mynegi bod:

> gwneuthur daioni yn rhan o'i gyfansoddiad, cymwynasgarwch a haelioni yn etholedig yn ei anian. Colled i'r gwledydd oedd claddu Dr Parry, y dinesydd ffyddlon, y gwladgarwr egwyddorol, y cymydog cymwynasgar, a'r cyfaill didwyll.

Nodwyd y golled mor bell â Salt Lake City:

> No name is held in greater honor in Welsh-American circles than his . . . Dr Parry was a man of superior type. He was the embodiment of conscientiousness, and he sought dilligently to be just to all men, regardless of creed or nationality. (*Desert Evening News*, Salt Lake City, 28 Chwefror 1903, t. 3)

Cafwyd teyrngedau cerddorol hefyd, sawl cerddor yn cyfansoddi darnau coffa, er enghraifft 'Drylliwyd y Delyn' David Jenkins – 'Anthem Syml er cof am fy Athro Dr Joseph Parry' ar eiriau Elfed ac a gyhoeddwyd gan y cyfansoddwr. Erbyn Mawrth 1903, roedd Alaw Ddu (W. T. Rees) wedi cyfansoddi a chyhoeddi 'O! Alar Ddu', sef Requiem er cof am Joseph Parry a'r nifer o Gymry eraill megis Isalaw a gollwyd yn ddiweddar. Cynhaliwyd Gŵyl Goffa iddynt ar 26–7 Rhagfyr 1904, a'r testunau cystadlu yn cynnwys amrywiaeth o ddarnau gan gyfansoddwyr Cymreig a Joseph Parry'n flaenllaw yn eu mysg.

Daeth cyfansoddi darn coffa yn boblogaidd fel cystadleuaeth eisteddfodol hefyd, er enghraifft cynigiwyd £10 am gyfansoddiad i leisiau cymysg ar eiriau ysgrifennydd Eisteddfod Llandudno, T. W. Francis, adeg y Calan 1904, a J. H. Roberts yn feirniad. Y Mehefin blaenorol, cyhoeddodd J. H. Roberts ei hun ei 'Requiem' ef 'er cof am y diweddar Joseph Parry' ar eiriau Hawen, sef y Parchedig D. Adams. Canwyd y darn yn eisteddfod capel y Methodistiaid, Glyn Ceiriog, ar 16 Tachwedd.

Gadawodd Joseph Parry deulu o bedwar: Jane ei wraig a thri o'r pum plentyn gwreiddiol – Mendelssohn, Dilys ac Edna. Bendithiwyd priodas Mendy a Hannah Jones â dwy ferch – Elsie a Viola – a bu farw'u tad yn hanner cant yn 1915. Aeth y plant, fel eu mam, i fyd yr opera ysgafn, ac roedd Hannah Jones yn gyfeillgar â Clara Novello Davies. Priododd Dilys ŵr o'r enw George Smith ar ôl marwolaeth ei thad, a ganwyd iddynt un ferch – Barbara Parry-Smith – yn Exeter ar 2 Fawrth 1908. Bu hi a'i mam, yn cynnal Ysgol Gerddorol y De am sbel gan ddysgu'r piano yn arbennig, a threfnu ambell gyngerdd myfyrwyr, er enghraifft ar 5 Mai 1903 yn yr YMCA yng Nghaerdydd. Bu hefyd yn arweinydd y Cymru Fydd Glee Society ym Mhenarth am gyfnod, a pharhaodd i ddilyn yn ôl troed ei thad tan ei marwolaeth sydyn ar 4 Awst 1914. Fe'i claddwyd ym mynwent Star Cross yn Nyfnaint.

Edna oedd yr olaf o blant Joseph Parry i farw, a hynny oddeutu 1940. Ganwyd iddi hi a'i gŵr Wilkie Waite un ferch – Doreen – ar 1 Mawrth 1898. Roedd y teulu'n byw yn Y Barri ar y pryd, ond adeg llunio *Cofiant Joseph Parry* yn 1921, roeddynt wedi symud i Wolverhampton. Dychwelasant i'r Barri rai blynyddoedd yn ddiweddarach, ac oddi yno y gwerthwyd llawysgrif hunangofiant Joseph Parry i Lyfrgell Genedlaethol Cymru yn 1935. Priododd Doreen Waite â Sam Widgery, a bu farw ar 4 Gorffennaf 1979. Roedd gor-wyres i Joseph Parry yn fyw yn wythdegau'r ugeinfed ganrif, sef Elisabeth Parry merch i Arthur Haydn, mab Joseph Haydn Parry. Roedd yn ddibriod ac yn byw ger Guildford.

Y perthnasau yn America oedd yn fyw adeg marwolaeth Joseph Parry oedd Lizzie Parry James (ganwyd yn 1854) – nith drwy ei chwaer Ann (bu farw'n 1855) a Robert James; plant Henry Parry (1838–92): Sallie Elen (ganwyd 9 Chwefror 1865), Mary Lyda (ganwyd 14 Awst 1866) a

Rosaline Maud (ganwyd 14 Chwefror 1873); ynghyd â dwy chwaer y Pencerdd, Elizabeth Lewis a Jane Evans. Roedd perthnasau pell i'w fam – Bet Parry – yn byw yn ardal Mynyddygarreg, Cydweli, yn 1903. Bu farw Gomer Thomas, brawd Jane Parry, yn Danville ar 12 Hydref 1903. Penderfynodd Jane ymweld ag America yn ystod Awst a Medi 1904, gan ymweld â pherthnasau megis ei gor-nai Haydn Parry Evans – a oedd yn tynnu at gant oed yn wythdegau'r ugeinfed ganrif – yn Wilkes-Barre, Pennsylvania, a chan aros gydag Anthony Howells yn Masillon, Ohio; hen gyfaill i'r teulu Parry.

Bu farw Jane Parry ym Mhenarth ar 25 Medi 1918 yn 75 oed. Cynhaliwyd yr angladd ar 30 Medi, a chladdwyd ei gweddillion wrth ymyl ei gŵr ym mynwent eglwys Sant Augustine. Ar y garreg fedd mae'r geiriau: 'He is waiting and watching for me.' Ymysg y galarwyr roedd D. Christmas Williams a David Evans, dau o gyn-ddisgyblion ei gŵr. Hwy oedd yr amlycaf o fyfyrwyr eu hathro yng Nghaerdydd, a David Evans a benodwyd i swydd Joseph Parry. Roedd yn gerddor talentog, a gyfansoddodd y garol gyfarwydd 'Tua Bethlem Dref'; yn 1908 dyrchafwyd statws ei swydd o 'Darlithydd' i Athro, felly David Evans oedd gwir Athro Gerddoriaeth cyntaf y Coleg yng Nghaerdydd.

Gadawodd Joseph Parry ystâd bersonol gwerth £440. O gofio am anawsterau ariannol y cerddor ar hyd ei oes, nid yw'r swm gymharol fach hon yn annisgwyl. Fodd bynnag, roedd rhaid sicrhau incwm i Jane ei weddw, ac yn sgil hynny, cynhaliwyd cyfarfod cyhoeddus ym Mhenarth a Chaerdydd yn dilyn yr angladd. Ffurfiwyd Pwyllgor o blith Cymry Caerdydd, yn gerddorion, academwyr a gwŷr y wasg, a phenderfynwyd ffurfio 'The Dr Joseph Parry Memorial Fund'. Byddai llog y cyfraniadau yn mynd yn flynyddol i Jane Parry. Codwyd arian drwy amryw o weithgareddau cerddorol, er enghraifft aeth elw cyngerdd cyn-ddisgyblion y Pencerdd yn y Cory Hall, Caerdydd ar 2 Ebrill, at y gronfa, yn yr un modd â pherfformiad o opera David Jenkins *Enchanted Isle* yn Aberystwyth ar 22 Mai, ac Eisteddfod Ynys y Barri a gynhaliwyd yn fuan ar ôl Eisteddfod Genedlaethol Llanelli 1903. Cyfrannodd pob enwad ym Môn £80 at y gronfa. Ar 26 Tachwedd 1903, safai'r gronfa ar £1,089.19*s*.2*d*., ac er gwaethaf cyhoeddi 15 Ionawr 1904 fel y dyddiad cau, parhaodd y cyfraniadau i lifo, gan gyrraedd £1,246.6*s*.5*d*. ar 16 Ebrill. Cyflwynwyd £100 i Jane Parry, talwyd treuliau amrywiol, ac erbyn cyfarfod olaf y Pwyllgor apêl yng Nghaerdydd ar 30 Ebrill 1904, trosglwyddwyd y swm o £1,099.2*s*.7*d*. i goffrau'r Ymddiriedolaeth. Wedi marwolaeth Jane Parry yn 1918, defnyddiwyd y gronfa fel sail i'r 'Dr Joseph Parry National Scholarship Trust' ar gyfer cerddorion ifainc a ddymunai astudio yn yr Athrofa Frenhinol neu'r Coleg Brenhinol yn Llundain, neu unrhyw sefydliad cyffelyb gan gynnwys Prifysgol Cymru. Trosglwyddwyd gweinyddu'r ysgoloriaeth i Eisteddfod Genedlaethol Cymru, ac roedd y wobr yn werth tua £70 yn 1976, a chyfeirir ati yn Rhaglen Swyddogol y Brifwyl.

Er mwyn cael darlun teg o'i fywyd, da o beth fyddai edrych ar ddetholiad bach o ddyfyniadau sy'n mynegi barn – canmoliaethus a beirniadol – am y cerddor dadleuol hwn. Wrth eu darllen, daw'n amlwg i Joseph Parry fod yn ffigwr o bwys ac, yn sicr, ef oedd cerddor pwysicaf Cymru yn y bedwaredd ganrif ar bymtheg:

1869: Dylem fel Cymru ac America fod yn falch o Mr Parry, gan ei fod yn wir blentyn athrylith. (Gohebydd, *Baner ac Amserau Cymru*)

1881: I certainly consider you the finest chorus writer Wales has produced. (Roland Rogers, llythyr at Joseph Parry)

1894: . . . yr unig 'genius' cerddorol oedd ganddynt yng Nghymru yn awr. (Caradog)

1903: . . . pe buasai wedi ei godi mewn awyrgylch gerddorol fel eiddo Birmingham, neu Sheffield, neu Manchester, ymhell o sŵn y Salm-dôn Gymreig; yr hon . . . sy'n andwyo cerddoriaeth Gymreig, buasai wedi dod i lawer uwch bri fel cerddor. (Joseph Bennett)

1903: . . . his enthusiastic hopefulness, his youthful buoyancy, his innocent impracticability, his ardent nationalism . . . the greatest musical genius Wales has produced, and like all geniuses he was not understood and valued as he should have been. (H. M. Hughes)

1903: . . . yr oedd cymaint o'r plentyn ynddo . . . Credai yn gryf y medrai gyfansoddi, ac y mae wedi profi fod ei gred yn gywir, a phe buasai wedi dysgu bod yn fwy llym a beirniadol uwchben ei gynhyrchion, nid oes un cerddor yn Lloegr heddiw, oddigerth Elgar a fuasai yn rhagori arno. (David Jenkins)

1903: Beth bynnag am safle Dr Joseph Parry o'i gymharu â phrif gerddorion y byd, y mae'n sicr o fod o ran ei athrylith ddisglair ac o ran amrywiaeth a mesur ei waith, yn uwch nag yr un Cymro o'i flaen. (L. J. Roberts)

1913: Ni chreodd un cerddor Cymreig gymaint o ddisgwyliad ac edmygedd yn y werin Gymreig. (David Jenkins)

1917: Efe, yn ddiau, oedd brenin y gerdd yng Ngwalia. (Tom Price)

1921: Bu Parry drwy ei fywyd mewn brwydr ag amgylchiadau, fel rheol yng nghanol gwyntoedd croes; ac yn aml o dan y dŵr. Eto, nid byth y rhoddai i fyny: yr oedd rhyw ystwythder adlamol yn ei natur a'i galluogai i forio ymlaen fel cynt . . . artist oedd Joseph Parry o'i gorun i'w sawdl . . . yn byw i'w ddelfryd ac i ddim byd arall, a'i fod fel baban ymysg pethau amgylchiadol. . . . yn meddu ar nodweddion a diffygion artist, a'r diffygion yn codi i fesur mawr o'r nodweddion. (E. Keri Evans)

1922: Dr Parry was without a doubt the greatest musical genius that Wales ever produced, and as a hymn-tune and song writer he was equal to the best. . . . To judge a musician of a working-class family, born in 1841, . . . with the standard of today [1922], is an unworthy and unfair act. (David Morgans)

1947: Well-known but not well-paid, a personality who was a great draw but who drew very little in the way of pay for himself. (Jack Jones)

1967: Efe oedd un o'r prif ddylanwadau ar gerddoriaeth yng Nghymru yn y ganrif o'r blaen. (Huw Williams)

1967: Parry was a prolific composer, but in his major works he felt obliged to use a nondescript style thought to be proper to a Doctor of Music. (Percy Young)

1983: . . . bwgan ei gyd-gerddorion ac eilun y werin. (Rhidian Griffiths)

8

Joseph Parry – Y Dyn

Er mwyn dod i adnabod Joseph Parry, rhaid dibynnu'n helaeth ar dystiolaeth ei eiriau a'i weithredoedd, yn ogystal â barn eraill – yn enwedig ei gyfoeswyr – amdano. Fe'i magwyd ar aelwyd a oedd yn ariannol dlawd ond yn ddiwylliannol gyfoethog. Ni chafodd y nesaf peth i ddim o addysg gyffredinol, ac ar y cyfan 'amaturiaid' fu'n gyfrifol am ei addysg gerddorol nes iddo gyrraedd yr Athrofa yn Llundain. O ganlyniad 'ni ddatblygodd ond ychydig os dim i un cyfeiriad ond yr un cerddorol' (*Cofiant Joseph Parry*, t. 248). Ceir sawl cyfeiriad at y diniweidrwydd a berthynai iddo, er enghraifft 'o ran anian a hoffter yn fab tangnefedd, yn un diniwed ac anymladdgar' (ibid., t. 175).

Adlewyrchir y diniweidrwydd hwn yn ei agwedd at enwau. Enwyd cyntafanedig y teulu yn *Joseph Haydn* Parry a'i alw ar lafar yn 'Haydn' – neu'n fyrrach 'Haydy'. Edmygedd Parry o'r cyfansoddwr Mendelssohn esgorodd ar 'Mendy', sef Daniel (ar ôl ei dad-cu) Mendelssohn, ac enwyd 'Willie', William Sterndale, ar ôl athro cyfansoddi'r Pencerdd yn yr Athrofa. Tuag 1875, cyfansoddodd ddarnau piano i'w blant: 'Little Willie's Waltz' a 'Little Eddie's Mazurka.' 'Eddie' oedd ei ferch Annie Edna, a gwelir mwy o'r 'chwarae-ar-enwau' yma yn newis Joseph Parry o ffugenwau pan oedd yn cystadlu yn adran gyfansoddi Eisteddfod Genedlaethol Cymru rhwng 1863 ac 1866: 'Bachgen bach o Ferthyr erioed, erioed', 'J. P. Bach', 'Alltud o wlad y gân', 'Sebastian', 'Ap ei wlad', 'Crwydryn' ac yn y blaen. Cadarnheir yr elfen chwareus i'w gymeriad gan sylwadau Asaph yn *Baner ac Amserau Cymru*:

> Plentyn natur i raddau helaeth iawn oedd Dr Parry. Yr oedd rhyw blentynrwydd a diniweidrwydd ynddo oedd yn ein gorfodi i'w hoffi. Nid oedd un amser yn cuddio ei wir deimladau; nis gallai efe, yr oedd yn rhy ddi-ddrwg a syml ei nodweddion i hynny. Cafodd lawer o'i gamesbonio a'i gamgyhuddo oherwydd di-ddichellrwydd ei natur. Gwahanol iawn i rai. (25 Chwefror 1903, t. 11)

Fe'u gwelir hefyd yng ngeiriau'r cerddor ei hun, er enghraifft ar 6 Ionawr 1880, gorffennodd sgorio cyfeiliant cerddorfa ei oratorio *Emmanuel.* Teimlir ei orfoledd i'r byw yn iaith flodeuog y paragraff a luniodd i ddisgrifo'i deimladau:

> *News*! NEWS! *NEWS!!!* Ye fowls of the air – ye creatures that *growl, groan, and puff* in the mighty deep; . . . Thus the herald screams as he rushes through the universe bearing the glad tidings of some little man who resides at a remote corner of our world, having this day completed the score of his last work, 'Emmanuel'. So intense is the news that all things are *dumb* with *astonishment and fright,* even *paralyzed* as the herald's tones and vibrations *roll onward* through space. So now for a while, my poor and feeble brain, nerve and hands may pause awhile and wonder what such a pause means, being so unusual . . . *News!* NEWS!! GLORIOUS NEWS!!! (detholiad, ac italeiddio'r awdur)

Er gwaetha'r hunanhyder ymddangosiadol, fe welir yn achlysurol elfennau o ansicrwydd hefyd. Wrth edrych yn ôl yn ei hunangofiant ar yr adeg pan awgrymodd Pwyllgor Eisteddfod Youngstown, Ohio, yn 1865 y dylai'r Pencerdd fentro i fyd cerddoriaeth ar gyfer ei fywoliaeth, dywedodd ei fod '. . . much afraid of my non-success'.

Efallai mai'r agwedd hon ar ei bersonoliaeth oedd yn gyfrifol am ei ddiffyg menter y tu allan i'r 'cylch Cymreig': Cymru, Cymry America, a Chymry Lloegr (Llundain, Lerpwl, Manceinion a Workington yn arbennig). Trwy gydol ei fywyd, arhosodd o fewn ei gynefin, hyd yn oed pan oedd yn byw yn Llundain, un o ddinasoedd mwyaf cerddorol a diwylliannol yr oes, prin yw'r cyfeiriadau at Parry'n mynychu cyngherddau, operâu ac ati nad oedd iddynt ryw gysylltiad Cymreig. O fewn y cylch Cymreig y perfformiwyd mwyafrif ei gerddoriaeth, ac eithriad oedd perfformiad *Saul of Tarsus* yn Newcastle-upon-Tyne yn 1895. Efallai bod ofn cystadleuaeth arno. Rhoddodd y gorau i gystadlu yn adran gyfansoddi'r Eisteddfod Genedlaethol yn 1866, tra parhaodd cyfoeswyr megis D. Emlyn Evans i gystadlu'n rheolaidd. O bosibl, ceir yma elfen o hunanfalchder hefyd a theimlad ei fod erbyn 1866 yn rhy 'bwysig' fel cerddor i fod angen eisteddfod i brofi ei ddawn greadigol. Yn sicr, gallai fod yn hunanbwysig ac roedd yn falch iawn o'i 'Mus. Bac' ac yn enwedig ei 'Mus. Doc.' Er hynny, roedd o'r farn mai J. Ambrose Lloyd oedd biau'r emyn-dôn Gymreig gorau 'Eifionydd', y rhan-gân Gymreig orau 'Y Blodeuyn Olaf', a'r anthem Gymreig orau 'Teyrnasoedd y Ddaear'.

Roedd ganddo bersonoliaeth gymhleth ac yn ôl David Morgans: 'he had the Celtic temperament strong within him. He was hasty and indiscreet at times; he would allow his feelings to come between him and his judgement, and offended a number of his best friends' (*Music and Musicians of Merthyr and District,* t. 102). Nid oedd ganddo feddwl 'gwleidyddol' neu 'ddiplomatig' a dywedai'n union beth oedd ar ei feddwl – boed hynny'n gywir ai peidio – ac o ganlyniad tynnodd sawl nyth cacwn i'w ben. Enghraifft o hyn yw'r anghytuno mawr a fu ynghylch pwy i'w wobrwyo yng nghystadleuaeth cyfansoddi cantawd yn Eisteddfod Genedlaethol Merthyr 1881.

Yn Eisteddfod Genedlaethol Llandudno 1896, cyflwynwyd Tysteb Genedlaethol iddo a oedd yn werth £630, ond buddsoddi'r arian mewn tŷ newydd ym Mhenarth wnaeth swyddogion y Dysteb yn hytrach na'i roi fel swm o arian parod i'r cerddor. Enillodd Parry dipyn o arian yn ystod ei yrfa gerddorol drwy gystadlu, perfformio, beirniadu, arwain, cyhoeddi ac ati, ond eto roedd o hyd yn brin o gyfalaf. Nid oedd ganddo'r natur i warchod ei enillion, a dioddefodd ei fywyd personol o'r herwydd.

Ni welai'r cyhoedd agweddau felly ar ei bersonoliaeth. Joseph Parry oedd eilun y werin, a moriodd yn ei gwerthfawrogiad cynnes ohono. Yr oedd yn un ohonynt, o dras gyffredin ac wedi tyfu'n un o brif gerddorion y genedl; eto arhosodd yn agos at ei wreiddiau. Nid oedd yn uchelwr, nac yn un o'r frenhiniaeth, nac yn Aelod Seneddol, nac yn un o brif swyddogion sefydliad fel Prifysgol Cymru, ond oherwydd ei garisma tyfodd yn fuan i fod yn gymaint o seren ag unrhyw aelod o'r dosbarthiadau hynny. Nid oedd arno ofn dangos ei deimladau ac roedd mor agored ei natur nes wylo'n gyhoeddus wrth glywed perfformiad o 'Cytgan y Pererinion' yn Eisteddfod Genedlaethol Abertawe 1891.

Yn gryno, roedd Joseph Parry y dyn yn ddrych o'i gerddoriaeth: yn llawn anghysondeb a chyferbyniadau. Ym Medi 1885, o ganlyniad i si fod yr Adran Gerdd yn Aberystwyth i'w hatgyfodi, ysgrifennodd at Stephen Evans – aelod o Gyngor y Coleg – gan holi faint o obaith fyddai i'r cyn-Athro ddychwelyd i Gadair ei hen swydd. O ystyried y berthynas anhapus fu rhyngddo a'r awdurdodau yn Aberystwyth, dim ond cymeriad diniwed a allai feddwl yn y fath fodd. Ond yr *un* cymeriad a ragfynegodd y cyfansoddwr arbrofol o'r ugeinfed ganrif John Cage â'r athroniaeth ganlynol: 'I feel that silence may produce the very essence of Music' (Atodiad i'r hunangofiant, t. 4).

Nid oes cymaint o ddeuoliaeth i'w gweld yn agweddau crefyddol Joseph Parry. Ar hyd ei oes arhosodd yn Annibynnwr selog ac yn ddirwestwr rhonc. Annibynwyr oedd ei rieni, a'u teulu ymhlith y selocaf a fynychai gapel Bethesda ym Merthyr Tudful. Arhosodd yr arfer cynnar hwn yn rhan bwysig o fywyd Parry – boed yng Nghymru, Llundain neu America – a theithiai'n bell ar brydiau er mwyn cefnogi'r enwad, er enghraifft i Lundain ar gyfer arwain cymanfa ganu, neu i Lerpwl ar gyfer perfformio mewn cyngerdd. Roedd yr achos dirwestol hefyd yn agos iawn at ei galon, a hynny ers ei ieuenctid. Yn bedair ar bymtheg oed, yn Eisteddfod Danville adeg y Nadolig 1860, cipiodd y wobr am ei gyfansoddiad 'A Temperance Vocal March', a dilynwyd y llwyddiant hwn gan nifer o ddarnau llwyrymwrthodol eraill, yn enwedig yn ystod ei gyfnod fel myfyriwr yn Llundain.

Mae nifer sylweddol o ddarnau Joseph Parry ar destunau crefyddol: cannoedd o emyn-donau, anthemau, ac amrywiaeth o ddarnau cysegredig, nifer ohonynt wedi parhau'n boblogaidd heddiw. Yn ôl cyfoeswyr megis David Jenkins a Daniel Protheroe, roedd cerddoriaeth Parry ar ei gorau pan oedd ei ben ar ei liniau. A dywed Jack Jones: 'The foundation of the best work you [Joseph Parry] have done is the chapel and the Bible' (*Off to Philadelphia in the Morning*, t. 350).

Er hynny, roedd gan Joseph Parry farn bendant ynghylch cerddoriaeth gysegredig. Ymddangosodd erthygl ganddo ar y testun yn *Yr Ysgol Gerddorol* Gorffennaf, 1879, lle mynegodd y farn mai'r *eglwys* oedd priod le cerddoriaeth grefyddol, a bod yr Anghydffurfwyr 'yn rhy gyfyng a chul yn y defnydd a wnawn o gerddoriaeth yn ein gwasanaeth crefyddol . . . Ymfoddlonwn ar y dôn fer yn unig, gan amddifadu ein hunain o ffurfiau ac effeithiau llawer uwch a dyfnach ar y galon ddynol'. Awgrymodd fod angen defnyddio mwy ar y salm-dôn a'r anthem gynulleidfaol, a bod angen dealltwriaeth berffaith rhwng y gweinidog ac arweinydd y gân fel bod testun y bregeth yn cytuno â dewis y gerddoriaeth. Dylid mynd ati hefyd i ffurfio côr ym mhob eglwys i hybu'r gynulleidfa ond heb ei disodli.

Ni chollodd Parry ei grefydd yn ystod ei oes – er gwaethaf sawl profedigaeth chwerw – ac mae'r dyfyniadau canlynol o'i eiddo yn dysteb o'i ffydd:

> Gobeithiaf y gwna yr Hwn sydd â phob gallu yn ei law weld yn ddoeth ein cadw o dan Ei adenydd dwyfol ac y cawn gyfarfod eto. (Cylchlythyr *Y Drych* 1868)

> *To God*. The whole universe worshipping God. (Sylw ar ddiwedd emyn-dôn di-enw, 8 Mai 1898)

> During all we have had the *guidance* and *support* of a *Heavenly Father*. (Llythyr at Jane Parry, 26 Mai 1901)

Rhwng colli dau fab, ynghyd â'r anawsterau ariannol beunyddiol, ni fu bywyd yn hawdd i Joseph Parry a'i deulu. Ond, llwyddodd i oresgyn y cyfan, a byw bywyd cerddorol llwyddiannus yn llygad y cyhoedd – prawf di-os o'i ffydd gadarn a chryfder mewnol ei gymeriad.

O safbwynt perfformio, y llais oedd 'offeryn' cyntaf Joseph Parry; canai alto ac yna tenor mewn corau ym Merthyr Tudful a Danville. Yn America, dysgodd y melodion cyn symud ymlaen at yr harmoniwm, y piano a'r organ. Ar ddechrau'i yrfa gerddorol daeth enwogrwydd Joseph Parry yn sgil ei allu fel canwr yn ogystal â'i orchestion ym maes cyfansoddi. Poblogeiddiwyd ei achos ymhellach wrth iddo ganu ei gyfansoddiadau ei hun, gan 'hysbysebu' ei gerddoriaeth mewn ffordd syml ac effeithiol – tyrrai'r werin i weld Parry y *canwr*, a chyflwynwyd iddynt Parry y *cyfansoddwr* ar yr un pryd.

Fel plentyn, mae'n debyg iddo ddisgleirio ym maes canu ar y pryd, a phan ddatblygodd yn fariton, roedd ei berfformiadau ar lwyfan yn dra arbennig, er enghraifft ar 4 Medi 1869, canodd Joseph Parry mewn cyngerdd yng Nghwmaman, a mynegodd gohebydd anhysbys mai un o'r pethau a'i gwnâi'n 'fyd-boblog' fyddai:

> Ei ddull grymus a mynegol (expressive) pan yn canu . . . mynega ryw gymaint o natur y gân yn ei wynebpryd, yn ei ysgogiadau, ac yn bennaf oll, yn ei seiniad cywir a chreol o'r geiriau; nid eu hanner cnoi a'u chwythu allan rhwng ei ddannedd, fel y mae arfer rhai . . . medr Mr. Parry osod rhyw fywyd na theimlir yn gyffredin yn natganiadau eraill yn ei ddatganiadau ei hun . . . (*Baner ac Amserau Cymru*, 15 Medi 1869, t. 4)

Ar y pryd roedd Parry yn fyfyriwr yn yr Athrofa Gerdd Frenhinol yn Llundain, ac yn derbyn gwersi canu gan Signor Manuel Garcia – un o hoelion wyth y coleg a thipyn o gymeriad yn ôl pob tebyg. Fe'i ganwyd yn Catalonia ac ar ôl dysgu canu am ugain mlynedd yn y Conservatoire ym Mharis, fe'i penodwyd i'r Athrofa yn 1848 a bu'n dysgu yno am bron i hanner can mlynedd. Ysgrifennodd draethawd pwysig ar dechnegau canu, a dysgodd enwogion fel Jenny Lind ac eraill. Bu farw yn 1906 yn 101 oed.

Ar ddiwedd ei gyfnod fel myfyriwr, cynhaliodd Cymry Llundain gyfarfod i wobrwyo Joseph Parry ac ymysg y tystlythyron a ddaeth i law oedd un gan Manuel Garcia, a gofiai ei lais fel:

> good Baritone of extended compass and good flexibility, and your [Joseph Parry] knowledge of the different styles of voices extends to you the career of either singer or professor – the former in my opinion is the more profitable and more pleasant. (17 Gorffennaf 1871)

Oherwydd bod Parry'n canu cynifer o'i ddarnau ei hun, cyfeiliai iddo'i hun hefyd (harmoniwm, nid piano, a fyddai fel arfer yn y capeli neu'r neuaddau lleol). Mae cyfeiliant unawdau fel 'Y Trên' a 'Gwraig y Morwr' yn gymhleth a thechnegol anodd, felly nid peth bach oedd iddo ganu a chyfeilio iddo'i hun. Medrai ganu'r organ hefyd, gan dderbyn gwersi yn yr Athrofa gan Dr Charles Steggall, organydd enwog yn Llundain, un o sefydlwyr y Royal College of Organists yn 1864, ac athro'r organ yn yr Athrofa o 1851 hyd 1903. Nid oes sôn i Parry dderbyn gwersi harmoniwm na phiano, ond mae'n rhaid bod ganddo gryn ddawn gyda'r offeryn. Yn ystod ei gyfnod yn yr Athrofa cyfansoddodd sawl darn i'r piano, gan gynnwys tair sonata, ac maent yn ddarnau sy'n gofyn cryn dechneg. Ar ôl iddo gyrraedd Aberystwyth yn 1874, lleihaodd ei ymddangosiadau cyhoeddus fel unawdydd llais a/neu biano, er iddo barhau i gyfeilio ar hyd ei yrfa. Fel organydd, y cysegr a'i galwai – yn Llundain, Danville, Abertawe a Chaerdydd – ac eithrio'i ymrwymiad fel organydd Cyfrinfa'r Seiri Rhyddion yn Aberystwyth.

Nid oes tystiolaeth i Joseph Parry dderbyn gwersi arwain chwaith, ond roedd ei boblogrwydd mawr fel arweinydd yn awgrymu bod ganddo rywbeth arbennig i'w ychwanegu at y gerddoriaeth a berfformiwyd, boed mewn cyngerdd neu gymanfa ganu. Mynegodd ei farn mewn erthygl yn *Yr Ysgol Gerddorol* (Ebrill 1879, tt. 37–8) y dylai arweinydd egluro mwy ar elfennau cerddoriaeth i gantorion – nodiant, graddfeydd, amseriad, cywair oherwydd: 'gormod o ganu a rhy ychydig o ymgyfarwyddo â'r wyddor sydd yn gyffredin.' Mae ambell adroddiad cyfoes wedi dal y sefyllfa hon i'r byw, er enghraifft yn ôl Mr W. Afan Edwards yn *Cerddor y Cymry*:

> Braidd yn wyllt mewn 'rehearsals' ydyw [Joseph Parry]; disgwylia i aelodau ei gôr ddarllen yn gywir ar yr olwg gyntaf. Pan fydd y darn yn glasurol, ac o'r mwyaf anodd, os na fydd iddynt ddyfod i fyny â'i ddisgwyliad ef, bydd yn ysgwyd ac yn dweud geiriau a gydiant i'r byw. Ond pan y mae yn arwain yn gyhoeddus, y mae yn fwy wrth ei fodd. (Rhagfyr 1886, tt. 10–11)

Â'r gohebydd yn ei flaen i sôn mai eistedd fyddai Parry fynychaf, gan godi ambell dro er mwyn cael effaith arbennig. Amneidiai ar yr adran leisiol fyddai amlycaf yn y gwead cerddorol, roedd ganddo wybodaeth am offerynnau'r gerddorfa, a mynnai amseru da mewn perfformiad, 'y gorau, o bosibl, a welais'. Yn sgil hynny, pa syndod i erthygl yn y *British Weekly* (31 Mawrth 1898) grybwyll ei fod yn un o arweinyddion mwyaf poblogaidd Cymru gyfan – roedd carisma ei bersonoliaeth yn amlwg yn ei arwain.

Oherwydd sefyllfa ansefydlog ei enillion, mae'n bosibl bod gorfodaeth ariannol – yn ogystal â diwylliannol – ar Joseph Parry i dderbyn yr holl alwadau am ei wasanaeth fel arweinydd. Ar ddechrau 1889, roedd yn tynnu at ei hanner cant, wedi symud tŷ a swydd ychydig ynghynt ond, eto parhaodd i grwydro. Ar 6 Mawrth, roedd yng nghapel y Tabernacl, Bangor, yn arwain cymanfa ganu flynyddol y Methodistiaid Calfinaidd, a thros 600 wedi tyrru yno i gael eu harwain ganddo. Yna ar 1 Ebrill, roedd yng nghapel Soar, Merthyr, yn arwain tri chyfarfod yng nghymanfa ganu capeli'r cylch ac ar 19 Ebrill – Dydd Gwener y Groglith – arweiniodd ddwy gymanfa ganu yng Nghaerdydd: y naill gyda'r Annibynwyr yng nghapel Wood Street, a'r llall gyda'r Methodistiaid yng nghapel Pembroke Terrace.

Er bod digon o alw arno i arwain cymanfaoedd canu, cymharol ychydig o brofiad fel arweinydd cerddorfa oedd ganddo, yn bennaf oherwydd diffygion offerynnol Cymru bryd hynny. Fodd bynnag, yng Nghyfarfod Cyffredinol Blynyddol y Cardiff Orchestral Society ar 10 Mai 1889, fe'i hetholwyd yn arweinydd y gerddorfa – swydd yr oedd i'w chynnal am dair blynedd. Dyma oedd un o'i gyfnodau mwyaf llwyddiannus fel arweinydd, a'r unig gyfle a gafodd i arwain cerddorfa Gymreig o safon a nifer – roedd dros 70 aelod. Hefyd cafodd gyfle i glywed ei gerddoriaeth gerddorfaol yn cael ei pherfformio'n broffesiynol. Roedd Parry yn y gogledd ar 25–26 Mai 1889 yn arwain cymanfaoedd canu ym Mlaenau Ffestiniog a Maentwrog. Yna dychwelodd i Gaerdydd er mwyn arwain Undeb Corawl capel Ebenezer mewn perfformiad o'i gantawd *Joseph* yn Park Hall y dref. Cafwyd ymarfer cyntaf y Cardiff Orchestral Society ar 8 Mehefin, cymanfa ganu yng Nghaerdydd ar y degfed, ac un arall yng Nghaernarfon ar y pumed ar hugain. Roedd 3,000 o aelodau o Annibynwyr Sir Gaernarfon ym Mhafiliwn y dref ar gyfer sesiwn y bore, a 7,000 ar gyfer y prynhawn a'r hwyr. Teithiodd yn ôl i'r de wedyn ar gyfer cymanfa arall yn Rhymni ar 1 Gorffennaf, lle roedd pob un o emyn-donau ac anthemau'r tri chyfarfod wedi'u cyfansoddi ganddo.

Roedd y math hwn o brysurdeb cerddorol yn nodweddiadol o fywyd Parry ac yn adlewyrchu'r galw am ei wasanaeth fel arweinydd. Mae tystiolaeth y rhai a'i gwelodd yn cadarnhau'i boblogrwydd, ac un gŵr arbennig – John Evans, a anwyd yn 1878 ac na fu farw tan 1990 – yn ei gofio yn arwain cymanfa'r Annibynwyr yng nghapel Ebenezer, Abertawe: 'Dyn awdurdodol iawn odd e', a odd e'n deall be' odd e'n siarad am bouty, (sic)' (*Y Cymro*, 29 Gorffennaf 1980, t. 6)

Yn ogystal â Joseph Parry y perfformiwr a'r arweinydd, ceir Parry'r beirniad a dreuliodd oes yn cyfrannu at eisteddfodau bach a mawr yng Nghymru, Lloegr ac America. Beirniadodd ei eisteddfod gyntaf yn Hyde Park, Pennsylvania, yn 1862 – prin ddwy flynedd ar ôl ei lwyddiant cyntaf fel cystadleuydd eisteddfodol yn Danville yn 1860. Yn ôl ei hunangofiant, methodd gysgu'r noson cynt oherwydd ei bryder ynghylch ei gyfrifoldebau drannoeth.

Ar ôl iddo gyrraedd fel Athro Cerdd Coleg Prifysgol Cymru, Aberystwyth yn 1874, gwelwyd cynnydd aruthrol ym mhoblogrwydd ei gerddoriaeth fel darnau prawf mewn eisteddfodau o bob maint, a'r cam naturiol nesaf oedd gwahodd cyfansoddwr y darn(au) prawf i feirniadu'r gystadleuaeth. O ganlyniad, daeth galw mawr am ei wasanaeth. Tra ei fod yn Aberystwyth, daeth cais gan Gwilym Cowlyd am fanylion ynghylch yr hyn a godai Parry am ei wasanaeth fel beirniad. Atebodd Parry mewn llythyr dyddiedig 25 Mawrth 1878:

Beirniadu'r eisteddfod=£12/12/0 am un diwrnod
+ Unawdydd cyngerdd=£20/0/0 am ddau ddiwrnod
£26/50/0 am dri diwrnod
Unawdydd = Joseph Parry + ei fab [Haydn] ar gyfer unawdau ffidl, unawdau piano a deuawdau gyda'r tad.
Ac am £30, ychwanegir 'lady vocalist from here [Adran Gerdd Aberystwyth]'

Nid oedd gwasanaeth Pencerdd America yn rhad ond eto roedd digon o alw amdano.

Talwyd £31 i Joseph Parry am wythnos o feirniadu yn Eisteddfod Genedlaethol Merthyr yn 1881, ac ymddengys na chynyddodd ei ffi wrth i'w enwogrwydd dyfu. Dyma'r flwyddyn y bu anghytuno a diflastod ynglŷn â'r dyfarniad. Ond natur allblyg ei gymeriad fyddai'n gyfrifol am ffrae gyhoeddus o'r fath fel arfer, nid camgymeriad cerddorol wrth feirniadu'r gystadleuaeth. Yn ôl David Jenkins, cyfaddefodd Parry wrtho ei bod yn well ganddo weld perfformio'i waith mewn cyngerdd na gorfod beirniadu'i gerddoriaeth mewn eisteddfod, am fod hynny'n gallu creu gelyniaeth ac erlid personol – rhywbeth y cafodd Parry brofiad ohono yn ystod ei yrfa gerddorol.

Er i Joseph Parry fod yn ei dro'n Athro'r Adran Gerdd yn Aberystwyth ac yn ddarlithydd yn Adran Gerdd Coleg Caerdydd, ni chynhaliai ddarlithoedd fel y cyfryw. Trefnai ei ddysgu mwy ar ffurf seminar neu diwtorial ymarferol, er bod tystiolaeth iddo gynnal sesiynau mwy ffurfiol yn achlysurol, er enghraifft traddododd gyfres o ddarlithoedd ar y Meistri, o Bach hyd Wagner, yn yr Adran yng Nghaerdydd yn ystod blwyddyn academaidd 1897–8. Erbyn hynny, cynhwysai ei gasgliad o ddarlithoedd cerddorol y canlynol (yn iaith eu cyflwyniad): The Nationalism of Music; Our Present Musical Needs; Musical Education; The Musical Composer and the Development of his Art; The Science, Art, and Language of Music; The Music and Musicians of the Christian Church; Music – its Masters, Styles, and Forms, of the Classic, Modern and Romantic Schools; Hanes Caniadaeth y Cysegr. Cyflwynodd y rhain fynychaf y tu allan i'w waith academaidd yn y Coleg, gan ychwanegu enghreifftiau cerddorol byw o'i waith ei hun neu drwy ddefnyddio unawdwyr eraill.

Y 'ddarlith-gyngerdd' a ddefnyddiwyd gan Parry fynychaf pan fyddai ar daith yn America. Er enghraifft, cyflwynodd ddarlith-gyngerdd gyntaf ymweliad 1894 ar 6 Gorffennaf yn Scranton, Pennsylvania. Hanes cerddoriaeth oedd y testun, a'r ddarlith yn cael ei thraddodi yn Saesneg ac mewn dwy ran: Rhan I: cerddoriaeth yng ngwledydd Ewrop, heb gynnwys Cymru; Rhan II: cerddoriaeth yng Nghymru. Perfformiwyd nifer o eitemau gan unawdwyr lleol. Ar ymweliad arall yn 1898, cafodd y fraint o gyflwyno darlith-gyngerdd ar y Meistri: Mozart, Schubert, Beethoven, Schumann a Chopin yn Nhabernacl y Mormoniaid, Salt Lake City, ar 8 Hydref. Yn agosach at adref, Cymdeithas y Cymmrodorion a sicrhaodd amlaf ei wasanaeth fel darlithydd. Ar 24 Awst 1882, anerchodd gyfarfod o'r Gymdeithas yn ystod Eisteddfod Genedlaethol Dinbych. 'Addysg Gerddorol', un o hoff destunau Parry, oedd dan sylw, a phwysleisiodd addysg gerddorol golegol, ynghyd â'r angen i'r Cymry feithrin arweinyddion oedd yn *deall* eu gwaith, boed mewn cymanfa ganu neu gyda chôr. Mynegodd Parry yn gyhoeddus unwaith eto ei siom yn ei genedl o safbwynt diffyg cerddoriaeth offerynnol, ac mai perfformiad anghyflawn o opera neu gantawd yw perfformiad heb gyfeiliant cerddorfa. Dylid mynd ati'n syth i ffurfio 'Cymdeithas Gerddorol Gymreig' – bu eisoes sawl cais i wneud hynny, gan gynnwys ymdrechion Joseph Parry ei hun – a dylai'r Eisteddfod Genedlaethol gynnig gwobr am fywgraffiad manwl o hen gerddorion Cymru (gwireddwyd hyn yn Eisteddfod Genedlaethol Llundain yn 1887, gyda M. O. Jones yn fuddugol). Dylid hefyd gynnal arholiadau cerddorol ar raddfa leol mewn canolfannau cyfleus, ac yn olaf, galwodd – unwaith eto – am sefydlu 'Gŵyl Gerddorol Genedlaethol' yng Nghymru. Defnyddiai ddarlithoedd cyhoeddus fel hyn i wyntyllu ei syniadau, yn enwedig ynghylch cerddoriaeth yng Nghymru ac, er bod ei awgrymiadau yn rhai clodwiw a chreadigol, ni welwyd eu cyflawni oblegid difaterwch cerddorol Cymreig. Rhan gymharol fach o weithgareddau cerddorol amrywiol Joseph Parry oedd darlithio, ond mae'n elfen bwysig gan ei bod yn bwrw goleuni ar farn a syniadau'r cerddor ar faterion cerddorol Cymreig a chenedlaethol.

Roedd Joseph Parry yn hoff o wyntyllu ei syniadau ar bapur hefyd, a chyhoeddodd ambell un o'i ddarlithoedd, er enghraifft ymddangosodd 'Hanes Caniadaeth y Cysegr' yn rhifyn Gorffennaf 1879 *Yr Ysgol Gerddorol*. Ar brydiau defnyddiai'r wasg er mwyn deffro cydwybod y genedl ac ym mis Medi 1879, cyhoeddodd erthygl ar y cerddor J. Ambrose Lloyd, a fu farw yn 1874. Credai Parry i'r cyfansoddwr gael ei anghofio'n rhy fuan a galwodd am ryw fath o fudiad o edmygwyr cerddoriaeth Gymreig – syniad clodwiw arall na chafodd ei wireddu.

Ceir yn y wasg hefyd ambell enghraifft o Parry'r beirniad cerdd, er enghraifft yn *Baner ac Amserau Cymru,* 25 Rhagfyr 1878, adolygir *Caniadau y Cysegr a'r Teulu,* sef casgliad o 450 o emyn-donau, ac yn *Yr Ysgol Gerddorol* ym Medi 1879, adolygir unawd Seth P. Jones, 'Rwyf yn Cofio'r Lloer'. Canmol gan awgrymu gwelliannau creadigol yw ymateb cyffredinol Parry, ond yr hyn sy'n eironig ac yn drist yw'r ffaith nad oedd yn gallu 'adolygu' ei gyfansoddiadau ei hun, a'u 'beirniadu' fel y gwnaeth gyda chynnyrch cyfansoddwyr eraill.

Cyfraniad mwyaf sylweddol Joseph Parry i'r wasg oedd cyfres o dros ddeg ar hugain o erthyglau wythnosol a gyhoeddwyd ar dudalen flaen y *Cardiff Times and South Wales Weekly News* rhwng 1887 ac 1888. Traethodd ar amrywiaeth o bynciau cerddorol Cymreig a rhyngwladol, gan ail-adrodd ar bapur yr hyn a bregethai yn aml ar lafar megis: 'Welsh Music And The Eisteddfod', 'The Doctor's Ideal Eisteddfod', 'Choir Leader's Evening Classes', 'Yorkshire Singers', 'The Concert Room' ac 'Our Musical Needs'.

O ran ei agwedd at Gymru, Lloegr a Phrydeindod roedd Joseph Parry'n nodweddiadol o fwyafrif Cymry Oes Fictoria. Yn 1847, cyhoeddodd arolygwyr ysgolion o Loegr fod y Gymraeg yn rhwystro cynnydd y Cymro uniaith. Esgorodd hyn ar y syniad mai Saesneg oedd iaith 'dod ymlaen yn y byd', ac edrychwyd ar Loegr a'i hymerodraeth fel delfryd. Canlyniad hyn oedd i Eisteddfod Genedlaethol Cymru gynnal ei gweithgareddau yn Saesneg, Saesneg oedd iaith Colegau Prifysgol Cymru, a Saesneg a ystyrid orau ar gyfer gweithgareddau swyddogol a ffurfiol o bob math.

Cymeriad cymhleth oedd y Cymro Fictoriaidd felly ond, yn y bôn, perthynai iddo ddeuoliaeth a ddeilliai o falchder cenedlaethol a fodolai ar ddwy lefel wahanol. Y lefel gyntaf – ond heb fod y bwysicaf bob tro – oedd balchder cenedlaethol *Cymreig*, a'r ail lefel oedd balchder cenedlaethol *Prydeinig*. Adlewyrchai Joseph Parry'r ddeuoliaeth hon, a gwelir yn ei fywyd a'i gerddoriaeth enghreifftiau lu o anghysonderau na fyddai ef wedi eu hystyried yn rhyfedd o gwbl. Testun cenedlaethol Cymreig sydd i'w opera *Y Ferch o'r Scer*, er enghraifft, ond cyflwynir *Blodwen* i Saesnes o dywysoges Cymru.

Gwelir agweddau cenedlaethol ar ei gymeriad cerddorol mor gynnar ag Eisteddfod Genedlaethol Aberystwyth 1865, pan dderbyniwyd y Joseph Parry ifanc i'r orsedd o dan yr enw Pencerdd America. John Thomas, Llundain oedd Pencerdd Gwalia, ac er bod y teitl Pencerdd Cymru ar gael, Pencerdd *America* a ddewiswyd a hynny mae'n debyg am fod yna ryw *mystique* yn perthyn i enw a adlewyrchai'r pellter rhwng Cymru ac America: 'Distance lends enchantment' chwedl y Sais. Efallai bod Joseph Parry *teimlo'n fwy* fel Pencerdd Cymru, ond sicrhaodd ei deitl newydd dderbyniad iddo ar ddwy ochr yr Iwerydd. Roedd y dimensiwn Americanaidd yn lefel arall yn nheyrngarwch y cerddor; cyfansoddodd ei opera *Virginia* ar destun Rhyfel Cartref America tra oedd yn byw yn Abertawe – agwedd ar falchder cenedlaethol na ddeallwyd gan y werin Gymreig.

Er mai Saesneg oedd iaith swyddogol Eisteddfod Genedlaethol Cymru, bu i'r Pencerdd bechu ym Mhrifwyl Lerpwl yn 1884 drwy feirniadu yn Saesneg gystadleuaeth cyfansoddi salm-donau. Amddiffynnodd ei weithred mewn llythyr dyddiedig 8 Tachwedd 1884 drwy ddweud nad oedd rhai o'r cystadleuwyr na'i gyd-feirniaid yn deall Cymraeg. Yn ystod yr un eisteddfod collfarnwyd ei oratorio gomisiwn *Nebuchadnezzar* am fod yn Saesneg yn unig. Ymddengys nad oedd Joseph Parry yn gweld dim byd o'i le ar osod geiriau Saesneg mewn gwaith Cymreig ar gyfer eu perfformio yn Eisteddfod Genedlaethol Cymru, er y gallai hynny wneud y gerddoriaeth yn llai 'Cymreig' ac yn debycach i gynnyrch Sais o gyfansoddwr. Bu perthynas ryfedd rhyngddo a'r Eisteddfod Genedlaethol: beirniadodd yn gyson, cafodd bedwar comisiwn mawr ond mewn llythyr dyddiedig 8 Gorffennaf 1898 at D. Emlyn Evans, galwodd gerddoriaeth cyngherddau'r Eisteddfod Genedlaethol yn 'retrogressive'. Pe bai wedi dweud hynny'n gyhoeddus byddai wedi creu mwy fyth o helynt!

Eto, nid oedd cysondeb yn agwedd ac arfer Parry o safbwynt iaith beirniadu. Yn Eisteddfod Llundain, 9–12 Awst 1887, beirniadodd y gystadleuaeth cyfansoddi cantawd Gymreig yn Saesneg, ond yn eisteddfod Tywyn ddwy flynedd yn ddiweddarach, gwrthododd feirniadu yn Saesneg a phan ofynnwyd iddo gan ohebydd papur Saesneg am gyfieithiad o'i sylwadau Cymraeg, ymateb Joseph Parry oedd rhwygo'i nodiadau a mynnu mai'r Gymraeg oedd iaith beirniadu'r gystadleuaeth am fod yr eisteddfod mewn tref Gymreig a'r darn prawf yn un Cymraeg sef 'Mor Swynol ydyw'r Nos', Emlyn Evans. Ond nid achos o draddodi beirniadaeth yn Saesneg yn Lloegr (Lerpwl a Llundain) ac yn Gymraeg yng Nghymru (Tywyn) oedd hyn yn Eisteddfod Genedlaethol Abertawe 1891. Saesneg oedd iaith ei feirniadaeth, ac yn y brif gystadleuaeth gorawl yn Eisteddfod Genedlaethol Y Rhyl 1892, traddododd ei feirniadaeth yn Gymraeg, a'i gyd-feirniad John Thomas ei feirniadaeth yn Saesneg!

Yn yr un flwyddyn, yn ogystal â chymysgu â'r werin yn eisteddfodau Cymru, cymysgodd Parry â chrach Llundain. Ar 21 Mehefin, roedd yn bresennol yn y Mansion House yn y ddinas ar gyfer noson gerddorol flynyddol Cymdeithas y Cymmrodorion, ar wahoddiad yr Arglwydd Faer. Er i Joseph Parry gael ei fagu ar aelwyd dlawd, câi ei dderbyn yn naturiol i gylchoedd y sefydliad yn Llundain yn yr un modd ag y derbyniwyd ef i gylchoedd y sefydliad eisteddfodol yng Nghymru. Ar y noson dan sylw, perfformiwyd llawer o gerddoriaeth gan gyfansoddwyr o Gymru, a Parry yn eu mysg, ac mae sawl enghraifft arall o berfformio'i gerddoriaeth o flaen boneddigion ac aelodau o'r frenhiniaeth: ar 8 Chwefror 1894 perfformiodd Côr y Boneddigesau Cymreig, o dan eu harweinydd Madam Clara Novello Davies, y gân wladgarol 'Cymru Fydd' gerbron y Frenhines Fictoria yn yr Osborne Palace ar Ynys Wyth. Canodd Côr Meibion Treorci o'i blaen yng nghastell Windsor ar 29 Tachwedd 1895, gan berfformio 'Y Derwyddon', 'Cytgan y Pererinion ac 'Aberystwyth'. Yna ar 9 Mai 1902, canwyd 'Rhyfelgan y Myncod' Parry ym Mhafiliwn Caernarfon yn seremoni gorseddu tywysog Cymru yn ganghellor Prifysgol Cymru.

Dyma'r flwyddyn yr ysgrifennodd Parry ei hunangofiant. Pennawd yn unig sydd i Ran III: '*Wales* as *it is,* Wales as it *need be,* and Wales as it *might be*', ac mae'n drueni i'r cerddor fethu â gorffen yr ysgrifennu, a chreu adran mae'n sicr a fyddai wedi crisialu a chrynhoi ei holl sylwadau, syniadau a rhagolygon ar gyfer cerddoriaeth ei wlad. Gwyntyllodd sawl safbwynt mewn darlithoedd, beirniadaethau, ysgrifau ac erthyglau yn ystod ei oes, a châi dwy agwedd ar gerddoriaeth Cymru sylw dro ar ôl tro, sef sefydlu cymdeithas a choleg ar gyfer cerddorion ei wlad.

Ar hyd ei yrfa gerddorol yng Nghymru, bu Parry yn un o gefnogwyr selocaf sefydlu 'Cymdeithas y Cerddorion Cymreig'. Yn un o'r cyfarfodydd sefydlu yn Amwythig ar 27 Rhagfyr 1888, ef a gynigiodd wahodd tywysog Cymru i fod yn llywydd y Gymdeithas Gerddorol Genedlaethol Gymreig. Derbyniwyd yr awgrym, sy'n adlewyrchiad arall o barodrwydd cerddorion Cymru i arddangos balchder Prydeinig ochr yn ochr â'u balchder cenedlaethol Cymreig.

Roedd cenedlaetholdeb mwy pendant Cymreig yn perthyn i syniad Joseph Parry o sefydlu 'Coleg Cerddorol i Gymru'. Ceisiodd – a methodd – bedair gwaith i wireddu'i freuddwyd o gael sefydliad cerddorol Cymreig a fyddai'n cyfateb i golegau cerdd Lloegr, Ffrainc a'r Eidal. Ymdrechodd yn Danville (a ddechreuodd fel coleg cerdd ar gyfer Cymry America), Aberystwyth, Abertawe a Chaerdydd, ond ni lwyddwyd i ddyrchafu'r un sefydliad yn wir goleg cenedlaethol cerddorol er gwaethaf ei frwdfrydedd mawr a chefnogaeth rhai megis Mr Powell, Nanteos a roddodd lyfrgell o gerddoriaeth at yr achos.

Ceisiai bob tro i sefydlu coleg cerdd ar batrwm yr Athrofa yn Llundain – camgymeriad o bosibl – ac mae'n ddiddorol sylwi ar yr hyn oedd ar droed yn Lloegr tua'r un adeg ag yr oedd Parry yn fyfyriwr yn Llundain. Yn ystod y cyfnod hwn mae tystiolaeth bod gan Joseph Parry ddisgyblion yn barod, a thua 1870, galwodd adroddiad a gomisiynwyd gan ddug Caeredin, *The Report on Musical Education in England*, am newidiadau mawr i sefyllfa addysg gerddorol Lloegr. Un canlyniad oedd agor The National Training School for Music yn Llundain yn 1876, gydag Arthur Sullivan yn brifathro cyntaf arni. Cymedrol oedd llwyddiant y sefydliad, ac felly yn 1882–3, aeth George Grove ar daith ddarlithio drwy Loegr i ledaenu gwybodaeth am yr achos, a chan apelio am arian. Caewyd drws The National Training School for Music ond agorwyd drws The Royal College of Music yn 1883, gyda Grove yn gyfarwyddwr – a chyda chanlyniadau rhagorol. Ni lwyddodd Parry i efelychu'r fath statws, ond babi'r Pencerdd a neb arall oedd y Coleg Cerddorol Cymreig – ef oedd y mwyaf brwd dros y syniad o holl gerddorion Cymru; yn wir, ef oedd mwy neu lai yr *unig* gerddor a roddodd ei ysgwydd yn gyson ac yn gyhoeddus y tu ôl i'r freuddwyd. Petai wedi llwyddo i ennill cefnogaeth fwy ymarferol ei gyfoeswyr cerddorol, mae'n bosibl y byddai'r freuddwyd wedi'i gwireddu.

Petai Coleg Cerddorol Joseph Parry wedi llwyddo, mae'n sicr mai Saesneg fuasai iaith swyddogol y sefydliad, a hynny am y rhesymau hanesyddol-diwylliannol a nodwyd eisoes. Nid oedd y Gymraeg yn hollbwysig iddo – di-Gymraeg oedd Jane ei wraig, ac yn ôl y dystiolaeth, Saesneg oedd prif iaith ei fywyd er nad oedd wrth gwrs yn hyn o beth yn wahanol i nifer o Gymry mawr eraill y cyfnod.

Perthyn gwir genedlaetholdeb Cymreig Parry i'w gerddoriaeth. Yn y bedwaredd ganrif ar bymtheg roedd dylanwad y Sais yn drwm ar gerddoriaeth Cymru, ac er bod gan bob tref neu ardal boblog ryw fath o gymdeithas gerddorol neu gôr roedd prinder cerddoriaeth gynhenid

Gymreig o safon ac nid oedd yr un Cymro yn cynhyrchu cerddoriaeth o'r un safon â'i gyfoeswyr ar y cyfandir. Nid oedd sefyllfa Lloegr fawr gwell, ond treiddiodd cerddoriaeth y wlad honno'n ddwfn i *repertoire* gwerin Cymru. Roedd llu o gyfansoddwyr Cymreig ar raddfa leol wrth gwrs, ond cyfyng oedd eu haddysg a'u cyfle i ennill statws y tu allan i'w milltir sgwâr. Roedd rhywbeth *newydd* yng ngherddoriaeth Joseph Parry a gydiodd yng nghalonnau'r werin. Ef hefyd oedd gyda'r cyntaf i gyhoeddi ar raddfa ehangach na'r pentref neu'r plwyf ac efallai i'r ffaith iddo gael ei fagu yn ehangder talaith Pennsylvania yn hytrach na 'chyfyngder' cwm diwydiannol Merthyr fod yn ffactor yn ei lwyddiant cenedlaethol.

Yn yr 1860au, roedd Joseph Parry yn cyfansoddi a chanu yn Gymraeg, ac mae cynnwys cerddorol nifer o gyngherddau'r cerddor yn ystod y cyfnod hwn yn adlewyrchu sefyllfa drist cerddoriaeth yng Nghymru bryd hynny. Er enghraifft ar 15 Ionawr 1869, cynhaliodd Joseph Parry a dau gôr lleol gyngerdd ym Mhorthmadog. Canodd Parry yn Gymraeg tra canai'r côr 'Comrade's Song of Hope', 'Y Gwcw', 'Y Bywydfad', 'Light-hearted are We', 'Call John', 'Nature's Praise', 'Time for Joy', 'The Anvil', 'Tewch a Sôn', 'Y Gwlithyn', a 'Honest Home'. Sylw 'G.E.' yn *Baner ac Amserau Cymru* oedd 'braidd yr ydym yn cymeradwyo eu dewisiad o ganu geiriau Saesneg mor aml'. Yr un oedd y stori yn ne Cymru hefyd, er enghraifft canodd côr capel Als, Llanelli y canlynol mewn cyngerdd gyda Phencerdd America ar 23 Ionawr 1869: 'Hunting Song', 'When the Winds Breathe Soft', 'The Heavens are Telling', 'O Great is the Depth', ynghyd â chanig Joseph Parry 'Ar Don o Flaen Gwyntoedd'.

Lledodd y ganig uchod fel tân drwy'r Gymru gerddorol, ond roedd yr arfer o gynnwys llawer o gerddoriaeth Saesneg mewn achlysuron cerddorol cwbl Gymreig yn anodd ei dorri. Chwe blynedd wedi'r gŵyn yn *Y Faner* galwodd Joseph Parry mewn llythyr at D. R. Hughes, ar i gorau Cymru berfformio mwy ar gynnyrch cyfansoddwyr Cymru, gan nodi 'We are now very short of concerted music (Welsh) and no wonder.' Trafodwyd y pwnc mewn cyfarfod o gerddorion yn Aberystwyth ar 19–20 Mehefin 1877, a'r gŵyn gyffredinol oedd bod gormod o ddarnau Seisnig yn cael eu dewis ar gyfer cystadlaethau eisteddfodau Cymru a hynny ar draul cynnyrch Cymreig; roedd y pwyllgorau'n dewis yr un hen ddarnau drwy'r amser.

Roedd ar y Cymry angen cerddoriaeth Gymreig o safon a gwerth, a chynnyrch Joseph Parry a lenwodd y bwlch, gan gynnig i'r werin gerddorol ddiaddysg brofiadau cerddorol newydd a chyffrous. Mor gynnar ag 1878, wrth adolygu 'Hiraethgan' Parry, mynegodd un o ohebwyr *Yr Ysgol Gerddorol* mai amcan y cerddor yw 'rhoddi i'r bobl rywbeth ymarferol, ac yn hyn y mae yn hynod lwyddiannus fel arfer'. Ac yn Eisteddfod Llanfyllin ar 14 Gorffennaf 1893, cafwyd testunau corawl a adlewyrchai'n deg gyfraniad cerddoriaeth y Pencerdd ar gyfer y werin:

Prif Gystadleuaeth Gorawl: 'Haleliwia' Beethoven
Cystadleuaeth Côr Pentref: 'Ar Don o Flaen Gwyntoedd' Parry

Un o'r werin ydoedd, ac ar eu cyfer hwy y lluniodd ei gerddoriaeth. Wrth i Joseph Parry aeddfedu fel cyfansoddwr, aeth ei ddyheadau cerddorol yn fwy soffistigedig – edrycher ar ei operâu hwyr er enghraifft – ond yn sylfaenol, gwasanaethu'r werin gerddorol oedd ei nod, ac o safbwynt poblogrwydd ei gerddoriaeth, llwyddodd heb os nac onibai.

Eto, yng nghanol yr holl glod a chanmol, erys un agwedd ar genedlaetholdeb cerddorol Parry sy'n anodd ei hesbonio, sef agwedd y cerddor tuag at sol-ffa. Wedi'r cyfan, y system nodiant hon oedd cyfrwng darllen cerddoriaeth y mwyafrif cyffredin yr oedd Parry yn darparu'n gerddorol ar eu cyfer. Eto i gyd, nid oes tystiolaeth i'r cerddor ddefnyddio sol-ffa yn ei waith, nac ychwaith fod ganddo fawr o ddiddordeb yn y system. Mae ei lawysgrifau cerddorol mewn nodiant erwydd yn unig, ac eithrio pan fo llaw rhywun arall wedi ychwanegu sol-ffa, er enghraifft cyhoeddwr a oedd am argraffu'r ddau nodiant ar yr un copi. Roedd mwy o fynd ar gopïau sol-ffa na 'hen nodiant', y sol-ffa a ymddangosai'n gyntaf yn aml, ac roedd y system mor boblogaidd yn Llundain ag yr oedd yng Nghymru. Yn wir, rhoddwyd cryn sylw i gerddoriaeth Joseph Parry yn y ddinas drwy gyfrwng cyngherddau'r Tonic Sol-fa Association. Er gwaethaf pwysigrwydd y mudiadau sol-ffa fel cyfrwng perfformio cerddoriaeth Joseph Parry, ac er i'r cerddor fod ar ei ennill o'r herwydd, sylwadau negyddol oedd ganddo amdani. Ar ddydd Nadolig 1889, roedd yn beirniadu mewn eisteddfod yn Y Bala. Gofynnwyd iddo draddodi sylwadau i'r plant oedd wedi llwyddo yn yr arholiad sol-ffa cyntaf. Tri phen oedd i'w bregeth:

1. Trueni na ddysgir Hen Nodiant gyda'r fath frwdfrydedd â'r Sol-ffa.
2. Ni all Sol-ffa fyth ddisodli Hen Nodiant.
3. Ni ddylai solffayddion honni mawredd hyd nes y bydd y system yn cynhyrchu Mozart neu Handel.

Hen Nodiant oedd cyfrwng cyfansoddi Parry, felly mae'n bosibl iddo weld sol-ffa fel maen tramgwydd. Petai wedi cefnogi'r ddwy system fel ei gilydd, efallai y byddai ei ddelfryd o addysgu'r werin yn gerddorol wedi cael mwy o lwyddiant. Er gwaethaf hyn, ni thynnwyd oddi ar ei boblogrwydd fel cyfansoddwr cenedlaethol Cymru ac arwr cerddorol y genedl.

Agwedd arall ar genedlaetholdeb cerddorol Joseph Parry yw ei ddewis o deitlau neu destunau cenedlaethol. Roedd mynd mawr ar gantodau cenedlaethol yn ystod y cyfnod hwn, gyda *Llys Arthur* J. D. Jones, *Y Ci Gelert* John Thomas (Pencerdd Gwalia) a *Gwarchae Harlech* Edward Laurence (Cerddor Tydfil) ymysg y mwyaf poblogaidd. Efallai i Parry gael ei ysbrydoli gan weithiau cenedlaethol fel y rhain, gan fod tua hanner cant o'i gyfansoddiadau naill ai â theitl cenedlaethol neu ar destun cenedlaethol. Gellir rhannu'r darnau hyn yn dri chategori: cenedlaethol Cymreig, yn ôl y teitl (h.y. offerynnol), er enghraifft *Peredur* (i gerddorfa), ac yn ôl y testun (h.y. lleisiol), er enghraifft *Blodwen* (opera) a llawer o deitlau eraill; cenedlaethol Cymreig-Americanaidd – lleisiol, er enghraifft *Virginia* (opera); cenedlaethol Cymreig-Prydeinig – lleisiol, er enghraifft 'Sons of Britain' (unawd).

Cyfansoddiadau gwreiddiol Joseph Parry yw'r rhain, ond gwnaeth y cyfansoddwr ddefnydd helaeth o alawon gwerin hefyd, dyma agwedd arall ar ei genedlaetholdeb cerddorol. Bu alawon cenedlaethol lleisiol ac offerynnol yn rhan o ddiwylliant gwerin Cymru ers canrifoedd, er na wnaethpwyd astudiaeth lawn ohonynt tan ddechrau'r ugeinfed ganrif. Y faled werin fu mewn bri yn Lloegr, yn hytrach na'r alaw werin bur fel a gafwyd yng Nghymru, ac mae'r gwahaniaeth hwn yn bwysig wrth ystyried swyddogaeth yr alaw werin yng ngherddoriaeth Parry.

Magwyd y cerddor ar aelwyd gerddorol, a byddai Bet Parry yn sicr o fod wedi canu alawon gwerin i'w mab ifanc. Yn ystod ei fywyd amlygodd ei ymwybyddiaeth o'r traddodiad mewn sawl ffordd. Yn 1863 yn Danville, trefnodd, neu'n fwy cywir, harmoneiddiodd 'Gwŷr Harlech' ar ffurf rhan-gân i bedwar llais cymysg. Degawd yn ddiweddarach, defnyddiwyd yr un alaw fel ail hanner 'Maesgarmon', ac yn niweddglo *Blodwen*. Yna ymddengys yr alaw ddwywaith fel cytgan pedwar-llais yn *Cambrian Minstrelsie*, ac yn y Rhagarweiniad noda Joseph Parry a Dewi Môn fod y dôn: 'beyond question, the finest specimen of martial music in the world.'

Yn 1870, cyfansoddodd y gân 'Gwraig y Morwr', gan ddyfynnu 'Home Sweet Home' (gan Henry Bishop ond a dyfodd bron yn alaw werin) yn niweddglo'r darn. Mae'r alaw gan y cyfeiliant, ac yn ei herbyn cenir cyfalaw gan y llais, gan greu effaith cerdd dant. Nid yw'n bosibl gwybod ai dyna oedd bwriad y cyfansoddwr, ond mae'n defnyddio'r 'gwead cerdd dant' yn o leiaf bedwar gwaith arall:

Blodwen: yn gynnar yn Act I, mae'r Negesydd yn canu cyfalaw yn erbyn 'Llwyn Onn' gan y cyfeiliant, ac yn agos at ddiwedd Act III mae Rhys Gwyn yn canu cyfalaw yn erbyn 'Morfa Rhuddlan' gan y cyfeiliant.
Y Ferch o'r Scer: cerdd dant ar yr alaw o'r un enw yn Act III.
The Maid of Cefn Ydfa: 'Bugeilio'r Gwenith Gwyn' mewn cerdd dant fel unawd Wil Hopcyn yn Rhif 9.
A Fantasia of Welsh Airs: 'Llwyn Onn' mewn cerdd dant.

Ychydig yw enghreifftiau fel hyn lle defnyddir alaw ar ffurf cerdd dant. Cymwynas fwyaf Parry oedd defnyddio'r alaw draddodiadol fel *rhan* o gyfansoddiad, yn aml mewn ffordd gelfydd, fel mai prin y sylwir ar bresenoldeb yr alaw werin o gwbl.

Joseph Parry (*Trwy ganiatâd Llyfrgell Genedlaethol Cymru*)

Defnyddiodd Parry alawon gwerin Cymru yn fynych, er enghraifft, yn yr opera *Blodwen*: 'Gwŷr Harlech' yn yr agorawd a'r diweddglo, 'Llwyn Onn' (cerdd dant) yn Rhif 5, 'Cwynfan Prydain' yn Rhif 25 a 30, 'Toriad y Dydd' yn Rhif 37, a 'Morfa Rhuddlan' (cerdd dant) yn Rhif 41; mewn cantodau, er enghraifft *Cambria*: 'Gwŷr Harlech' yn Rhif 6, 'Rhyfelgyrch Capten Morgan' yn Rhif 7, 'Codiad yr Haul' yn Rhif 11; mewn darnau corawl seciwlar, er enghraifft *Molawd i'r Haul*: 'Codiad yr Haul'; gyda chorau meibion, er enghraifft *A Fantasia of Welsh Airs*: 'Llwyn Onn' (cerdd dant), 'Ar Hyd y Nos', 'Codiad yr Haul' a 'Hela'r Sgwarnog'; mewn unawdau, er enghraifft 'Y Marchog': 'Rhyfelgyrch Capten Morgan' (yn y lleiaf), ac 'Ymdeithgan Caerffili'; darnau siambr, er enghraifft *Ffantasi fer ar Alawon Cymreig*: 'Toriad y Dydd' a 'Serch Hudol', a darnau piano, er enghraifft *Maesgarmon*: 'Codiad yr Haul', 'Llwyn Onn' a 'Gwŷr Harlech'.

Yn ogystal â dyfynnu alawon cenedlaethol, mae Joseph Parry weithiau yn galw alaw yn 'Welsh Air', er enghraifft y gân 'Dangos dy Fod yn Gymro', neu 'Alaw Gymreig', megis y gân 'Y Fenyw Fach a'r Beibl Mawr', ac ar ddechrau Rhif 13 yn *Cambria*, wele'r cyfarwyddyd: 'In the simple style of Welsh National Airs.' Nid alawon gwerin cyfarwydd mohonynt ond *pastiche*, copi o arddull arall; gwnaeth Stanford rywbeth tebyg mewn dull Gwyddelig, ac maent yn effeithiol iawn.

Uchafbwynt cyfraniad Joseph Parry at yr alaw genedlaethol Gymreig oedd cyhoeddi'r *Cambrian Minstrelsie* rhwng 1893 ac 1895, sef chwe chyfrol swmpus o alawon traddodiadol i wahanol gyfuniadau lleisiol ar eiriau Cymraeg, gydag aralleiriad Saesneg gan Ddewi Môn, y cydolygydd. Ychwanegu cyfeiliant piano diddorol, amrywiol ac effeithiol a wnaeth Parry, yn hytrach nag amrywio'r alaw leisiol fel y cyfryw. Hefyd, ochr yn ochr â'r alawon gwerin, cynhwysodd y cerddor nifer o ganeuon gwreiddiol ynghyd ag ambell alaw 'genedlaethol' wreiddiol gan gyfansoddwyr eraill.

Er y ddeunawfed ganrif, ymddangosodd sawl casgliad o alawon cenedlaethol Cymru, ond y *Cambrian Minstrelsie* oedd yr un mwyaf moethus o ran pryd a gwedd. Cyhoeddwyd y cyfrolau â chlawr caled a lluniau lliw gan gwmni Thomas Charter & Edwin C. Jack, Caeredin, a hynny fel cydymaith Cymreig i'r *Scots Minstrelsie* a ymddangosodd tua'r un adeg. Mae'n debyg mai'r cyhoeddwyr oedd yn gyfrifol am enw anarferol y casgliadau. Yn 1899, cyhoeddodd cwmni Jack y *British Minstrelsie*, sef detholiad o alawon cenedlaethol gwledydd Prydain. Cynhwyswyd un ar ddeg o drefniadau Parry, y gorau yn eu tyb hwy efallai, ond ni chynhwyswyd yr un o ganeuon gwreiddiol y cerddor.

Methiant oedd *Cambrian Minstrelsie* o safbwynt poblogrwydd – roedd y cyfrolau'n rhy fawr a drud. Efallai mai camgymeriad ar ran Joseph Parry oedd cynnwys ei ganeuon ei hun; eto ni chollfarnwyd Brinley Richards am wneud yn union yr un peth yn ei *Songs of Wales* ugain mlynedd ynghynt. O ran y gerddoriaeth, mae'r *Cambrian Minstrelsie* yn arddangos dawn Parry wrth ychwanegu cyfeiliant at alaw syml gyda'r nod o gyfoethogi'r gwreiddiol.

Cymeriad cymhleth oedd Joseph Parry y cenedlaetholwr. Er bod cerddoriaeth Cymru yn amlwg yn bwysig iddo, roedd hefyd am lwyddo ar lefel fwy Prydeinig os nad rhyngwladol. Mewn llythyr dyddiedig 31 Rhagfyr 1902 at Mr T. W. David, Caerdydd, diolchodd Parry iddo am ei ymdrech i sichrau lle i'w opera *The Maid of Cefn Ydfa* yn *repertoire* cwmni 'Moody Manners': 'so as to carry out to the full your primary object of introducing my works into England.' Ond methiant fu'r dyhead hwn, ac o fewn Cymru ac ymysg Cymry Lloegr ac America yn unig yr arhosodd cerddoriaeth Joseph Parry yn boblogaidd.

9

Arddull Gerddorol Joseph Parry

Cyfansoddwr toreithiog oedd Joseph Parry, a gellir priodoli o leiaf 400 o ddarnau i'w enw. Gwnaeth ymdrech o ryw fath yn ei hunangofiant i nodi nifer y cyfansoddiadau bob blwyddyn, ond ysbeidiol ac anghyflawn yw'r canlyniad. Nid yw'n manylu chwaith ar gynnwys y niferoedd hyn. Er gwaethaf y cyfanswm uchel, canran fechan sy'n dal i gael eu perfformio heddiw, ac nid yw'r ychydig ddarnau hynny'n cynrychioli'n deg holl gynnyrch cerddorol y cyfansoddwr. Yn ystod cyfnod Parry, roedd sylwadau gorgyffredinol fel yr un a ganlyn i'w clywed yn aml ac, i ddarllenwyr cyfoes, maent yn chwerthinllyd o anaddas fel beirniadaeth gerddorol:

> Pe buasem yn cael ein cymryd gerfydd gwallt ein pen, a'n disgyn ym mhellteroedd y ddaear, a chlywed ohonom gôr o ganibaliaid yn canu y gantawd [*Ceridwen*], a ninnau erioed wedi ei gweld, na chlywed sôn amdani, buasem ar unwaith yn gallu dweud 'Dyma waith Dr Parry'. Y mae yn dwyn arwyddion ac neilltuolion y cyfansoddwr o'r dechrau i'r diwedd. (*Baner ac Amserau Cymru*, 12 Medi 1900, t. 7)

Cyfansoddodd Parry yn ddi-dor dros gyfnod o tua 45 mlynedd ac wrth astudio'i arddull rhaid ei feirniadu yng nghyd-destun y cyfnod hwnnw a'i ffactorau cymdeithasol, addysgol, diwylliannol a daearyddol.

Magwyd Joseph Parry ar aelwyd ddosbarth gweithiol dlawd, heb dderbyn fawr ddim addysg gyffredinol ac ond ychydig hyfforddiant cerddorol gan athrawon a oeddynt yn amaturiaid brwdfrydig. Yn ddiwylliannol, fe'i magwyd fel Cymro Cymraeg Anghydffurfiol, gan barhau felly hyd yn oed ar ôl symud i America. Treuliodd ddwy flynedd ar bymtheg yn y wlad honno, tair yn Llundain a gweddill ei fywyd yng Nghymru. Nid yw'r gerddoriaeth a gyfansoddodd yn America yn adlewyrchu unrhyw ddylanwadau Americanaidd o safbwynt arddull. Roedd America'r bedwaredd ganrif ar bymtheg yn wlad gythryblus o safbwynt cymdeithasol, ac nid oedd eto wedi sefydlogi'n ddiwylliannol.

Mewnforiwyd yn helaeth gerddorion o Ewrop, yn enwedig o'r Almaen, ac nid oedd traddodiad 'Americanaidd' pendant fel y cyfryw, ac eithrio cerddoriaeth werin. Yn wahanol i Dvořák, nid ymdrechodd Joseph Parry i astudio a chymathu cerddoriaeth werin America, a naws Ewropeaidd sydd i'w waith.

Treuliodd Parry 1868–71 yn yr Athrofa Gerdd Frenhinol yn Llundain, gan dderbyn gwersi cyfansoddi gan William Sterndale Bennett a ddisgrifiwyd gan Ernest Walker fel, 'The most prominent early Victorian composer' (*A History of Music in England*, t. 260). Arddangosai cerddoriaeth Sterndale Bennett ddylanwadau'r Meistri: Handel ar ei waith cynnar, Mozart a Beethoven ar ei ddarnau i gerddorfa, a Mendelssohn ar ei arddull yn gyffredinol – astudiodd o dan yr olaf yn Leipzig. Gwelir ôl y Meistri hyn ar gerddoriaeth Parry hefyd, canlyniad naturiol astudio gyda chyfansoddwr a oedd ei hun o dan eu dylanwad. Roedd Sterndale Bennett yn credu bod gan ei ddisgybl dalent arbennig, ac roedd Joseph Parry yn eilunaddoli'i athro. Gwelir oddi wrth lawysgrifau Parry iddo dderbyn pob beirniadaeth, awgrym, newid a gwelliant cerddorol gan Sterndale Bennett ac roedd y tair blynedd o astudiaeth o fudd mawr i dechneg cyfansoddi'r Cymro. Ar ôl marwolaeth ei athro, perfformiodd Parry a'i fyfyrwyr oratorio Sterndale Bennett, *The Woman of Samaria*, yn Aberystwyth ar 28 Ebrill 1876.

Gellir rhannu hanes bywyd Joseph Parry yn chwe chyfnod hwylus. Wrth astudio'i arddull gerddorol, gellir rhannu'r gerddoriaeth yn dri chyfnod sef y cyfnod cynnar yn Danville a Llundain (1854–71); y cyfnod canol yn Danville ac Aberystwyth (1871–81) a'r cyfnod hwyr yn Abertawe a Chaerdydd (1881–1903). Cyfnodau a dyddiadau bras yw'r rhain, a gellir astudio datblygiad arddull Parry drwy gyfrwng enghr-eifftiau dewisiedig mewn trefn gronolegol, gan geisio beirniadu a gwerthfawrogi ei gerddoriaeth yn gyntaf yng nghyd-destun y cyfnod Fictoriaidd, ac yn ail ar ddwy lefel wahanol: arddull Parry o safbwynt Cymru ac yna o safbwynt Ewrop ac yn arbennig, Lloegr.

Prin oedd addysg gyffredinol y werin yng Nghymru'r bedwaredd ganrif ar bymtheg, ac eithriad oedd gwersi cerddoriaeth yn yr ysgolion. Cyfrwng cerddoriaeth y Cymry oedd y capel, yr Ysgol Sul, y Gymanfa Ganu a'r Eisteddfod. Nid oedd yn y wlad neuaddau cyngerdd sylweddol na thai opera, ac felly roedd anwybodaeth fawr ym meysydd y gerddorfa a'r opera, tra llewyrchai'r canu. Perfformiwyd gweithiau'r Meistri, er enghraifft *Messiah* Handel, ond nid oedd yng Nghymru cyn dyfodiad Joseph Parry wir gerddoriaeth leisiol o safon, gwerth a pharhad. Yn hanner cyntaf y ganrif, nid oedd gan Gymru hyd yn oed neb i gyfateb i gyfansoddwyr cyffredin Lloegr, cyfansoddwyr megis Balfe, Benedict, Goss, Hullah, Smart, Ouseley a Steggall. Derbyniodd y rhain addysg gerddorol, yn aml hyd at safon prifysgol, tra yng Nghymru, cyfansoddwyr hunanddysgedig ac amatur oedd y norm, ac roedd eu cynnyrch yn adlewyrchu hynny. Joseph Parry oedd y gorau o'r casgliad mawr ond cymharol ddiddawn hwn o gyfansoddwyr Cymreig. Yn ôl Cyril Jenkins: 'At its very best Parry's music is only second–rate; at its worst beneath contempt' (*The Sackbut*, Cyfrol 2, Rhif 5, 1921, t. 19). Ond wrth ddweud hynny, anwybyddir cefndir cymdeithasol a cherddorol Joseph Parry, ynghyd â'i gymwynas aruthrol â diwylliant ei genedl. Nid oedd gan y werin ymwybyddiaeth o safonau cerddorol y tu allan i'w milltir sgwâr, felly rhoddodd Joseph Parry i'r bobl y gerddoriaeth yr oedd arnynt ei heisiau. Gwasanaethodd y werin, y Cymry yn Lloegr a Chymry America drwy gyfansoddi mewn arddull apelgar, ddeniadol ac uniongyrchol a oedd yn ymarferol lwyddiannus. Cyhuddwyd ef o aberthu gwreiddioldeb er mwyn poblogrwydd gan lynu'n ormodol at arddull gerddorol y dydd yn hytrach na cheisio codi safon cerddoriaeth Cymru drwy gyfansoddi mewn dull mwy gwreiddiol ac arbrofol. Felly, er bod cynnyrch Joseph Parry yn rhagori ar gynnyrch cerddorol mwyafrif ei gyfoeswyr yng Nghymru, nid yw o bell ffordd yn gyson ei safon.

Llai ffafriol byth yw edrych ar waith Parry yng nghyd-destun cynnyrch cerddorol Ewrop a Lloegr. Yma rhaid cymharu gwaith Parry â chyfoeswyr megis Chabrier, Rimsky-Korsakov, Brahms, Tchaikovsky, Fauré, Grieg, Dvořák, Bizet, Borodin, Puccini ac enwi ond y rhai mwyaf adnabyddus. Roedd ei gyfoeswyr yn Lloegr hefyd yn dioddef o'u cymharu â chewri'r cyfandir. Sterndale Bennett oedd ymysg y gorau o rai cannoedd o gyfansoddwyr anwreiddiol eu cynnyrch a'u harddull. Mae rhan helaethaf cerddoriaeth y rhain wedi'i hanghofio erbyn hyn tra cenir o hyd rai o ddarnau Cymreig y cyfnod, er enghraifft 'Ar D'wysog Gwlad y Bryniau' ('God Bless The Prince Of Wales') Brinley Richards. Yna, yn ail hanner y ganrif, cafwyd yr hyn a alwyd yn ddadeni Seisnig gyda chyfansoddwyr fel Alexander Mackenzie, Hubert Parry, Charles Villiers Stanford ac Arthur Sullivan yn rhoi hwb arbennig i safon cerddoriaeth Lloegr drwy gyfansoddi mewn arddull lawer mwy gwreiddiol a llai sentimental na'u rhagflaenwyr.

O gymharu cerddoriaeth Parry â chyfansoddwyr yn Lloegr cyn y dadeni Seisnig, hynny yw hyd at tuag 1875, mae arddull ei gyfnod cynnar gystal ac weithiau'n rhagori ar ei gyfoeswyr dros Glawdd Offa. Ond wrth gymharu'r Cymro â chyfansoddwyr y dadeni Seisnig ei hun, ni lwyddodd cerddoriaeth Joseph Parry, er i'w arddull aeddfedu, i groesi'r ffin a dod yn boblogaidd yn Lloegr ac ymhellach: 'he failed . . . to stamp his personality on the music of the world' (*The Sackbut*, Cyfrol 2, Rhif 5, 1921, t. 21). Ni chydnabyddir cyfraniad Joseph Parry mewn llyfrau ar hanes cerddoriaeth, ac ni pherfformir ei gerddoriaeth i'r un graddau â chyfansoddwyr Lloegr y dadeni Seisnig.

Mae nifer o ffactorau'n gyfrifol am fethiant Parry ar y llwyfan rhyngwladol ac elfen bwysig oedd nad oedd yn ddigon hunanfeirniadol.

Fel y dywedodd ei gyn-ddisgybl David Jenkins, 'unwaith y gosodai ei feddyliau ar bapur, felly y caent fod, a phrofodd hyn yn niweidiol i lawer o ddarnau gwir orchestol oedd wedi gyfansoddi' (*Y Cerddor*, Tachwedd 1913, t. 118). Ac ychwanegodd un o'i gyfoeswyr Alaw Ddu (W. T. Rees) y sylw praff hwn, 'Pe buasai wedi cyfansoddi llai, buasai wedi cynhyrchu mwy.' Ar ôl gorffen darn ni fyddai'n pwyso a mesur ei werth a'i safon gerddorol. Mae cyffyrddiadau cerddorol hynod yn ei gerddoriaeth, ond nid aeth i'r drafferth i'w chwynnu a'u datblygu. Pe bai wedi sylweddoli beth a roddai 'dinc' arbennig i'w arddull, a defnyddio hwnnw'n fwy cyson, fe fyddai ei gerddoriaeth yn fwy personol ac unigryw.

Un o ganlyniadau diffyg hunanfeirniadaeth Parry yw bod ei arddull yn eclectig; roedd yn rhy barod i adael i arddull y Meistri ddylanwadu ar ei arddull ei hun ac ni allai wrthsefyll dylanwad cerddorol pwy bynnag oedd yn eilun cerddorol iddo ar y pryd. Gadawodd Handel, Rossini, Mendelssohn, Verdi a Wagner yn eu tro eu hôl ar waith y Cymro. Eto nid oes tystiolaeth iddo fynd ati'n fwriadol i'w hefelychu. Roedd ganddo gof cerddorol aruthrol; yn wir, credai Daniel Protheroe i hynny fod yn anfantais weithiau am i Parry gredu ei fod yn cyfansoddi rhywbeth gwreiddiol, tra oedd mewn gwirionedd yn ail-greu cerddoriaeth o'i waith ei hun neu rywun arall. Wrth ddysgu gwrthbwynt gyda John Abel Jones yn Danville, defnyddiodd y Joseph Parry ifanc alaw gan Cherubini yn destun ffiwg. Credai'r disgybl mai *ef* oedd biau'r alaw, ac wrth i'w athro ei brofi'n anghywir, cofiodd Joseph Parry iddo ganu fel plentyn ran yr alto mewn darn gan Cherubini. Yn 1866, cyfansoddodd gân o'r enw 'Yr Ystorm ar Fôr Tiberias' ar eiriau Iorthyn Gwynedd. Ar lawysgrif [19821E] y darn, wele: 'Copied June 1867, from memory.' Ceir sylw tebyg ar lawysgrif [19822E] 1882 'Y Milwr' – tair blynedd ar ddeg wedi cyfansoddi'r gân yn 1869.

Byddai Parry hefyd yn dyfynnu o'i gerddoriaeth ei hun, er yn anfwriadol y gwnâi hynny mae'n sicr. Yn ei dri chyfnod o gyfansoddi fe'i gwelir yn 'ailddefnyddio' ei gerddoriaeth mewn mwy nag un lle. Swnio'n debyg i'w gilydd a wna'r darnau, ac er y gellir eu dyddio a gwybod pa ddarn a gyfansoddwyd yn gyntaf, dyfalu yw ceisio penderfynu pa mor ymwybodol o hyn yr oedd Joseph Parry. Nid oedd ganddo reswm cerddorol dros ailddyfynnu ei hun, felly yn fwy na thebyg damweiniol yw'r esiamplau canlynol. Enghreifftiau 1a, 2a, 3a a gyfansoddwyd yn gyntaf ac maent yn enghreifftiau o gerddoriaeth gynnar, canol a hwyr Parry. Hepgorwyd y geiriau, y mynegiant ac ati, a golygyddol yw pob [ ].

Canlyniad mwyaf sylfaenol hyn oll yw bod anghysondeb yn arddull Joseph Parry. Hyd yn oed yng ngherddoriaeth fwy aeddfed ei gyfnod hwyr, nid oedd cysondeb yn ei gynnyrch o safbwynt gwreiddioldeb na safon, a daw hyn yn amlwg wrth edrych yn fanylach ar ddatblygiadau iaith gerddorol y tri chyfnod.

1a: Y CHWAON IACH (tua 1864)

1b: MYFANWY (tua 1875)

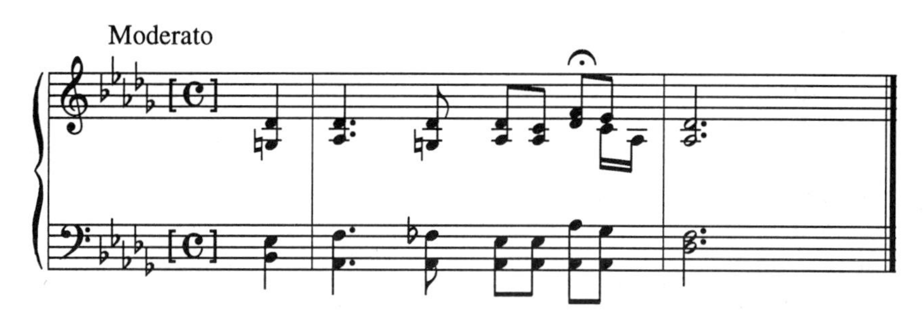

2a: CANTATA Y PLANT (1871)

2b: BLODWEN (1876 - 1877)

3a: CAMBRIA (tua 1896)

3b: IESU O NAZARETH (1898)

Enghreifftiau 1a, 1b, 2a, 2b, 3a, 3b

Mae nifer sylweddol o lawysgrifau'r cyfnod yn Danville a Llundain (1854–71), yn enwedig rhai Danville, wedi'u colli, ond mae oddeutu can teitl wedi goroesi. Dysgu crefft yr oedd Joseph Parry yn ystod y cyfnod hwn: elfennau cerddoriaeth a pheth cyfansoddi gyda John Abel Jones a John M. Price yn Danville tuag 1858–68, a chyfansoddi gyda William Sterndale Bennett yn yr Athrofa yn Llundain o 1868 hyd 1871, a'r olaf yn arbennig a ddylanwadodd ar ei arddull.

Gyda'r cynharaf o ddarnau'r disgybl i oroesi yw'r anthem 'O, Give Thanks unto the Lord' (tua 1860). Diweddeb gromatig Fictoriaidd sydd i'r darn (gweler Enghraifft 4) – y math o harmoni gor-felys na lwyddodd Parry i'w osgoi drwy weddill ei oes.

Enghraifft 4

Un o ganeuon y cyfnod cynnar hwn yw 'The American Star' (1862, a ailweithiwyd yn ddiweddarach fel 'Baner ein Gwlad'). Ffurf *durchkomponiert* (cyfansoddwyd drwyddo) sydd iddi – roedd rhai stroffig (yr un gerddoriaeth ond geiriau gwahanol i bob pennill) hefyd – ac mae'n enghraifft gynnar o ddefnyddio rhythm trawsacennol cyflym ♪♩♪. Yn yr achos hwn, mae'r rhythm yn ychwanegu sioncrwydd cerddorol at ysbryd y geiriau, nodwedd nad oedd i'w chael yn aml iawn yng nghanu cysegredig y Cymry. Defnyddiai Parry rythmau fel hyn yn gyson, ac maent yn dal yn effeithiol heddiw (Enghraifft 5).

Yn Eisteddfod Genedlaethol Abertawe 1863, daeth 'Gostwng, O Arglwydd Dy Glust' Parry yn fuddugol. Cam mawr ymlaen i'r

Enghraifft 5

cyfansoddwr ifanc oedd y darn; dyma'r unig fotét ganddo sydd wedi goroesi. Anthem hir ydyw mewn gwirionedd ac fel diweddglo ceir ffiwg gorawl SSATB. Sonia'r cyfansoddwr yn ei hunangofiant am wneud ymarferion gwrthbwynt a ffiwg Cherubini ac Albrechtsberger, yn ogystal â chanu gweithiau corawl mawreddog fel *Messiah* yn blentyn, ac mae dylanwad gwrthbwynt Baróc ar fotét Parry. Ond yn wahanol i Handel, academaidd ac anniddorol yw gwrthbwynt y Cymro. Aiff yn ei flaen yn rhy hir (dros 120 bar), nid yw'r ysgrifennu lleisiol yn ysbrydoledig, ac nid yw Parry yn sicr pryd i ddod â'r darn i ben, fel y'i gwelir yn Enghraifft 6.

Eto, mae'r gwead cyffredinol yn ddyfeisgar, ceir newid cywair digonol ac arweinir at uchafbwynt – prif alaw'r ffiwg mewn wythfedau – yna ceir coda arafach homoffonig. Fel y nodwyd eisoes cyfansoddwyd y motét ar gyfer côr SSATB, a cheir yng ngherddoriaeth gynnar Parry enghreifftiau eraill o gyfuniadau anarferol, er enghraifft 'Y Chwaon Iach' (alto, tenor, bariton, bas), 'Sleep, Lady, Sleep' (alto, tenor, bas) a rhan ganol 'Mor Hawddgar yw Dy Bebyll' (alto, tenor, bariton). Fel 'Gostwng, O Arglwydd Dy Glust, mae diweddglo 'Mor Hawddgar yw Dy Bebyll' yn wrthbwyntiol, ond mae'n llawer mwy cryno a'r ysgrifennu lleisiol yn fwy diddorol.

Un o ffefrynnau cynnar Joseph Parry fel canwr oedd 'Breuddwydion Ieuenctid' (Enghraifft 7). Ffurf stroffig syml sydd i'r unawd, ac er ei bod yn llawn sentimentaliaeth eiriol a cherddorol, mae iddi alaw hyfryd sy'n ei gosod ar lefel uwch na chaneuon eraill y cyfansoddwr o'r un cyfnod.

Ffefryn arall gan gynulleidfaoedd y cyfnod oedd y gân 'Hoff Wlad fy Ngenedigaeth.' Er ei bod yn nodweddiadol o'r 'parlour-song' Fictoriaidd, ceir ynddi gyffyrddiadau hynod, ond yn anffodus, eithriad yn arddull gynnar Parry oedd harmoni effeithiol yn debyg i'r hyn a geir yn Enghraifft 8.

Yn 1868, aeth Joseph Parry i'r Athrofa yn Llundain i barhau â'i addysg gerddorol, ac yn ystod ei dymor cyntaf yno, darnau offerynnol a gyfansoddwyd ganddo bron yn llwyr. Cynhyrchwyd ychydig o gerddoriaeth i'r organ yn Danville, ond yn Llundain ymddengys i

edd - af dy en - w yn dra - gy - wydd,
mol - ian-naf di, - - - O Dduw, mol-
edd - af dy en - w yn dra - gy - wydd, mol - ian - naf di, mol-
- - - - gon-edd - af dy en - w yn dra - gy - wydd, Mol - ian-naf, mol-
Dduw, a go - gon-edd- af dy en - w yn dra - gy - wydd, Mol - ian-naf, mol-
Mol-iannaf
ian - - naf di, a go - - gonedd - af dy en - w yn dra-
ian - naf di, a go - gon - edd - af, a go - gonedd - af dy en - w yn dra-
ian - naf di, a go - gon - edd - af dy en - w yn dra - gywydd, yn dra-
ian-naf di, O Dduw, a go - gon - edd - af dy en - w yn dra - gy - wydd, Mol-

Enghraifft 6

Enghraifft 7

Enghraifft 8

Enghraifft 9

Sterndale Bennett fynnu bod y Cymro'n anghofio am y lleisiol dros dro ac yn canolbwyntio ar gyfansoddi ar gyfer offerynnau. Mae darnau piano'r cyfnod hwn yn drwm dan ddylanwad clasurol, yn enwedig o safbwynt ffurf, er enghraifft 'Rondo' (1868), a'r tair sonata. Mae'r harmoni'n perthyn yn fwy i'r cyfnod Rhamantaidd, a'r alawon yn aml yn atgoffa'r glust o Mozart neu Beethoven. Yn Enghraifft 9 gwelir dechrau'r 'Adagio Cantabile' (1868).

Yn 1869, cyfansoddodd Joseph Parry bedwarawd llinynnol. Unwaith eto *pastiche* Clasurol yw'r ffurf, ond gyda ffiwg fel *finale*. Nid yw hwn yn llwyddo, am fod i'r gwrthbwynt yr un gwendidau a gafwyd yn y ffiwgiau corawl ar ddiwedd anthemau cynnar cyfnod Danville, sef ysgrifennu anniddorol ac academaidd.

Yn lleisiol, un o ddarnau poblogaidd y cyfnod oedd yr anthem 'Yr Arglwydd yw fy Mugail' (1869), a alwyd gan David Jenkins yn 'em ddisglair na lwyddodd un cyfansoddwr Saesneg, tramor, na Chymreig i wneud cystal' (*Y Cerddor,* 2 Mawrth 1903, t. 28). Ddeng mlynedd ar hugain cyn hynny, dywedwyd bod 'Yr Arglwydd yw fy Mugail':

> yn un o'r enghreifftiau gorau o Anthem, o ran arddull a ffurf, ag sydd yn yr iaith Gymraeg. Dichon y dadleua rhai yn ei herbyn nad ydyw ei harddull yn *Gymreig* . . . Y gwir ydyw, y mae arddull Cymreig hyd yn hyn [1871] heb ei ffurfio, ond yn ein hen alawon . . . (*Y Cerddor Cymreig,* 1 Tachwedd 1871, tt. 82–4)

Enghraifft 10

Mae'r anthem yn gymharol syml o safbwynt ffurf (ABA) ac arddull (homoffonig ar y cyfan); eto ceir ambell gyffyrddiad dramatig, a sylwer ar drawsacennu effeithiol y rhythm yn Enghraifft 10.

Yn ôl rhai, darn gorau Joseph Parry yw *Cantata y Plant* (1871). Yn sicr, mae'n effeithiol a deniadol, ac nid yw wedi colli llawer o'i sioncrwydd gwreiddiol hyd heddiw. Cadwodd y cyfansoddwr yr arddull yn fwriadol 'syml' gan y bwriadwyd y gwaith ar gyfer yr Ysgol Sul, a phlant yn arbennig, a gellir ei ystyried fel darn sy'n cloriannu'n deilwng gerddoriaeth gynnar Joseph Parry. Mae 'Cân y Robin Goch' mor hyfryd ag erioed:

Enghraifft 11

Cyfnod cymharol hesb o ran cynhyrchu oedd cyfnod canol Parry, sef y blynyddoedd 1871 hyd 1881. Roedd y Danville Musical Institute a chyngherddau eang yn llenwi amser Joseph Parry, a dywedodd mai dyma gyfnod lleiaf cynhyrchiol ei holl yrfa. Un o'r ychydig ddarnau a gyfansoddwyd yn Danville yn y cyfnod hwn yw 'Lady Mine!' (tuag 1873), cân seml ac iddi alaw dda, heb ormod o sentimentaliaeth er gwaethaf natur y geiriau (Enghraifft 12).

Enghraifft 12

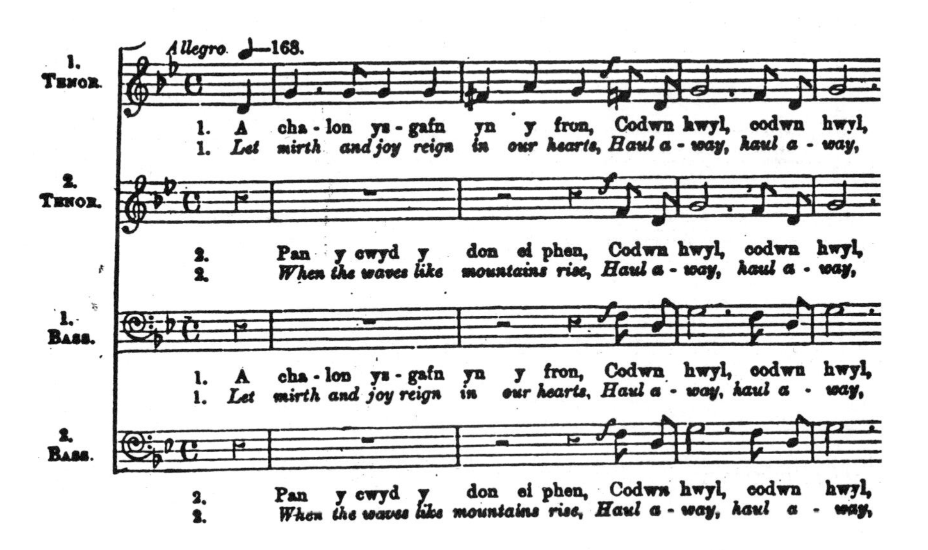

Enghraifft 13

Flwyddyn yn ddiweddarach yn Aberystwyth, arloesodd Joseph Parry â'i 'Cytgan y Morwyr' (Enghraifft 13), darn a wnaeth argraff ddofn ledled Cymru. Mae'n ddigyfeiliant, ac nid yw'n para ond ychydig funudau; serch hynny, mae ei wead homoffonig a'i ysbryd morwrol yn ddramatig. Arddull 'hornpipe' sydd yma, gyda chyffyrddiadau moddol nodyn arweiniol lleiaf (*s l*) yn cyferbynnu'n effeithiol â nodyn arweiniol mwyaf (*se l*) y cywair lleiaf.

Disgybl mwyaf disglair Parry yn Aberystwyth oedd David Jenkins, ac wrth dalu teyrnged i'w gyn-athro, mynegodd fod 'prif ogwydd ei gynhyrchion at yr Ysgol Eidalaidd' (*Y Cerddor,* 2 Mawrth 1903, t. 28). Clywir hyn orau yn yr opera *Blodwen*: mae'n Eidalaidd o safbwynt ffurf – adroddgan, aria, deuawd, cytgan ac ati – ac o safbwynt harmoni, fe geir mwy o ddefnydd o gord V^{13} gyda'i *m r d* Verdiaidd fel diweddeb. Gwelodd Daniel Protheroe debygrwydd rhwng yr opera ac *Il Trovatore* Verdi o safbwynt alawon canadwy, ond weithiau clywir adlais o Rossini hefyd, er enghraifft yr ailadrodd ar y cymal a welir yn Enghraifft 14.

Enghraifft 14

Eto, ceir yn *Blodwen* gyffyrddiadau llai eclectig ac mae'r ddeuawd 'Hywel a Blodwen' – er gwaethaf ei gor-ganu – yn berl operataidd sy'n llawn bywyd a dychymyg cerddorol. Mae poblogrwydd aruthrol y

Enghraifft 15

ddeuawd ganrif a mwy yn ddiweddarach yn dyst i hynny. Yn gyffredinol, rhannau corawl yr opera sydd fwyaf cyffrous, ac er nad yw 'Cytgan y Briodas' yn ddim ond *pastiche* ar Johann Strauss, ceir ynddi yr un math o sicrwydd techneg a welir yn rhannau corawl mwy gwreiddiol a dramatig y gwaith, er enghraifft diwedd Act I, lle y gorchmynna'r Cymry (Corws) y dieithriaid o Loegr i ddychwelyd at eu brenin. Rhythmau herciog a thrawsacennol y gweadau sy'n gwthio'r gerddoriaeth yn ei blaen at uchafbwynt sy'n cymharu'n deg â diweddglo act nifer o operâu cyfoes tramor. Nid oes cystal *finale* i Act III. Penderfynodd

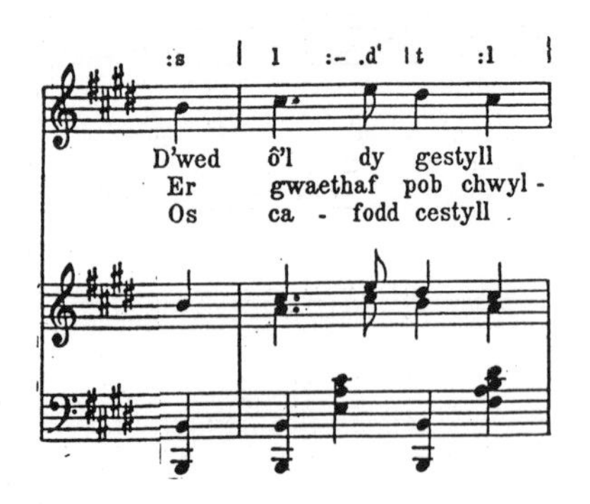

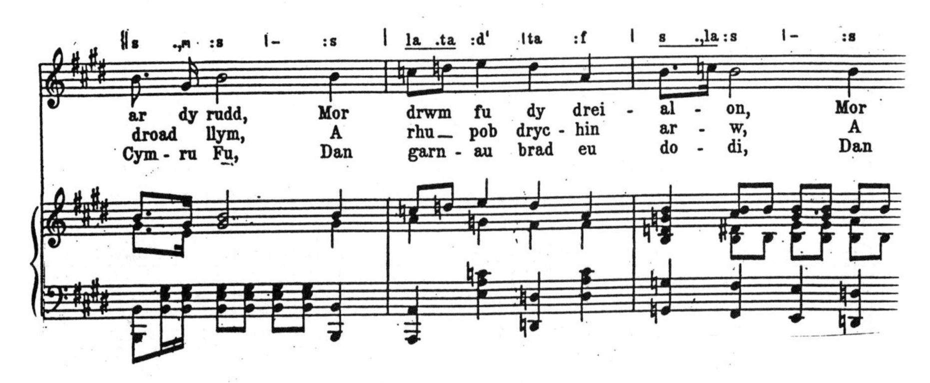

Enghraifft 16

Joseph Parry ar ffiwg gorawl, ac er gwaethaf dyfeisgarwch cyfuno hynny mewn gwrthbwynt â'r alaw werin 'Gwŷr Harlech', mae'r diweddglo yn dioddef o'r un gwendid â diwedd anthemau'r cyfansoddwr o'r 1860au, sef ysgrifennu anniddorol a diffyg dyfnder cerddorol.

Gwaith mawr arall y cyfnod yw'r oratorio *Emmanuel,* sy'n dibynnu'n drwm ar oratoriau poblogaidd y cyfnod: *Elias* a *Lobgesang* gan Mendelssohn o safbwynt ffurf ac arddull gyffredinol, a Handel o safbwynt gwrthbwynt. Ond mae llaw meistr ar *Emmanuel,* yn enwedig

Enghraifft 17

wrth drin gweadau cymhleth megis cytgan dwbl, ffiwg corâl ac ati, lle y defnyddir emyn-donau Cymreig yn lle corâl oratoriau Baroc. Yn Enghraifft 15 gwelir rhan o 'Bangor' (*ar y copi).

Ac yna deuwn at gyfnod olaf Parry (1881–1903); un o'r darnau cyntaf i'w gwblhau ar ôl iddo gyrraedd Abertawe oedd y gantawd *Nebuchadnezzar*. O safbwynt ffurf, mae'n llai dibynnol nag *Emmanuel* ar y 'Rhifau' Eidalaidd, er enghraifft adroddgan ac aria, ac mae'n waith mwy cynnil a chyffredinol lwyddiannus. Mae naws y gerddoriaeth yn cyfateb i ddrama'r testun, a Joseph Parry'n dibynnu'n fwy ar *leitmotive* Wagneraidd ar gyfer undod cerddorol y gwaith. Defnyddir cromatydd-iaeth Ramantaidd i ddarlunio breuddwyd y brenin ar ddechrau Rhan II, a daw'r gwaith i ben â'r gwrthbwynt 'disgwyliedig' *ond* gyda rhannau corawl homoffonig rhwng yr adrannau polyffonig. O ganlyniad, nid yw'r gwrthbwynt yn teimlo mor llafurus a digyfeiriad, a gorffenna *Nebuchadnezzar* mewn ffordd fwy effeithiol a dramatig na sawl gwaith corawl arall ar raddfa debyg ganddo.

Ni fu Parry erioed yn fentrus wrth newid cywair, ond yng ngherddoriaeth y cyfnod hwn, gwelir arwyddion ei fod yn fodlon arbrofi, er enghraifft 'Cymru Fydd' (tuag 1887), sy'n newid o'r tonydd E

Enghraifft 18

fwyaf drwy G fwyaf ac E leiaf cyn gorffen yn y llywydd B fwyaf (Enghraifft 16).

Un o ddarnau graddfa fechan gorau'r cyfnod yw'r bytholwyrdd 'Cytgan y Pererinion' (tua 1886). Bu Parry yn gyson lwyddiannus wrth ysgrifennu ar gyfer lleisiau meibion a/neu destunau cysegredig, felly wrth gyfuno'r ddau yn y gytgan hon, ceir perl o ddarn sy'n dal yn ffefryn ymysg corau meibion heddiw. Ceir yn 'Cytgan y Pererinion' alawon hyfryd cyfoethog, gweadau amrywiol, ysgrifennu diddorol i'r lleisiau, tynnu llun dramatig drwy gyfrwng rhythmau fel 𝄾♬♪♪ 𝄾♬♪♪ ynghyd â'r trawsacennau disgwyliedig ♪♩♪ a 𝄾♩♪, harmonïau cromatig, newid cywair annisgwyl, a chyfeiliant diddorol a phwysig. Uchafbwynt y darn yw'r diweddglo wrth i'r pererinion ddychwelyd o'r Groes: bas digyfeiliant, datganiadol yn cael ei ateb gan y lleisiau cyfan a'r cyfeiliant (Enghraifft 17).

Mae caneuon Joseph Parry o'r cyfnod hwyr hwn yn dal ar y cyfan i fod ar lun y 'parlour song' Fictoriaidd, yn enwedig o safbwynt harmoni. Ceir cyffyrddiadau gwreiddiol ond, yn gyffredinol, gwan yw cynnwys

Enghraifft 19

cerddorol y caneuon, er enghraifft 'Suo-gân' (1893), lle mae'n anodd deall sut y gallai'r cyfansoddwr – a'r cyhoeddwr, cofier – fodloni ar ragarweiniad piano sy'n *dyfynnu* dechrau 'Hen Wlad Fy Nhadau', ynghyd ag alaw (bar 8–12) sydd mor debyg i 'In Dublin's Fair City'. Dyfynnwyd 'Hen Wlad Fy Nhadau' yn y gân 'Llywelyn, Ein Llyw Olaf', ond am resymau cerddorol–genedlaethol; nid oes rheswm tebyg yn achos 'Suo Gân' (Enghraifft 18).

Olynydd teilwng i 'Cytgan y Pererinon' a'r holl ddarnau TTBB a gyfansoddwyd ers 'Cytgan y Morwyr' chwarter canrif ynghynt yw 'Iesu o Nazareth' (1898). Dyma anterth ymdrech Joseph Parry ym maes y côr meibion. Cytgan gysegredig sy'n dal yn gyfarwydd ydyw, gan arwain at uchafbwynt yr 'Hosanna'. Ni roddodd Parry arwydd tempo i'r adran hon, er mai 𝄵 yw'r arwydd amser. Tueddir i ganu'r adran yn gyflym iawn heddiw, ond o wneud hynny, collir y cyffyrddiadau arbennig sydd yn y gwead megis Bas 1 yn efelychu Tenor 1 ar ddechrau'r Coda. Sylwer hefyd ar harmoni'r ddiweddeb: IV 7 I, lle ynghynt byddai Parry wedi bodloni â'r IV iv disgwyliedig (Enghraifft 19).

I grynhoi, dylanwadodd arddull amryw o gyfansoddwyr ar Joseph Parry, ac mae ei gerddoriaeth yn dioddef oherwydd diffyg gwreiddioldeb ac eclectiaeth sy'n deillio o'i ddiffyg hunanfeirniadaeth fel cyfansoddwr. Ceir ambell gyffyrddiad cerddorol mwy unigryw, ond 'Nid ei gyfansoddiadau gorau yw y rhai mwyaf poblogaidd' chwedl 'Asaph' yn *Baner ac Amserau Cymru* (25 Chwefror 1903, t. 11). Yn wahanol i Mendelssohn, Schumann a Sterndale Bennett – tri cherddor a adawodd eu hôl ar gerddoriaeth Parry – gwella wnaeth cynnyrch hwyr Joseph Parry, ond dim ond o fewn cyd-destun anghysondeb a dilyniant arddull. Serch hynny, ef oedd meistr mwyaf crefftus a phroffesiynol toreth o gyfansoddwyr Cymreig llai dawnus a sicr eu techneg gerddorol. Erbyn heddiw, ni pherfformir y rhan helaethaf o gerddoriaeth Joseph Parry, ac felly ni ellid llunio darlun cyflawn a theg o ddatblygiadau ei arddull. Dim ond drwy astudio a beirniadu ei waith fel corff y gellir pwyso, mesur a gwerthuso ei gyfraniad i gerddoriaeth Cymru a'r byd.

10

Diweddglo

Talwyd sawl teyrnged i Joseph Parry adeg ei farwolaeth yn 1903, gydag un sylwebydd anhysbys o'r farn bod Pencerdd America:

> yn eithriad i'r rheol Gymreig rhy gyffredin. Ni ymfoddlonai ar fod yn gerddor arwynebol, ar fwynhau sŵn melys ac arwynebol cerddoriaeth, a hynny yn ddiamcan, eithr ymhyfrydai ynddi yn drwyadl, yn ei hegwyddor athronyddol ac ymarferol, ac ymroddodd i'w meistroli fel celf. (*Y Drych*, 6 Chwefror 1903, t. 4)

Yn sicr llwyddodd i gyfansoddi cerddoriaeth oedd yn ymarferol. Creodd gyfrwng ar gyfer ei bobl, gwerin oedd yn brin ei haddysg gerddorol, ond a feddai ar frwdfrydedd eneidiol a syched am ddiwylliant cerddorol o bob math.

Yn Eisteddfod Daleithiol Powys yn Llanfyllin 7 Gorffennaf 1893, darn prawf y corau 'Pentref' oedd cytgan olaf *Blodwen* 'Moliannwn y Nefoedd'. Amaturiaid fyddai'n cystadlu – ar gytgan opera nad yw'n rhwydd ei pherfformio – ond roedd brwdfrydedd cerddorol mawr, dyhead i ddysgu ac i guro eraill. Adeg yr eisteddfod hon, roedd cerddoriaeth Parry yn ei gyfnod olaf ac yn fwy aeddfed, soffistigedig, gwreiddiol a phersonol na'i gynnyrch cynnar. Perthynai *Blodwen* i gyfnod cynharach yn arddull y cerddor, ac roedd tuedd pwyllgorau eisteddfod i ddewis darnau Parry o'r 1860au a'r 1870au yn fwy gwir fyth yn America.

Yn gyffredinol, gwella wnaeth cerddoriaeth Joseph Parry wrth i'r cyfansoddwr heneiddio, ond ei ddarnau cynnar, poblogaidd a berfformiwyd fynychaf. Pe bai'r gerddoriaeth hon wedi bod yn fwy 'anodd', mae'n bosibl y byddai wedi bod y tu hwnt i allu cerddorol y werin a'r rheswm y dyrchafwyd y dyn a'i gerddoriaeth i'r fath raddau yw am i'w ddarnau ateb galw mawr y dydd am gerddoriaeth ymarferol o naws Gymreig. Ond o fewn cylch cyfyng yn unig y llwyddodd ei gerddoriaeth sef Cymry Cymru, Lloegr ac America. Methodd Parry â chwalu ffiniau'r cylch hwn, ac er i'w gerddoriaeth gael ei pherfformio'n achlysurol mewn gwledydd eraill, digwyddodd hynny yn hwyr yn ei fywyd, ac o fewn cyd-destun Cymreig bron bob tro, er enghraifft: 1896 – Burrum, Queensland, Awstralia (Eisteddfod); 1899 – Johannesburg, De Affrica (Eisteddfod); 1900 – Arddangosfa Paris (corau o Gymru); 1901 – Winnipeg, Canada (corau Cymry'r ddinas).

Mab Joseph Parry lwyddodd orau i dorri allan o gylch cerddorol caeedig ei dad. Symudodd Haydn i Lundain, gan gymysgu yno â phobl y theatr a cherddorion nad oeddynt yn perthyn i'r byd Anghydffurfiol Cymreig. Pan fu farw Haydn Parry yn 29 oed, roedd eisoes wedi dechrau ennill ei blwyf fel un o gyfansoddwyr newydd yr oes. Yn ôl George Marks, pe bai'r tad 'wedi bod mor ffodus â byw yn Llundain, Paris, Berlin neu Rufain buasai y byd heddiw [1903] yn gwybod mwy amdano' (*Y Drych*, 19 Mawrth 1903, t. 3). Ond yng Nghymru, er gwell neu er gwaeth, y treuliodd Pencerdd America ran helaethaf ei oes, a ffactor bwysig yn ei lwyddiant oedd ei bersonoliaeth. Roedd yn llawn carisma, yn gymeriad hynod hoffus, ac yn ôl Idris Lewis: 'Ei bersonoliaeth gyforiog ef [– yn fwy na'i gerddoriaeth? –] a fu'n ysbrydoli cerddoriaeth Cymru hyd ddiwedd y ganrif ddiwethaf' (*Cerddoriaeth yng Nghymru*, t. 33).

Denodd natur rwydd Parry gefnogwyr a chyfeillion lu, gyda phedwar dyn a phedair merch yn arbennig yn gerrig milltir yn hanes ei lwyddiant: John Griffith 'Y Gohebydd' (am ei gefnogaeth gynnar i'r cerddor ifanc), y Parchedig Thomas Levi (am drefnu cyngherddau a llunio geiriau), y Parchedig Thomas Rees (am ei gefnogaeth yn Abertawe), Dewi Môn (am lunio a chyfieithu geiriau'n doreithiog), mam Joseph Parry (am ei fagwraeth Anghydffurfiol gadarn), Jane ei wraig (am ei hamynedd!), Blodwen (am ei phwysigrwydd cerddorol), a Myfanwy (am roi *bestseller* i'w chyfansoddwr). Fel y dywedodd David Jenkins, 'Ymhob argyfwng yn ei hanes, yr oedd [Joseph Parry] yn ffodus i gael cyfeillion i gymryd diddordeb ynddo, ac i'w gynorthwyo' (*Y Cerddor*, Chwefror 1914, tt. 10–11).

Er hyn oll, nid oedd gan yr un o'r cyfeillion hyn yr un brwdfrydedd dros gerddoriaeth Cymru ag oedd gan Parry ei hunan. Ceisiodd lwyddo fel cyfansoddwr, arweinydd, unawdydd, cyfeilydd, beirniad, athro, cyhoeddwr cerddoriaeth, awdur, bardd, darlithydd, a gweinyddwr amryw o gymdeithasau cerddorol. I raddau'n unig y llwyddodd ym mhob maes y trodd ei law ato, ac er ei fod yn llawn amcanion da, pen cerddor brwd oedd ar ei ysgwyddau, nid pen trefnydd neu ddyn busnes. Ceisiodd Parry wneud y cyfan, a hynny heb lawer o gymorth ei gyfoeswyr.

Buan yr anghofiwyd iddo fod yn arloeswr cerddorol, gan arbrofi mewn meysydd na fentrodd eraill iddynt i'r un graddau, er enghraifft cerddoriaeth offerynnol. Cyfansoddodd yn sylweddol, ac yn ymarferol, ar gyfer plant, er enghraifft darnau piano syml a chaneuon hyfryd *Y Llyfr Canu* yn 1894. Cyfrannodd syniadau newydd mewn cyfeiriadau eraill hefyd ac mewn llythyr dyddiedig 10 Gorffennaf 1875 at D. R. Hughes, awgrymodd Parry y dylid cyhoeddi llyfr o eiriau darnau cerddorol, fel y bo'r gynulleidfa yn gallu gwerthfawrogi'r perfformiad yn well, sy'n awgrymu efallai nad oedd safon geirio cantorion y dydd gystal ag y dylai fod. Chwarter canrif yn ddiweddarach, arbrofodd Parry â dull newydd o feirniadu yn Eisteddfod Llandudno 1897, gan asesu'r cyfeilydd a'r arweinydd yn ogystal â pherfformiad y cantorion.

Heddiw, academwyr yn bennaf sydd â'r diddordeb mwyaf yn hanes bywyd Joseph Parry. O safbwynt ei gerddoriaeth, dywedodd Asaph yn 1903: 'Nid ei gyfansoddiadau gorau yw y rhai mwyaf poblogaidd.' Ac yn 1921, mynegodd Tom Price fod y genedl: 'bron anghofio enwau ei brif weithiau; tra y cenir ei fân-bethau yn barhaus.' Dyma ddwy farn sy'n dal yn wir heddiw, oherwydd yr un hen 'ffefrynnau' a glywir o hyd: 'Aberystwyth', 'Cytgan y Morwyr', 'Cytgan y Pererinion', 'Y Ddau Wladgarwr', 'Iesu o Nazareth', 'Y Marchog' – ac wrth gwrs 'Myfanwy' a 'Hywel a Blodwen'. I fwyafrif helaeth y genedl, y darnau hyn yw swmp a sylwedd cerddoriaeth Joseph Parry, ond nid yw'r darnau uchod yn cynrychioli cerddoriaeth Parry ar ei gorau, ac o ganlyniad mae eu clywed heddiw yn esgor ar ystod eang o ymateb – beirniadaeth hallt (gan rai na wyddant am weddill *repertoire* Parry), hanner gwên (gan y mwyafrif) neu frwdfrydedd emosiynol (gan y genhedlaeth hŷn fynychaf).

Mae eraill wedi collfarnu *holl* gerddoriaeth Joseph Parry ar sail yr ychydig ddarnau gor-gyfarwydd a enwyd uchod, sydd nid yn unig yn feirniadaeth annheg ac amhroffesiynol, ond fel y dywedodd David Morgans yn 1922:

> To judge a musician of a working-class family, born in 1841, . . . with the standard of today, is an unworthy and unfair act, and inclines us to believe that the object of such criticism is to wound the Welsh National feeling. *(Music and Musicians of Merthyr and District,* t. 186)

Ers hynny, cafwyd sawl ymdrech i geisio unioni peth o'r cam, er enghraifft penderfynodd Cyngor Bwrdeistref Merthyr Tudful yn 1979 adnewyddu Chapel Row a sefydlu Amgueddfa Joseph Parry yn rhif 4. Bu'r ganolfan yn llwyddiant gan ddenu miloedd o ymwelwyr o bedwar ban byd yn flynyddol. Ar 27 Hydref 1985, dadorchuddiodd The National Welsh-American Foundation gofeb ar hen gartref Joseph Parry yn 18 Chamber Street, Danville, Pennsylvania, ac mae yn llyfrgell ac amgueddfa'r dref arddangosfeydd diddorol am fywyd y cerddor yn America.

Eto, nid yw amgueddfa nac arddangosfa nac unrhyw faint o deyrngedau ar lafar neu ar bapur yn datrys problem sylfaenol cerddoriaeth Joseph Parry, sef y ffaith bod y mwyafrif helaeth o'i gyfansoddiadau'n gorwedd yn segur a heb eu perfformio. Anaml iawn y clywir cerddoriaeth anghyfarwydd Joseph Parry ar y radio neu'r teledu, yr hen ffefrynnau a glywir mewn eisteddfodau a chyngherddau. Canran fechan iawn o'i gynnyrch sydd ar ddisg, a dim ond yn yr 1980au y dechreuodd rhai o'r 'hen' gwmnïau cyhoeddi megis Snell a Gwynn ailwerthu cerddoriaeth Parry – yn cynnwys nifer o'i ddarnau llai cyfarwydd – drwy gyfrwng eu catalogau. Joseph Parry oedd prif gerddor Cymru yn ail hanner y bedwaredd ganrif ar bymtheg. Cafodd ddylanwad mawr ar gerddoriaeth a cherddorion ei genedl, a hynny trwy ei weledigaeth yn ogystal â'i gynnyrch. Fel cyfansoddwr mae'n ffigwr allweddol yn hanes datblygiad cerddoriaeth Cymru, ac mae ei gerddoriaeth yn haeddu gwrandawiad a gwerthfawrogiad teg gan gynulleidfaoedd heddiw.

Atodiad A

Catalog o Weithiau Joseph Parry

[R] = Rhif catalog Dulais Rhys
[T] = Teitl (ceir cyfieithiad etc o dan *Teitlau eraill*)
[O] = Rhif Opus etc ('1.1' = Opus 1 Rhif 1)
[G] = Awdur y geiriau/libretto
[C] = Cyfansoddwyd: cyfnod, dyddiad gorffen, dyddiad tybiedig [ ]

1. Opera

[R]	[T]	[O]	[G]	[C]
1.168a	Blodwen	31	Mynyddog	1876–7
1.216	Virginia	—	E. R. Jones	1883
1.247a	Bronwen[1]	—	?	[1880au?]
1.247b	Arianwen[2]	—	Dewi Môn	tua 1888
1.285	Sylvia	—	D. M. Parry	1891–5
1.315	Cap and Gown[3]	—	Ivor B. John	1897
1.336	King Arthur	—	Elfed	1896–9
1.350	His Worship the Mayor	—	Arthur Mee	1899–1900
1.353	Y Ferch o'r Scer	—	?	1900–1
1.356	The Maid of Cefn Ydfa	—	Joseph Bennett	1900–2

2. Oratorio

[R]	[T]	[O]	[G]	[C]
2.178b	Emmanuel[4]	36	G. Hiraethog	1869–78
2.178ch	Jehovah[5]	—	G. Hiraethog	tua 1881
2.273	Saul of Tarsus	—	Ysgrythurol	1891
2.361	Jesus of Nazareth[6]	—	Ysgrythurol	1902

3. Cantawd

[R]	[T]	[G]	[C]
3.004	Psalm 57	Ysgrythurol	1862
3.046	Y Mab Afradlon	Eos Bradwen	1866
3.106	Cantata y plant	Thomas Levi	1871
3.178a	Jerusalem	Gwilym Hiraethog	1878
3.199	Joseph	Thomas Levi	1880
3.203	Nebuchadnezzar	Ysgrythurol	1881
3.286	Moses Bach[7]	Dewi Medi	1895
3.287	Bethlehem[7]	Dewi Medi	1895
3.311	Cambria	O. M. Edwards	tua 1896
3.327	Iesu o Nazareth[2][7]	Ebenezer Rees	1898
3.343	Ceridwen[8]	Dyfed	1899
3.345	Caradog	D. Adams	1900

Ansicr: The pioneers

4. Corawl Cysegredig

[R]	[T]	[O]	[C]
4.001	O, give thanks unto the Lord	1.2	tua 1860
4.002	A temperance vocal march	—	tua 1860
4.018	Gostwng, O Arglwydd Dy glust[9]	3.2	tua 1863
4.019	Te Deum [1]	—	1863
4.020	Achub fi, O Dduw!	4.1	tua 1864
4.021	Clyw, O Dduw fy llefain	4.2	tua 1864
4.022	Nid i ni[10]	—	tua 1864
4.038	Mor hawddgar yw Dy bebyll	9.1	1865
4.054	Jubilate Deo	—	1867
4.055	Te Deum [2]	7.1	1867
4.065	Duw bydd drugarog wrthym ni	9.3	1868
4.091	Gweddi yr Arglwydd	9.2	1869
4.092	Yr Arglwydd yw fy mugail	9.4	1869
4.095	Anthem angladdol	9.5	1870
4.101	Hosanna i fab Dafydd	9.6	1870
4.123	Cân y dŵr	—	tua 1873
4.158	Moliant i'r Iesu	—	[1870au]
4.159	Pebyll yr Arglwydd	18.6	tua 1875
4.160	Bydd drugarog wrthym ni	29.3	[1870au]
4.161	Bless the Lord	—	[1870au]
4.162	Arglwydd, cofia fi	—	[1870au]
4.169	Mi a godaf ac a af at fy Nhad	30.3	1877

4.170	Ysbryd yw Duw	30.4	1877
4.171	Molwch yr Arglwydd	—	[1877]
4.172	Requiem gynulleidfaol[11]	—	[1877]
4.173	Wele rwyf yn sefyll wrth y drws ac yn curo	30.2	1877
4.174	Behold the Lamb	—	1877
4.180	Yr utgorn a gân	30.5	tua 1878
4.181	Y salm gyntaf	—	tua 1878
4.182	Deuwch ataf fi	—	1878
4.183	Teilwng yw'r Oen	—	1879
4.184	Mola Dduw O fy enaid	29	tua 1879
4.198	Ar lan Iorddonen ddofn	30.1	tua 1880
4.204	Gwyn fyd preswylwyr Dy dŷ	—	tua 1881
4.223	Toriad dydd ar Gymru	—	[1885]
4.250	Cofia yn awr Dy Greawdwr	—	1888
4.252	Te Deum [3]	—	1888
4.256	Sanctaidd! Sanctaidd!	—	1889
4.257	Am fod fy Iesu'n fyw	—	1889
4.265	Bur wreichionen	—	1891
4.312	In Memoriam	—	1896

Ansicr:

	Elegie	Oh, Mighty Father
	Glory to God	Praise to the Lord
	Molwch	Praise waiteth for Thee
	O! Come let us sing	The rescue
	O! Give thanks [2]	Terynasa
	O! Lord God of hosts	We will rejoice

5. Corawl Seciwlar

[R]	[T]	[O]	[G]	[C]
5.005	Good night	1.1	?	tua 1862
5.014a	Gwŷr Harlech[12]	12.2	?	1863
5.015	Ffarwel i ti, Gymru fad	20	Ceiriog	tua 1863
5.023	Rhuo mae'r môr	—	?	1864
5.024a	Heddwch[13]	—	?	1864
5.025	Y chwaon iach [1]	—	?	tua 1864
5.033	Patrons of Apollo's lyre	—	?	1865
5.034	Merrily chants the soaring lark	—	?	tua 1865
5.035	Ar don o flaen gwyntoedd [1]	4.2	T. Levi	tua 1865
5.036	Ar don o flaen gwyntoedd [2]	4.1	?	tua 1865
5.037	Y cychod ar yr afon	—	?	tua 1865
5.052	Richmond	—	J. Harris	1866
5.056	Rhosyn yr haf	5.1	Ceiriog[14]	1867
5.084	Gweddi gwraig y meddwyn	8.2	T. Levi	1869

5.125	Sleep, my darling	—	?	1873
5.126	Sleighing glee	20.6	Cynonfardd	tua 1873
5.163	Cytgan y bradwyr	20	Llew Llwyfo	tua 1875
5.164	Yr ystorm	23.2	Hwfa Môn	tua 1875
5.175	Hiraethgan[15]	30.6	Hiraethog	[1877]
5.190	Rhyfelgan gorawl	—	Granville-fab	[1879]
5.191	Molawd i'r haul	—	Glan Padarn	[1879]
5.208	Â chalon lon	—	T. Rees	[1881]
5.209	Hoff dywysog Cymru gu	—	T. Rees	[1881]
5.213	Hen glychau'r llan[16]	—	T. Rees	tua 1882
5.220	The shepherds and the fairies	—	J. Parry	1883
5.235	Yr afon fach	—	M. Emlyn	1886
5.255	Carmen Seculare	—	?	1889
5.266	A dream	—	?	1891
5.283	A monologue[17]	—	?	1894
5.330	Cytgan yr Orsedd a'r cadeirio	—	Dyfed[18]	tua 1898
5.348	Degree odes	—	amrywiol[19]	1900
5.358	Life	—	?	1902

Ansicr: Afloat on the ocean; Bessie's grave; Cartref y cedyrn; Choral fantasia; Dismission; Few and precious; Greeting; Haste we; How beautiful is night; I will call; Plumlumon; Through the storm

6. Côr Meibion

[R]	[T]	[O]	[G]	[C]
6.006	Cupid's darts	—	?	[1862]
6.016	Man as a flower	—	?	tua 1863
6.017	Rhowch i mi fy nghleddyf	—	?	tua 1863
6.129	Cytgan y morwyr	20	Mynyddog	tua 1874
6.149	Myfanwy [1]	4.3	Mynyddog	tua 1875
6.150	Rhyfelgan y myncod[20]	24	Llew Llwyfo	tua 1875
6.189	Nosgan	32.1	Gutyn Arfon	tua 1879
6.206	The village blacksmith [3]	—	Longfellow	tua 1881
6.207	Yr un hen stori	—	I. Glan Dwyryd	1881
6.214	Cwch-gân	—	?	tua 1883
6.232	Cytgan y pererinion	—	D. Adams	tua 1886
6.233	Dwynwen	—	Gwynionydd	1886
6.238	Arianwen [2]	—	R. Williams	1886
6.243	Y derwyddon	—	Alavon	1887
6.262	I arise from dreams of thee	—	Shelley	1890
6.264	The village sexton	—	?	1891
6.267	My love, good morrow	—	Heywood	1891

6.274	Cymru Fydd [2]	—	Dewi Môn	tua 1893
6.288	Suo-gân [2]	—	?	[1890au]
6.289	Gwen	—	?	[1890au]
6.320	Iesu o Nazareth [1]	—	Elfed	1898
6.321	Belshazzar	—	?	1898
6.322	Annabelle Lee	—	Edgar A. Poe	tua 1898
6.346	A fantasia of Welsh airs	—	Watcyn Wyn	tua 1900
6.347	Fel gwannaidd blentyn	—	?	1900

Ansicr: Home love; Life as a flower; My lassie

7. Pedwarawd

[R]	[T]	[O]	[G]	[C]
7.024b	Peace troubled soul[13]	7.2	?	[1860au]
7.047	Be merciful unto me	—	Ysgrythurol	1866
7.108	O na bawn eto'n blentyn rhydd	12.1	Ceiriog	tua 1871
7.121	Oh! Lord abide with me	16.1	H. F. Lyte	tua 1873
7.127	The bells	—	J. Whyte	1874
7.128	Evan benwan	20.4	Ceiriog	[1870au]
7.130	Ti wyddost beth ddywed fy nghalon	—	Ceiriog	[1870au]
7.131	O aros gyda mi	—	?	[1870au]
7.148	Mi welaf mewn atgof	20.3	Ceiriog	tua 1875
7.168b	O had I, my Saviour, the wings of a dove[21]	—	?	[1870au]
7.339	Come unto me	—	W. C. Dix	1899
7.340	Lead, kindly light	—	J. Newman	1899
7.341	Yn y llwch, Waredwr hael	—	[emyn?]	1899

8. Triawd

[R]	[T]	[O]	[G]	[C]
8.026	Sleep, lady, sleep	8.3	J. M. Price	1864
8.057	O na bawn yn seren	—	Ceiriog	tua 1867
8.079	Come fairies tribute	—	?	tua 1869
8.132	Fy angel bach	—	Glan Alun	tua 1874
8.133	Y tri aderyn mwyn	—	?	[1870au]
8.197	The village blacksmith [2]	—	Tennyson	1880
8.275	Heddiw	—	J. M. Jones	1893
8.276	Y llong King William	—	Eben Fardd	1893
8.277	Hoff wlad	—	J. M. Jones	1893

8.290	The three singers	—	?	[1890au]
8.337	Sleep little baby	—	?	1899
8.354	Faith, hope and charity	—	?	1902

Ansicr: Hear our prayer; Home; The music lesson; Political catch

9. Deuawd

[R]	[T]	[O]	[G]	[C]
9.039	O! Mor hardd	18	Mynyddog	1865
9.134	Y ddau forwr	21.1	Cynonfardd	tua 1874
9.176	Yr heulwen glir	33.2	T. E. Griffith	1877
9.177	Yr hen deimladau cynnes	—	?	tua 1876
9.236	Y ddau wladgarwr	—	T. Lodwick	tua 1886
9.244	Cambria's lament[22]	—	Elias Hughes	1887
9.291	Hen wlad y gân yw Cymru	—	Glan Prysor	[1890au?]
9.292	Dysg i mi Dy ffyrdd, O! Arglwydd	—	Ysgrythurol	[1890au?]
9.293	Rhwyfwn ein dau	—	Elias Morgan	tua 1895
9.314	Mae Cymru'n mynd i fyny	—	J. M. Morgan	tua 1897
9.331	Y bardd	—	?	1898
9.355	Plant y cedyrn	—	Eifion Wyn	tua 1902

Ansicr: Atat Ti; Bow down; Cambrian minstrels; Gwenllian; The two angels

10. Unawd

[R]	[T]	[O]	[G]	[C]
10.003	Y plentyn yn marw	2.2	Alaw Llynfell	1861
10.007a	The American star	—	?	1862
10.007b	Baner ein gwlad[23]	28.1	Mynyddog	1862
10.008	Gwnewch i mi feddrod	28.7	Gwenffrwd	1862
10.029	Y gwallgofddyn	—	?	1865
10.030	Breuddwydion ieuenctid	2.1	J. Parry[?]	tua 1865
10.031	Yr eneth ddall	5.2	Ceiriog	tua 1865
10.032	Prudd-gân	—	Telynog	[1860au?]
10.040	A love song	—	G. F. Powell	1866
10.041	Jefferson Davis	—	?	tua 1866
10.042	Lincoln's grave	—	?	tua 1866
10.043	Cân ymadawol	—	?	1866

10.044	Yr ystorm ar Fôr Tiberias	—	I. Gwynedd	1866
10.045	Dangos dy fod yn Gymro	—	?	1866
10.048	Arglwydd na cherydda fi	—	Ysgrythurol	1866
10.049	Y fenyw fach a'r Beibl mawr	28.3	Ceiriog	1866
10.050	Y trên	11.6	Ceiriog	1866
10.051	The house on fire	—	?	1866
10.053	Mari o Fedwig	—	Cuhelyn	1867
10.058	Cân genedlaethol[24]	—	?	1867
10.059	Gwraig y meddwyn	8.1	Ceiriog	tua 1867
10.060	Friend of my youth	—	?	tua 1867
10.061	Y tŷ ar dân[25]	—	Cuhelyn	tua 1867
10.062	The playing infant	—	Schiller[26]	1867
10.063	Home of the soul	—	Bishop Heber	1868
10.064	He that doeth the will of my Father	—	Ysgrythurol	1868
10.066	Excelsior [1]	—	Longfellow	1868
10.067	The sad farewell	—	?	[1868]
10.068	The home of my childhood	—	J. Parry	1868
10.074	Hoff wlad fy ngenedigaeth	—	Hwfa Môn	tua 1868
10.075	Adieu, dear home	14.1	?	1868
10.080	Fe'm ganwyd innau'ng Nghymru	—	T. Levi	tua 1869
10.081	Yr hen ywen werdd	11.4	Risiart Ddu	1869
10.085	Hen gestyll Cymru	—	?	tua 1869
10.086	Y milwr	—	J. S. James	1869
10.087	Gwnewch bopeth yn Gymraeg	10.4	Mynyddog	tua 1869
10.088	The village blacksmith [1]	—	Tennyson	tua 1869
10.089	Y melinydd	—	Dewi Môn	tua 1869
10.093	Mae'r tywysog yn dyfod	—	Taliesin o Eifion	1869
10.094	The two locks of hair	—	Longfellow	1870
10.097	Judge not a man by the cost of his clothing	—	?	1870
10.098	Gwraig y morwr	11.2	Mynyddog	1870
10.099	Gogoniant i Gymru	10.1	Talhaiarn	tua 1870
10.100	Yr ehedydd	11.1	Tydfylyn	1870
10.102	Y danchwa	—	J. S. James	1870
10.103	Y carwr siomedig	—	D. Morgannwg	1870
10.104	The old cottage clock	10.3	Charles Swain	tua 1870
10.107	Pleserfad y Niagara	11.5	T. Levi	1871
10.109	Song and chorus cenedlaethol	—	Risiart du	1871
10.110	Yr auctioneer	—	Mynyddog	1871
10.111	Y dyn sy'n mynd â hi	10.2	Mynyddog	tua 1871
10.112	The depot	—	Cynonfardd	1872
10.113	Cheer up!	—	?	1872
10.114	Ni ddown yn gewri yn y man	—	?	1872
10.115	Y gardotes fach	28.1	I. Glan Aled	tua 1872
10.116	Cymry glân Americ	10.5	I. Gwynedd	1872

10.117	All hail to thee Columbia	—	?	tua 1872
10.118	Y bachgen dewr	19.1	Mynyddog	tua 1872
10.119	Slumber, lie soft	2.3	?	tua 1872
10.120	The voice of conscience	12.4	Knight Summers	tua 1872
10.122	King death	—	Barry Cornwall	1873
10.124	Lady mine!	—	Jennie Whyte	tua 1873
10.135	Atgofion	28.5	Tydfylyn	[1870au?]
10.136	Glyndwr	28.8	Mynyddog	1874
10.137	Of thee, my bleak house	—	?	1875
10.138	The pauper's drive	—	?	[1870au?]
10.139	Atgofion mebyd	28.2	Hwfa Môn	tua 1875
10.140	I fyny fo'r nod [1]	—	Mynyddog	[1870au?]
10.141	Yr hen gerddor	—	Myfyr Emlyn	[1870au?]
10.142	Yr eos	37.1	T. E. Griffith	[1870au?]
10.143	Paham mae Dei mor hir yn dod?	26.6	Ceiriog	1875
10.144	I fyny fo'r nod [2][27]	28.12	Mynyddog	tua 1875
10.145	The charge of the Light Brigade	—	Tennyson	tua 1875
10.146	Y telynor bach	19.2	Ceiriog	tua 1875
10.147	Ysgytwad y llaw	12.3	Mynyddog	1875
10.165	Myfanwy [2]	28.10	Mynyddog	1876
10.166	Morfudd	28.11	Mynyddog	1876
10.167	Excelsior [2][27]	—	Longfellow	1877
10.179	Ti nid wyt	—	?	tua 1878
10.185	Cloch y llan	37.3	I. Glan Aled	1879
10.186	Hen gloch y llan[28]	—	?	tua 1879?
10.187	Cradle song	—	?	1879
10.188	Y milwr dewr	37.2	Granville-fab	tua 1879
10.192	Dinistr derwyddon Môn	—	?	tua 1880?
10.193	The golden grain	—	E. Brine	tua 1880
10.194	Come, Holy Spirit	—	?	[1880au?]
10.195	Malcombe's serenade	—	Evan R. Jones	tua 1880
10.196	Sleep, my love, sleep	—	?	1880
10.200	Old Swansea bells	—	?	tua 1881
10.201	The telegraph boy	—	Evan R. Jones	tua 1881
10.202	The Highland Brigade	—	Evan R. Jones	tua 1881?
10.205	O happy home of my childhood	—	Dewi Môn	1881
10.210a	The gates of old Carlisle	—	Weatherby	1881
10.210b	Dyweddi'r milwr[29]	—	R. Bryan	tua 1902
10.211	The old pot-pourri jar	—	H. M. Burnside	1882
10.212	The newspaper boy	—	Evan R. Jones	1882
10.215	Gogoniant i Brydain	—	?	1883
10.217	Cân y morwr	—	Dewi Môn	1883
10.218	Y chwaon iach [2]	—	?	1883
10.219	The days that are no more	—	Tennyson	1883
10.221	Lle y cwrddasom	—	Dewi Môn	1884

10.224	The tangled skein	—	?	tua 1885
10.225	O! Tyred yma ngeneth deg	—	?	[1880au?]
10.226	The water mill	—	?[26]	[1880au?]
10.227	As the stream flows	—	May C. West	[1880au?]
10.228	Y fam a'i phlentyn	—	Edeirnfab	1885
10.229	Dieu de paix et amour	—	?	1886
10.230	Doux souvenir	—	Madame Evans	1886
10.231	Gwyndaf Sant	—	Dewi Môn	1886
10.234	Y marchog	—	John Lodwick	tua 1886
10.237	Y cyfaill pur	—	Joseph Parry	1886
10.239	Ymweliad y bardd	—	Ioan Tegid	1886
10.240	Fy mam	—	Tudno Jones	1886?[30]
10.241	Yr hen delynor	—	?	tua 1887
10.242	Yr hen delynor dall	—	Tudno Jones	1887
10.245	The tramp	—	?	1887
10.246	Cymru Fydd [1]	—	Watcyn Wyn	tua 1887
10.248	My captain	—	?	1888
10.249	Yr eneth glaf	—	?	1888
10.251	Dreams of childhood	—	?	1888
10.253	Birthday feelings[31]	—	?	1888
10.254	Ein tadau, pa le maent hwy?	—	Dyfed	1888
10.258	Gone for ever	—	Edith Stone	1889
10.259	Cymru, Cymro a Chymraeg	—	Dewi Môn	1889
10.261	Hen Gymry oedd fy nhadau	—	?	tua 1890
10.278	Eiluned	—	Dewi Môn	tua 1893
10.279	Dymuniad y cerddor	—	Dewi Môn	tua 1893
10.280	Dewi Sant	—	Dewi Môn	tua 1893
10.281	Suo-gân [1]	—	Dewi Môn	1893
10.282	Y dyddiau gynt	—	H. Davies	tua 1894
10.284	To music	—	Herrick	1895
10.294	The two Christmas Eves	—	Dewi Môn	tua 1895
10.295	Come back to me	—	I. A. Fraser	tua 1895
10.296	Easter hymn	—	Effie Sharpe	tua 1895
10.297	My heart's love	—	Effie Sharpe	tua 1895
10.298	Thy life and mine	—	Effie Sharpe	tua 1895
10.299	Those dear eyes of thine	—	Heine[26]	tua 1895
10.300	She knows	—	Heine[26]	tua 1895
10.301	Cymru newydd	—	C. T. Thomas	1895
10.302	Oes y byd i'r iaith Gymraeg	—	Alafon	1895
10.303	Yr ydwyt fel blodeuyn	—	Kate Kroeker[26]	1895
10.304	Mae gennyf emau a pherlau	—	?[26]	1895
10.305	Ti ferch y morwr tyred	—	James Thomson[26]	1895
10.306	The moon is fully risen	—	James Thomson[26]	1895
10.307	Thine eyes	—	?[26]	1895
10.308	Thy cheek	—	F. Johnson[26]	1895
10.309	Till death	—	?	1896
10.310	Llais o'r lli	—	Alafon	tua 1896?
10.313	Llywelyn, ein Llyw Olaf	—	Anthropos	1896

10.316	Thraldom	—	Clifton Bingham	1897
10.317	The king's bride	—	Clifton Bingham	1897
10.318	Llewelyn[32]	—	Ebenezer Rees	1897
10.319	Iesu arwain fi	—	Ebenezer Rees	1898
10.323	Childhood[6]	—	?	tua 1898
10.324	Y lili wen	—	J. W. Thomas	tua 1898
10.325	Lord Roberts	—	?	1898
10.326	Cerdd rhyddid Cymru	—	G. Jenkins	1898
10.328	Spring	—	Annie Howell	1898
10.329	Summer	—	Annie Howell	1898
10.332	Y gloch	—	?	1898
10.333	Merch y cadben	—	Glan Padarn	tua 1898
10.334	Autumn	—	Annie Howell	1898
10.335	Winter	—	Annie Howell	1898
10.338	Hen Walia eto i fyny	—	I. Williams	1899
10.342	Sorrow and the angel Charity	—	?	1899
10.344	Sympathy	—	Annie Howell	1900
10.349	Sons of Britain[33]	—	?	1900
10.351	The snuff song[33]	—	?	1901
10.352	Come home	—	?	1901
10.357	Mi glywais lais yr Iesu'n dweud	—	?	1902
10.359	Y crythor dall	—	John M. Jones	1902
10.360	Fy mhriod	—	Joseph Parry	1902

Ansicr:

Am Gymru
Beddgelert
Be kind to the loved ones
The children's garden
Christmas story
Columbia
Y Cymro pur
Cymru
The day is cold
The day is dark and weary
The day is done
Degree song
Deio bach
Devona's vale
The druid
Y gadlys
International Celtic song
Lead, kindly light
Life is a dream
Life's dreams
Mae'n Gymro byth
Merch cadben y Loliwen
The milkmaid's song
The minstrel
My friends of old
My heart is weary
My love is fair
Nothing but leaves
Pa le mae milwyr Arthur?
The shepherdess
Song without words
Ti wyddost
To my friend
Wanton gales
The widow's lullaby
When other hands are clasped in thine
Where are the friends?
Where shall my soul?
Yn iach i Walia mwy

11. Cerddorfa (yn cynnwys Seindorf Bres)

[R]	[T]	[C]
11.082	Symffoni [1]	1869
11.083	Symffoni [2][6]	tua 1869
11.090	Agorawd	1869
11.178d	Tydfyl[34]	[1878?]
11.263	Suite	1890–1
11.268	Cambrian Rhapsodie	tua 1891
11.269	Peredur[17]	1891
11.270	Sleep[17]	1891
11.272	The dying minstrel	1892

Ansicr: A dead march

12. Siambr

[R]	[T]	[C]
12.076	Pedwarawd llinynnol	1869
12.077	Ffantasi i ffidl a phiano	1860–70au?
12.078	Solo i'r ffidl	1860–70au?
12.260	Ffantasi fer ar alawon Cymreig	1890
12.271	Ave Maria	1891

Ansicr: Glyndwr march; Welsh air sonata; Welsh dance [1]; Welsh dance [2]

13. Piano

[R]	[T]	[O]	[C]
13.069	Adagio cantabile[35]	—	1868
13.070	Sonata Rhif 1 yn C leiaf	—	1868
13.071	Sonata Rhif 2 yn G fwyaf	—	[1868]
13.072	Rondo	—	1868
13.073	Galop	—	tua 1868?
13.096	Sonata Rhif 3 yn E leiaf	—	1870
13.105	Recollections of spring	13.3	tua 1871
13.151	Maesgarmon [1][12]	24	tua 1875
13.152	A seaside reverie	27	[1870au?]
13.153	Recollections of childhood	13.1	[1870au?]
13.154	Recollections of courtship	13.2	[1870au?]
13.155	Little Willie's waltz	—	tua 1872?
13.156	Little Eddie's mazurka	—	tua 1873?

13.157	The druid's march	25	tua 1875
13.168c	Blodwen (agorawd)	—	[1878?]
13.178c	Emmanuel (agorawd)	—	[1878?]
13.222	To Dilys[36]	—	tua 1884?

Ansicr: Cambrian rustic dance

14. *Organ*

[R]	[T]	[C]
14.009	Ffiwg yn D leiaf	1862
14.010	David's prayer[37]	[1862]
14.011	Darn i'r organ	1862
14.012	Preludio	1862
14.013	Preliwdiwm a ffiwg	1863
14.027	Six melodies[6]	1864
14.028	Solo i'r organ	1864

15. *Emyndonau a Salmdonau*

O leiaf 350 emyn-don ar oddeutu 100 mesur gwahanol, a dros 100 salm-don.

16. *Casgliadau*

[R]	[T]	[C]
16.1	A Set of Six Songs	1872
16.2	Chwech o Anthemau	tua 1870
16.3	Anthemau Cynulleidfaol	tua 1872
16.4	Pump o Anthemau	[1870au?]
16.5	Tair o Anthemau i Blant	[1870au?]
16.6	Chwe' Quartett	tua 1879?
16.7	Deuddeg o Ganeuon	tua 1879?
16.8	Book of Duets	1882
16.9	Book of Songs	1885
16.10a	Cambrian Minstrelsie	1893–5
16.10b	British Minstrelsie[38]	tua 1899
16.11	Y Llyfr Canu (Rhan I)	1894

17. *Llyfr*

Yn 1888, cyhoeddwyd *The Theory of Music* gan Joseph Parry, sef rhan gyntaf cyfres y 'Cambrian Series' (Duncan a'i Feibion, Caerdydd) ar Elfennau Cerddoriaeth.

18. Teitlau eraill: cyfieithiad etc., yn nhrefn yr wyddor

[R]	[T]	
5.208	Â chalon lon	Loyal hearts / With loyal hearts
10.117	All hail to thee Columbia	Hail to thee Columbia
10.007a	The American star	Gw. 'Baner ein gwlad' isod
4.257	Am fod fy Iesu'n fyw	Am fod yr Iesu'n fyw
4.095	Anthem angladdol	Dyddiau dyn sydd fel glaswelltyn / Funeral anthem / As for man his days are as grass
16.3	Anthemau cynulleidfaol	Chwech o anthemau syml / Congregational anthem book / Six anthems
5.035	Ar don o flaen gwyntoedd [1]	I was tossed by the winds
5.036	Ar don o flaen gwyntoedd [2]	Ar don / Gwaredigaeth / The tempest
4.162	Arglwydd, cofia fi	Arglwydd cofia fi / The sacrifice
10.048	Arglwyddd na cherydda fi	Oh! Lord, rebuke me not
4.092	Yr Arglwydd yw fy mugail	The Lord is my shepherd
4.198	Ar lan Iorddonen ddofn	Deep Jordan's banks I tread
10.135	Atgofion	Remembrances
10.139	Atgofion mebyd	Recollections of childhood
10.110	Yr auctioneer	Yr arwerthwr / The auctioneer
10.118	Y bachgen dewr	The noble boy of truth
10.007b	Baner ein gwlad (+ The American star)	Our banner so fair / Udgenwch yr utgyrn / A war song / Rhyfelgan
9.331	Y bardd	The bard
1.168a	Blodwen	White-flower
4.265	Bur wreichionen	Vital spark
4.160	Bydd drugarog wrthym ni	Bydd drugarog / Be merciful / Be merciful unto us
3.106	Cantata y plant	Cantata'r adar / Yr adar / Ymgom y plant
10.043	Cân ymadawol	Parting song [?]
10.217	Cân y morwr	The sailor's song
3.345	Caradog	Caractacus
10.103	Y carwr siomedig	The disappointed lover
5.025	Y chwaon iach [1]	Chwarae mae y chwaon iach
10.218	Y chwaon iach [2]	Balmy zephyrs on the wing
10.185	Cloch y llan	The tolling bell
4.021	Clyw, O Dduw fy llefain	Clyw, O Dduw / Clyw, O Dduw, fy ngweddi / Hear, Oh Lord [?]
4.250	Cofia yn awr dy Greawdwr	Remember thou thy Creator

10.194	Come, Holy Spirit	In vain we tune our formal songs
10.187	Cradle song	Sleep my darling
10.359	Y crythor dall	The blind harper [?]
6.214	Cwch-gân	Boat song / Boatmen's chorus / Rowing song [?]
10.237	Y cyfaill pur	Make new friends / Make new friends but keep the old
10.259	Cymru, Cymro a Chymraeg	The Cambrian triplet
10.116	Cymru Glân Americ	Tra bo'r bryniau a'r doldiroedd
5.163	Cytgan y bradwyr	The traitors' chorus
6.129	Cytgan y morwyr	Codwn hwyl / The sailors' chorus /Haul away
6.232	Cytgan y pererinion	The pilgrims' chorus
5.330	Cytgan yr Orsedd a'r cadeirio	Cytgan yr Orsedd / Gorsedd ode
14.010	David's prayer	A sacred cantata / Overture
9.134	Y ddau forwr	The two sailors
9.236	Y ddau wladgarwr	The two patriots
6.243	Y derwyddon	The druids
4.182	Deuwch ataf fi	Come unto me
10.280	Dewi Sant	Saint David
10.229	Dieu de paix et amour	God of peace and love
10.230	Doux souvenir	Forget-me-not / Sweet memory
5.266	A dream	A tone poem
4.065	Duw bydd drugarog wrthym ni	Duw bydd drugarog / God be merciful / God be merciful unto us and bless us
10.282	Y dyddiau gynt	Old memories
10.279	Dymuniad y cerddor	The minstrel's desire
10.111	Y dyn sy'n mynd â hi	Dyna'r dyn sy'n mynd â hi / Dyna'r dyn a aiff â hi
9.292	Dysg i mi Dy ffyrdd, O! Arglwydd	Teach me Thy ways
10.210b	Dyweddi'r milwr	The warrior's bride
10.100	Yr ehedydd	The skylark
10.254	Ein tadau, pa le maent hwy?	Ein tadau p'le maent hwy? / Our fathers, where are they?
10.031	Yr eneth ddall	The blind girl
10.142	Yr eos	The nightingale
10.228	Y fam a'i phlentyn	Y fam a'r plentyn / The mother and child
10.240	Fy mam	My mother
6.347	Fel gwannaidd blentyn	As helpless as a child
10.049	Y fenyw fach a'r Beibl mawr	The little maiden and her Bible
5.015	Ffarwel i ti, Gymru fad	Adieu to dear Cambria [?]
10.360	Fy mhriod	My wife
10.115	Y gardotes fach	The little beggar girl

10.136	Glyndwr	Owain Glyndwr / Owen Glyndwr
10.099	Gogoniant i Gymru	All hail to thee Cambria
4.018	Gostwng, O Arglwydd Dy glust	Gostwng, O Arglwydd
10.029	Y gwallgofddyn	The lunatic
5.084	Gweddi gwraig y meddwyn	The prayer
4.091	Gweddi yr Arglwydd	Gweddi'r Arglwydd / The Lord's Prayer
10.008	Gwnewch i mi feddrod	Make me a grave
10.059	Gwraig y meddwyn	The gambler's wife
10.098	Gwraig y morwr	The sailor's wife
10.231	Gwyndaf Sant	Saint Gwyndav
5.014a	Gwŷr Harlech	Rhyfelgyrch Gwŷr Harlech / Men of Harlech/ Maesgarmon [2]
8.275	Heddiw	Today
5.024a	Heddwch	Peace
9.177	Yr hen deimladau cynnes	The old kind friendly feeling
10.241	Yr hen delynor	The old harper
10.242	Yr hen delynor dall	The old blind harper
5.213	Hen glychau'r llan	The village bells
10.081	Yr hen ywen werdd	The old yew tree
10.064	He that doeth the will of my Father	Not every one that saith unto me
9.176	Yr heulwen glir	The bright sunshine
5.175	Hiraethgan	Elegy / Enwogion Cymru [?]
5.209	Hoff dywysog Cymru gu	Hail, Prince of Wales!
10.074	Hoff wlad fy ngenedigaeth	Dear native land
10.063	Home of the soul	Home of my soul
4.101	Hosanna i Fab Dafydd	Hosanna / Hosanna to the Son of David
6.320	Iesu o Nazareth [1]	Jesus of Nazareth
10.319	Iesu arwain fi	Jesus, still lead on
10.144	I fyny fo'r nod [2]	Excelsior the cry
10.041	Jefferson Davis	Ffoedigaeth Jefferson Davis
10.097	Judge not a man by the cost of his clothing	You cannot judge a man by the cost of his clothing
10.324	Y lili wen	The white lily
13.156	Little Eddie's mazurka	To Eddie
13.155	Little Willie's waltz	To Willie
10.310	Llais o'r lli	A voice from the wreck
10.221	Lle y cwrddasom	The place where we met
10.313	Llywelyn, Ein Llyw Olaf	The Last Prince
10.325	Lord Roberts	To Lord Roberts
3.046	Y Mab Afradlon	The Prodigal Son
10.304	Mae gennyf emau a pherlau	Diamonds hast thou
10.093	Mae'r Tywysog yn dyfod	The Prince is coming

10.195	Malcombe's serenade	Malcombe / In dreams I saw a maiden fair / I know a maiden fair [?]
10.234	Y marchog	The cavalier
10.089	Y melinydd	The miller
4.169	Mi a godaf ac a af at fy Nhad	I will arise , and go to my Father
10.357	Mi glywais lais yr Iesu'n dweud	I heard the voice of Jesus say
10.086	Y milwr	The soldier
10.188	Y milwr dewr	The soldier brave
7.148	Mi welaf mewn atgof	How well I remember
5.191	Molawd i'r haul	An ode to the sun
4.158	Moliant i'r Iesu	Perfected in Jesus
4.171	Molwch yr Arglwydd	Praise ye the Lord
10.166	Morfudd	The Cambrian maid
4.038	Mor hawddgar yw Dy bebyll	How amiable are Thy tabernacles
3.286	Moses bach	Moses bach y plant
10.248	My captain	Abraham Lincoln
6.149	Myfanwy [1]	Arabella
10.165	Myfanwy [2]	Arabella
3.203	Nebuchadnezzar	Scenes in Babylon
4.022	Nid i ni	Not unto us O Lord
6.189	Nosgan	While the sun is gone to rest / Serenade
7.131	O aros gyda mi	Abide with me
10.030	Breuddwydion ieuenctid	O give me back my childhood's dreams / My childhood's dreams
7.121	Oh! Lord abide with me	O Lord abide with me
7.108	O na bawn eto'n blentyn rhydd	I would I were a careless child
8.057	O na bawn yn seren	If I were a star
9.039	O! Mor hardd â breuddwyd awen	O! Mor hardd / Oh! As fair as poet's dreaming
10.225	O! Tyred yma ngeneth deg	My bonny blue-eyed lass / My bonnie blue-eyed lass
10.143	Paham mae Dei mor hir yn dod?	It is my wedding morn
5.033	Patrons of Apollo's lyre	Strike the lyre [?]
9.355	Plant y cedyrn	Sons of the mighty
10.003	Y plentyn yn marw	The dying child
10.107	Pleserfad y Niagara	Y Niagara / The pleasure-boat on the Niagara
14.012	Preludio	Opening voluntary
10.032	Prudd-gân	An elegy
4.172	Requiem gynulleidfaol	Wylwn! Wylwn! / Weeping! Wailing!
5.056	Rhosyn yr haf	The rose of summer
6.017	Rhowch i mi fy nghleddyf	Oh! Give me my sword
5.023	Rhuo mae'r môr	The swelling sea

9.293	Rhwyfwn ein dau	Rowing together
5.190	Rhyfelgan gorawl	Ewch Gymry ddewr / Choral march / March, soldiers, on
6.150	Rhyfelgan y myncod	Cytgan y mynachod / The monks' war-march / The monks' war-song
4.181	Y salm gyntaf	Blessed are they [?]
4.256	Sanctaidd! Sanctaidd!	Holy! Holy!
13.152	A seaside reverie	Recollections of the fireside
11.270	Sleep	A tone picture
5.125	Sleep, my darling	Lullaby
10.196	Sleep, my love, sleep	Sleep, my love
10.119	Slumber, lie soft	Slumber, lie soft on thy beautiful eye
10.351	The snuff song	The caretaker
10.342	Sorrow and the angel charity	To charity
11.263	Suite	Three tone statuettes
10.281	Suo-gân [1]	Lullaby
4.055	Te Deum [2]	Te Deum Laudamus
4.183	Teilwng yw'r Oen	Worthy is the Lamb
4.002	A temperance vocal march	Prize temperance glee
10.146	Y telynor bach	The little minstrel
10.298	Thy life and mine	This life and mine
10.305	Ti ferch y morwr tyred	You lovely fisher maiden
10.179	Ti nid wyt	Thou art passed
7.130	Ti wyddost beth ddywed fy nghalon	You know what my heart is saying
4.223	Toriad dydd ar Gymru	Dawn of day for Wales
10.050	Y trên	The train
8.133	Y tri aderyn mwyn	The three melodious birds
10.061	Y tŷ ar dân	The house on fire
11.178d	Tydfyl	The Tydfyl overture
6.207	Yr un hen stori	The old story
4.180	Yr utgorn a gân	The trumpet shall sound
6.264	The village sexton	Hen lan henafol [?] / Llan henafol
4.173	Wele rwyf yn sefyll wrth y drws ac yn curo	Behold! I stand at the door and knock
10.239	Ymweliad y bardd	Y bardd / Y bardd o'r Bala / Y bardd a'r Bala / The bard / The bard's visit
7.341	Yn y llwch, waredwr hael	Saviour, when in dust to thee
10.303	Yr ydwyt fel blodeuyn	E'en as a lovely flower / E'en as a flower
4.170	Ysbryd yw Duw	Ysbryd i'w Duw / God is a spirit
10.147	Ysgytwad y llaw	The shake of the hand

5.164	Yr ystorm	The storm
10.044	Yr ystorm ar Fôr Tiberias	Storm of Tiberias

Nodiadau

[1] Anghyflawn, cynhwyswyd yn ddiweddarach [?] yn *Arianwen.*
[2] Gweler [1].
[3] Operetta un act gyda deialog.
[4] Yn ymgorffori'r gantawd *Jerusalem.*
[5] Detholiad o *Emmanuel.*
[6] Anorffenedig.
[7] 'Gwasanaeth cerddorol' ar gyfer yr Ysgol Sul.
[8] Cantawd neu opera un act.
[9] Motet SSATB.
[10] Canon tri llais.
[11] Cyhoeddwyd hefyd mewn trefniant TTBB.
[12] Trefniant SATB o'r alaw werin a ddefnyddiwyd hefyd fel *Maesgarmon [2]*, sef ail ran *Maesgarmon [1].*
[13] O bosibl, yr un darn â'r ganig 'Peace' a'r pedwarawd 'Peace troubled soul'.
[14] Nid gan y Parchedig D. C. Evans, fel a welir ar ambell gopi.
[15] Geiriau seciwlar, er y cynhwyswyd yr anthem yn *Anthemau [Cysegredig] Cynulleidfaol* [R16.3].
[16] Cynhwyswyd hefyd yn yr opera *Y Ferch o'r Scer.*
[17] Cynhwyswyd hefyd yn yr opera *King Arthur.*
[18] Ar y cyd â'r Prifathro Ddoctor W. Edwards.
[19] Cytgan I a V gan Dr W. Edwards, II gan E. N. Jones, III gan Ddewi Môn, a IV gan Elfed.
[20] Cynhwyswyd hefyd yn yr opera *Blodwen* fel 'Cytgan y milwyr'.
[21] Cynhwyswyd gyda geiriau gwahanol yn yr opera *Blodwen* fel 'Rwy'n gwybod dy hanes'.
[22] Cynhwyswyd gyda geiriau gwahanol yn yr opera *Arianwen.*
[23] Mae i 'The American star' a 'Baner ein gwlad' yr un gerddoriaeth, ond geiriau gwahanol.
[24] O bosibl yr un gân ag 'All hail to thee Columbia' [R10.117].
[25] Nid yr un gân â 'The house on fire' [R10.051].
[26] Cyfieithiad o'r Almaeneg.
[27] Gosodiad arall o'r un geiriau.
[28] Unawd wahanol i 'Cloch y llan' [R10.185] yn ôl pob tebyg.
[29] Mae i 'The gates of old Carlisle' yr un gerddoriaeth, ond geiriau gwahanol.
[30] Bu farw mam y cyfansoddwr 11 Mehefin 1886.
[31] Unawd piano efallai, nid oes rhan llais ar y llawysgrif [19822E].
[32] Ar gyfer bariton, côr meibion a phiano.
[33] Ar gyfer bariton, côr a cherddorfa.
[34] Trefniant pres o agorawd *Emmanuel.*
[35] Cynhwyswyd fel ail symudiad 'Sonata i'r Piano Rhif 1'.
[36] 'Olynydd' [?] 'Little Willie's waltz' a 'Little Eddie's mazurka'.
[37] Dilewyd y teitl hwn a sawl un arall ar y llawysgrif [9297E].
[38] Yn cynnwys unarddeg o drefniadau'r *Cambrian Minstrelsie.*

Atodiad B

Disgyblion Joseph Parry

Mae gwybodaeth – fylchog mewn mannau – am dros 120 o ddisgyblion o bum cyfnod yn hanes Joseph Parry: Llundain, Danville, Aberystwyth, Abertawe a Chaerdydd. Diflannodd enwau eraill gyda threigl amser.

Llundain 1868–71: disgyblion preifat

1. Miss Evans
2. Miss Lloyd

Danville 1871–74: Danville Musical Institute

3. Thomas Evans, Danville
4. Quincy B. Williams, Vermont
5. Dr D. J. J. Mason,[1] Wilkes-Barre

Aberystwyth 1874–81: Adran Gerdd Coleg Prifysgol Cymru 1874–79, Coleg Cerddorol Cenedlaethol Cymru 1879–81

6. C. Davies
7. Miss E. Davies
8. Gershom Davies, America
9. Hattie Davies, Caerdydd
10. Meudwy Davies[2]
11. Mr R. Davies
12. William Davies,[3] Rhosllannerchrugog
13. David Davis,[4] Cincinnati, America
14. Morgan Edwards, Llanafan
15. Mrs Evans, Dinbych
16. Cordelia Edwards, Bermo
17. Miss Edwards[2] (>Mrs Jenkins), Caerdydd
18. Thomas Cynffig Evans,[4, 5] Darowen
19. T. Maldwyn Evans[5]
20. Gayney Griffith[6]
21. M. W. Griffith[2]
22. W. Hopkins[2]
23. [Mr/Miss?] Howells, Aberafan
24. Ceiriog Hughes[7]
25. Maldwyn Humphries[8]
26. John James
27. David Jenkins, Trecastell[9]
28. R. Cyril Jenkins,[10] Llanelli
29. Hywelfryn Jones[2]
30. Miss Mary Jones,[2] Caerdydd (>Mrs Gwynoro Davies)
31. Miss Adelaide Morgan,[11] Talybont
32. Miss G. Morgan, Aberystwyth
33. Walter Morgan[11]

34. Haydn Morris[12]
35. Miss Annie Owen, Utica, America
36. David Parry,[2] Llanberis
37. Joseph Haydn Parry
38. Mr W. M. Powell[12]
39. Miss Jenny M. Price
40. Thomas Maldwyn Price[2, 13]
41. J. T. Rees,[14] Cwmgiedd
42. Miss Kate Rees, Aberystwyth
43. Miss Mary Richards, Aberystwyth
44. W. Jarrett Roberts 'Pencerdd Eifion'[15]
45. Mr Rowlands, Machynlleth
46. Mr Salisbury,[5] Abertawe
47. Mr W. T. Samuel
48. James Sauvage[16]
49. Miss Annie Williams
50. Jennie Alltwen Williams
51. John Williams 'Llew Ebbwy'[4]

Abertawe 1881–1888: Coleg Cerddorol De Cymru

52. Miss Beard, Abertawe
53. Miss Bishop
54. Miss Cotton,[17] Abertawe
55. Iorwerth Tydfil Daniel,[12] Abertawe
56. Miss Davies,[17] Abertawe
57. Mr Davies, Clydach
58. Mr T. J. Davies,[18] America
59. Miss Dennis, Abertawe
60. Mr Evans, Tair Croesffordd
61. Miss Field, Abertawe
62. Miss Foster, Tredegar
63. Miss Howells, Mymbls
64. David Hughes
65. Miss Annie James, Llanelli
66. Meurig James
67. Miss Jenkins, Abertawe
68. Mr D. Manllwyd Jones, Llanberis
69. Miss Flory Jones[17, 19]
70. Miss Louise A. Jones,[17] Treforys
71. Miss M. Jones,[20] Morewood, Abertawe
72. Miss Sarah Jones,[20] Morewood, Abertawe
73. Miss Knight
74. Mr D. Lloyd, Llangennech
75. Miss S. C. Morris, Maesteg
76. Miss Phillips, Abertawe
77. Daniel Protheroe,[12, 21] Ystradgynlais
78. Miss Nita Rees,[17] Abertawe
79. Miss M. H. Symmons
80. Master D. Thomas,[17] Pontardawe
81. David Vaughan Thomas,[22] Ystalyfera
82. Miss Thomas, Llanelli
83. Mr Walters, Pembre
84. Miss L. Whittington
85. Miss A. B. Williams, Abertawe

Caerdydd 1888–1903: Coleg Prifysgol De Cymru a Mynwy, ac Ysgol Gerddorol y De

86. Miss de la Condamine
87. Tom Daniel,[12] Cwmbwrla
88. Miss E. A. Davies
89. Miss Kitty Davies,[23] Caerdydd
90. Miss Mabel H. Davies
91. Richard Davies
92. Mr W. Davies, Llanelli
93. Miss A. Gertrude Duckers
94. Miss Gwen Eramus, Rhondda
95. David Evans,[24] Resolfen
96. Miss N. P. Evans, Dinbych-y-Pysgod
97. W. J. Evans
98. Miss Gilbert
99. Miss House
100. Miss A. Jakeman, Llundain

101. Mr F. Jennings
102. Ivor B. John
103. Mr T. Armon Jones, Llanarmon-yn-Iâl
104. Mr W. Jones, Aberpennar
105. William Owen Jones, Blaenau Ffestiniog
106. Miss Ethel Lee, Penarth
107. T. Rhys Lewis
108. Miss Queenie Martin
109. Miss D. Morgan
110. Mr Lewis Morgan, Porth
111. Miss Newburry
112. Miss Phillipps
113. Miss Nellie Richards
114. Mr E. T. Roberts
115. Miss Ross
116. A. M. Setter
117. Mr J. H. Shackleton
118. Mr Shipton
119. Miss Thomas
120. David John Thomas 'Afan'
121. Miss Claude Thorney
122. Mr H. S. Ward
123. David Christmas Williams,[25] Llanwrtyd
124. Miss R. Williams

Nodiadau

[1] Brodor o Drecynon a ymfudodd i America, ac olynydd Parry yn y Danville Musical Institute.
[2] Ansicrwydd ynghylch ble yn union yr astudiwyd gyda Parry.
[3] 1859–1907, beirniad, canwr a chyfansoddwr yr unawd 'O na byddai'n haf o hyd'.
[4] Astudiodd hefyd yn y Coleg Cerddorol Cenedlaethol.
[5] Astudiodd hefyd yn Abertawe.
[6] Soprano a ganodd ran Blodwen am y tro cyntaf.
[7] Merch y bardd J. Ceiriog Hughes.
[8] 1851–1908, tenor enwog.
[9] 1848–1915, Mus. Bac. 1878, cynorthwy-ydd i'r Athro, Athro'r Adran 1888–1915 – cerddor amryddawn.
[10] 1848–1913, arweinydd corawl.
[11] Mrs Walter Morgan, o bosibl.
[12] Ymfudodd i America.
[13] 1860–1908, cyfansoddwr 'Crossing the plain' i gôr meibion.
[14] 1857–1949, cerddor amryddawn, cyfansoddwr yr emyn-dôn 'Llwynbedw', a pherthynas o bell i'r awdur.
[15] Cyfansoddwr a sefydlodd wasg gerddorol yng Nghaernarfon.
[16] Unawdydd enwog.
[17] Plentyn.
[18] Astudiodd hefyd yng Nghaerdydd.
[19] 11 oed.
[20] Dwy chwaer.
[21] 1866–1934, cyfansoddwr.
[22] 1873–1934, cyfansoddwr.
[23] Ffidlydd y cyfansoddodd Parry ei 'Ffantasi fer ar alawon Cymreig' ar ei chyfer.
[24] 1874–1948, olynydd Parry fel darlithydd mewn cerddoriaeth yn 1903, ac Athro'r Adran 1908–39.
[25] 1871–1926, cyfansoddwr a chynorthwy-ydd Parry.

Atodiad C

Llyfryddiaeth

Llyfrau

Alumni Cantabrigensis Cyfrol V 1752–1900 (Cambridge University Press, 1952).

Elwyn T. Ashton, *The Welsh in the United States* (Caldra House Ltd., Hove, 1984).

Ifor ap Gwilym, *Y Traddodiad Cerddorol yng Nghymru* (Gwasg Christopher Davies, Abertawe, 1978).

Thomas Bassett, *Braslun o Hanes Hughes a'i Fab* (Croesoswallt, 1946).

D. H. B. Brower, *Danville – Past and Present* (Lane S. Hart, Harrisburg, Pennsylvania, 1881).

Y Bywgraffiadur Cymreig hyd 1940 (Llundain, 1953).

Cambridge University Calendar 1872 (Cambridge University, 1872).

Cardiff Orchestral Society (dim awdur nac argraffwr, 1906).

Gilbert Chase, *America's Music* (McGraw-Hill Book Co. Inc., New York, 1955).

C. E. Claghorn, *Biographical Dictionary of American Music* (Parker Publishing Co. Inc., W. Nyack, New York, 1973).

T. Wood Clarke, *Utica for a Century and a Half* (Widtman Press, Utica, New York, 1952).

Emrys Cleaver, *Gwŷr y Gân* (Llyfrau'r Dryw, Llandybie, 1964).

Cofnodion a Chyfansoddiadau Buddugol Eisteddfod Genedlaethol Llandudno 1896 (I. Foulkes, Lerpwl, 1898).

Frederick Corder, *A History of the Royal Academy of Music 1822–1922* (F. Corder, London, 1922).

Rhys T. Davies, *The Story of Henry Richard* (Hughes a'i Fab, Wrecsam, 1925).

Eleanor Deutsch, *Off to Philadelphia in the Morning* [sef crynodeb o lyfr Jack Jones o'r un enw] (heb enw cyhoeddwr, 1977).

F. W. Diehl, *History of Montour County 1769–1969* (Keystone Publishing Co., Berwick, Pennsylvania, 1969).

Hywel Teifi Edwards, *Gŵyl Gwalia: Yr Eisteddfod Genedlaethol yn Oes Aur Victoria 1858–1868* (Gwasg Gomer, Llandysul, 1980).

William Edmunds, *Hanes Plwyf Merthyr* (Josiah T. Jones, Aberdâr, 1864).

Owain T. Edwards, *Joseph Parry 1841–1903* (Gwasg Prifysgol Cymru, Caerdydd, 1970).

Owen M. Edwards, *Gwaith Mynyddog* (Hughes a'i Fab, Wrecsam, 1914).

Alfred Einstein, *Music in the Romantic Era* (J. M. Dent, London, 1947).

E. L. Ellis, *The University College Of Wales, Aberystwyth 1872–1972* (University of Wales Press, Cardiff, 1972).
T. I. Ellis (gol.), *Thomas Charles Edwards Letters* (*Cylchgrawn Llyfrgell Genedlaethol Cymru*, Aberystwyth, 1952–1953).
E. Keri Evans ac eraill, *Cofiant Joseph Parry* (Caerdydd a Llundain, 1921).
Arthur T. Foulke, *My Danville* (The Christopher Publishing House, N. Quincy, Massachusetts, [1968?]).
John Graham, *A Century of Welsh Music* (Kegan Paul, Trench, Trubner & Co. Ltd., etc., London, 1923).
Frederick Griffith, *Notable Welsh Musicians* (Francis Goodwen, London, 1896).
Richard Griffith, *Cofiant Y Gohebydd* (Dinbych, 1905).
R. D. Griffith, *Hanes Canu Cynulleidfaol Cymru* (Gwasg Prifysgol Cymru, Caerdydd, 1948).
Grove's Dictionary of Music and Musicians (Macmillan & Co. Ltd., London, 1912).
W. H. S. Johnston, *History of the First Cardiff Festival 1892* (Novello, Ewer & Co., London, 1892 [?]).
Jack Jones, *Off to Philadelphia in the Morning* (Penguin Books, London, 1951).
Jacob Jones, *Hanes Eglwys Gynulleidfaol Bethesda, Merthyr Tudful* (Swyddfa'r *Tyst*, Merthyr Tudful, 1909).
M. O. Jones, *Bywgraffiaeth Cerddorion Cymreig* (Cymdeithas yr Eisteddfod Genedlaethol, Duncan a'i Feibion, Caerdydd, 1890).
Thomas Levi, *Caneuon Cymru* (Lewis Evans, Abertawe, 1896).
Idris Lewis, *Cerddoriaeth yng Nghymru*, trosiad Cymraeg Enid Parry (Gwasg y Brython, Lerpwl, 1945).
W. J. Lewis, *Born on a Perilous Rock* (Aberystwyth Past and Present) (Cambrian News, Aberystwyth, 1980).
Ken Llewellyn, *Disaster at Tynewydd* (Ap Dafydd, Cardiff, 1975).
Alfred Lowenburg, *Annals of Opera* (Roman & Littlefield, Totowa, New Jersey, 1978).
Mahoning County Register 1865 (Youngstown, Ohio, 1865).
David Morgans, *Music and Musicians of Merthyr and District* (H. W. Southey, [Merthyr Tudful?], 1922).
Louis C. Nelson, *The History of American Music* (Macmillan Co., New York, 1925).
W. R. Owen, *Transactions of the National Eisteddfod of Wales Liverpool 1884* (I. Foulkes, Lerpwl, 1885).
Henry Raynor, *Music in England* (Robert Hale, London, 1980).
A. J. Heward Rees, *Symffoni Môr* (Y Coleg Normal, Bangor, 1982).
Glyn Richards, *Braslun o Hanes Ebenezer Abertawe* (Gwasg John Penry, Llanelli, 1954).
Eleazar Roberts, *Bywyd a Gwaith Henry Richard* (Hughes a'i Fab, Wrecsam, 1902).
T. R. Roberts, *Mynyddog: Ei Fywyd a'i Waith* (Gee a'i Fab, Dinbych, 1909).
Percy A. Scholes, *The Oxford Companion to Music* (Oxford University Press, London, 1970).
E. W. Smith, *Passenger Ships of the World* (George H. Dean, Boston, Massachusetts, 1963).
J. Rees, *Report on the National Eisteddfod of Wales* (Caernarfon, 1866).
J. Sutcliffe Smith, *Impressions of Music in Wales* (The Venture Press, Penmaenmawr, 1948).

Nicholas Temperley (gol.), *The Romantic Age 1880–1914* (The Athlone History of Music in Britain V), (The Athlone Press, London, 1981).
John Thomas, *Cofiant Thomas Rees* (William Hughes, Dolgellau, 1888).
Roy Thorne, *Penarth – A History* (Starling Press, Risca, 1975).
University College of Wales Reports 1872–1881 (Aberystwyth, 1872–1881).
Ernest Walker, *A History of Music in England* (Oxford, Clarendon Press, 1907).
Huw Williams, *Canu'r Bobol* (Gwasg Gee, Dinbych, 1978).
Huw Williams, *Tonau a'u Hawduron* (Llyfrfa'r M.C., Caernarfon, 1967).
Percy M. Young, *Choral Music of the World* (Abelard-Schuman, London, 1969).
Percy M. Young, *The Choral Tradition* (Hutchinson, London, 1962).
Percy M. Young, *A History of British Music* (Ernest Benn Ltd., London, 1967).

Cylchgronau a newyddiaduron

Aberystwyth Observer
Baner ac Amserau Cymru
British Weekly
The Cambrian
Cambridge Chronicle
Cardiff & Merthyr Guardian
Cardiff Times & South Wales Weekly News
Y Cerddor
Y Cerddor Cymreig
Cerddoriaeth Cymru
Y Cerddor Newydd
Cerddor y Cymry
Cerddor y Tonic Sol-ffa
Christian World
Cronicl y Cerddor
Y Cymro
The Daily Press (Utica, N.Y.)
The Daily Tribune (Salt Lake City, Utah)
Danville Morning News
Desert Evening News (Salt Lake City, Utah)
The Dewsland and Kemes Guardian (Aberteifi)
Y Drych
The Eagle (Coleg Sant Ioan, Caergrawnt)
Y Faner
Y Genhinen
Y Gerddorfa
Glamorgan, Monmouth & Brecon Gazette and Merthyr Guardian
The Harrovian (Ysgol Harrow)
Yr Herald Cymraeg
Liverpool Mercury
Livingston Republican (Pennsylvania)
Llanelly Guardian
Llanelly Mercury
London Daily News
Manchester Guardian
Musical Opinion
Musical Times
Newcastle Chronicle
Organ Week (Prifysgol Susquehanna, Pennsylvania)
The Sackbut
The Salt Lake Herald
Scranton Republican
Y Solffaydd
South Wales Echo
The Times
Trafodion Anrhydeddus Cymdeithas y Cymmrodorion
Western Mail
Wilkes-Barre Daily Union-Leader
Youngstown Vindicator
Yr Ysgol Gerddorol

Mynegai